Pierre Delaisne   Nicole McBride

Sandra Trevisi

Café Crème 3
MÉTHODE DE FRANÇAIS

avec la collaboration de
Francis Yaiche
et
Sylvie Pons

HACHETTE
Français langue étrangère

43, quai de Grenelle, 75905 Paris Cedex 15.

Crédits photographiques
AKG Photo/G. Seurat, *La Grande Jatte*, 1885 : 7 ; H. Rousseau, *Le Télégraphe à Malakoff*, 1908 : 45 ; F. Léger, 1951 : 83 ; G. de La Tour Georges (1593-1652), *Le Nouveau-Né*, musée des Beaux-Arts et d'Architecture de Rennes : 56 ; P. Almasy : 106 ; Émile Zola (1840-1902) : 68 ; la villa de Médan : 68 ; F. Boucher, *Le Pont*, 1751, Paris, musée du Louvre : 68 b ; affiche du 1er mai : 106. **Sam Bellet** : 18, 20, la Picardie. **DIAF**/Le Bot : 95 ; J.-Ch. Gérard : 106 bg ; M. Gyssels, Saint-Sauveur-le-Vicomte : 73 hd ; R. Mazin, le nez de Jobourg : 72 hg ; Pratt-Pries, vitraux XIII siècle : 72 b, Coutances : 73 ; B. Régent : 66 m ; D. Thierry : 28. **Editing**/G. Atger : 111 ; J.-P. Bajard : 111 ; P. Jean : 156 ; P. Schuller : 86, 90 md ; P. Véronique : 142 h ; **Explorer**/D. Casimiro : 149 ; F. Chazot : 74 ; D. Dorval : 80 h ; S. Frances : 104 d ; M. Guillou, Mémorial de Colombey-les-deux-églises : 66 hd ; D. Palais- P. Travel : 128 ; J.-L. Petit : 92 h ; A. Philippon : 80 m ; V. Quentin : 67. **Fotogram-Stone**/R. Shock : 106. **Gamma**/Apesteguy : 85 ; Bassignac-Merillon-Simon-Reglain : 140 ; Le Bot : 101 ; S. William : 101 ; Empics Ltd : 122 ; R. Gaillarde : 80 b ; Alain Le Bot : 101 ; S. William 101 ; Merillon-Berogency : 104 g ; Stéphane : 148 h, 148 m ; W. Stevens : 100 m, stade de Saint-Denis : 124 b, M. Aubry ministre de l'Emploi reçoit les représentants du patronat au sujet des 35 heures : 134. **Michel Gounot** : 10 b, 36, 42 h, 46, 52, 110 h. **Hoa Qui**/Oasis : 57, C. Pavard : 142, 143 b. **Idées décor** n° 6 ; 14 : 53. **Jerrican**/Charron : 84 h ; Gable : 16 ; Gaillard : 96 h ; Hanoteau : 138 bd ; Labat : 10 m, 96 b ; Limier : 43, 91 g ; F. Muller- May, Amazonie : 154 ; Sebart : 112 h, 138 bg ; Simeone : 91 d ; Simon : 150. **Métis**/Affiche *Western* : 58 ; X. Lambours : 63. **Prod DB**/Affiche *Marius et Jeannette* : 81 m ; J.-L. Bulliard : 116, 117 ; DR 78. **Rapho**/D. Dailloux : 19 ; G. Guérin : 90 m ; P. Michaud : 92 b ; J. N. de Soye : 94. **RMN**/G. Blot : 118 hg, 118 m ; H. Lewandowski, F. Valloton (1861-1925) : 121. **Stills**/Catarina : 133 ; C. Geral : 59 ; les victoires de la musique avec F. Cabrel, Zazie, L. Fabian, F. Pagny : 132. **Syma**/J.-P. Amet : 48 ; Bassorls (G. Pérec, 1978) : 124 h ; B. Bisson : 105 ; M. Lacombe : 112 b (grève des routiers, Lille 1997) ; Ph. Ledru (Abbé Pierre) : 84 ; J. Nassif (*La Cérémonie*) : 62. **M. Vimenet** : 64. **Viollet**/coll. R. Viollet : 66 b, 74 gh, gb.

Crédits textes
© **Actes Sud** : J.-M. Ribes, *Monologues, bilogues, trilogues*, p. 57. © **éd. Albert René** : Astérix, p. 72. © **éd. Bernard de Fallois** : Marcel Pagnol, *Jean de Florette*, p. 47. © **Aujourd'hui** : « Nestlé restaure la chocolaterie Menier », 20-21 septembre 1997, p. 67. © **BMG Music Publishing France** : Alain Souchon, « Foule sentimentale », p. 133. © **Charente Libre** : n° 16 357, 10 septembre 1997, p. 41, DR. © **Édition°1** : Pierre Lunel, *L'Abbé Pierre, l'insurgé de Dieu*, mars 1989, p. 84. © **Elle** : « Au Grand Palais !, pleins feux sur Georges de la Tour, le maître du clair-obscur », 6 octobre 1997, p. 56. © **Eurêka** n°spécial 244 : « 150 ans de baisse du temps de travail » ; « Durée hebdomadaire du travail dans les différents pays », octobre 1997, p. 130, DR. © **Librairie Arthème Fayard** : Jean-Marie Pelt, *Le Tour du monde d'un écologiste*, 1990, p. 155. © **éd. Gallimard** : Raymond Queneau, *Courir les rues*, p. 46 ; Daniel Pennac, *Messieurs les enfants*, p. 78-79 ; Louis Malle & Jean-Claude Carrière, *Milou en mai*, 1990, p. 116. © **Guide du patrimoine Rhônalpin** : Régis Neyret & Jean-Luc Chavent, *Cent monuments reconvertis* n° 21, 1992, p. 69, DR. © **Hatier** : A. Koné, *Le respect des morts*, coll. « Monde Noir Poche », 1980, p. 143 ; *Histoire terminale*, 1989, p. 156, DR. © **éd. Julliard** : Georges Perec, *Les Choses*, p. 19. © **Larousse** : F. Caradec, *N'ayons pas peur des mots*, 1988, p. 107, DR © **Larousse-Bordas** : Gérard Mermet, *Francoscopie 1997*, 1996, p. 81, 43, 126, 157, DR. © **Libération** : p. 25 ; n° 5072, 10 septembre 1997, p. 40, 4 novembre 1997, p. 105, DR. © **Logos TV**, DR. © **Marie France** : « Travailler chez soi entre aspirateur et ordinateur », septembre 1997, p. 96, DR. © **Le Monde** : J.-J. Bozonnet, « À Montpellier, la vie s'organise sans « Midi libre » » 15.07.1997, p. 29. © **Le Nouvel Observateur** : Françoise Giroud, « La télévision », 7-13 juillet 1997, p. 62, DR ; Michel de Pracontal, « Lettre à un voisin malheureux », 11-17 décembre 1997, p. 94 ; © **Présence Africaine** : L.-G. Damas, *Pigments*, 1972, p. 104. © **Le Point** : « Une nounou électrique », Laser Société n° 1282, p. 16 ; Myriam Goldmic et Catherine Moncel, « Le troc des savoirs » n° 1261, p. 28 ; Mylène Sultan, « Rudby-football : les deux France » n° 1299, p. 122. © **Quo**, septembre 1997, p. 9 ; novembre 1997, p. 46. © **Robert Laffont** : Henriette Walter, *Le Français dans tous les sens*, 1988, p. 97, DR. © **Science & Beauté** : « Quelle performance ! » n° 11, automne 1997, p. 56. © **60 Millions de Consommateurs** : P. Boiron & E. Baptiste, « Une quota de chansons » n° 293, p. 132. © **éd. du Seuil** : Françoise Giroud, *Chienne d'anné, journal d'une Parisienne 2*, 1996, p. 85 ; Jacques Godbout, *Salut Galarneau*, 1967, p. 95 ; G. Duneton & J.-P. Pagliano, *Antimanuel du français*, p. 107, DR. © **Textuel** : Élisabeth Weissman, *Les filles on n'attend plus que vous !*, 1995, p. 123. © **Georges Wolinski** : *Les Français me font rire*, p. 105.

Certaines rubriques de l'ouvrage ont été plus particulièrement prises en charge par :
N. McBride pour les pages de grammaire, le précis grammatical et la liste des constructions verbales ;
S. Pons pour les pages DELF ;
F. Yaiche pour les pages de simulations.

Réalisation PAO : O'Leary
Secrétariat d'édition : Claire Dupuis
Couverture : Encore lui !
Illustrations : Catherine Beaumont
Photos couverture : Fotogram-Stone/M. Busselle (Bonnieux, Vaucluse), B. de Hogues (Paris)
Photogravure : Nord Compo

ISBN : 2 01 15 5100 1
© Hachette Livre 1998, 43 quai de Grenelle, 74905 PARIS Cedex 15.

AVANT-PROPOS

Café crème 3 s'adresse à des adultes ayant suivi environ 200 heures d'enseignement du français. Il fait suite à *Café Crème 1* et *2*. Au niveau 3, l'apprenant retrouve une approche et un découpage familiers, enrichis de nouvelles rubriques.

Comme dans les niveaux 1 et 2, on retrouvera les principes fondamentaux de *Café Crème* :
– un contenu assimilable en une centaine d'heures : les connaissances de base étant acquises, le niveau 3 propose révision et enrichissement des outils linguistiques ;

– un découpage en 4 parties qui allie, à ce niveau, types de discours et problématiques de société :
   Dans la partie 1 : échanger/ s'informer – vivre au quotidien
   Dans la partie 2 : s'informer/ raconter – vivre avec son temps
   Dans la partie 3 : raconter/expliquer – vivre avec les autres
   Dans la partie 4 : expliquer/ argumenter – vivre sa vie

– une démarche d'apprentissage dynamique et interactive : on découvre, on comprend (**Découvertes**), on systématise (**Boite à outils**), et on s'approprie en produisant (**Expressions écrite et orale**) ;

– une organisation des acquisitions en fonction de la séquence classe.

Dans *Café Crème 3* apparaissent de plus des spécificités propres à ce niveau :
– les supports écrits et oraux sont des documents authentiques variés, sélectionnés dans un souci de réflexion sur la société française contemporaine : vie quotidienne, culture, évolution de la société, vie politique, croyances et comportements des Français, etc.

– une rubrique **Autonomie** donne à l'apprenant des techniques et des stratégies lui permettant de gérer lui-même son apprentissage et de développer des savoir faire.

Enfin, à la fin de chaque partie, une unité d'élargissement offre la possibilité d'aller plus loin, avec :
– un entraînement systématique au **DELF** premier degré qui permet à l'apprenant d'évaluer ses compétences ;

– des **Repérages** qui entraînent systématiquement à la lecture et à l'écoute de textes longs ;

– des pages de **Civilisation** qui complètent les thèmes abordés dans les unités précédentes ;

– des pages de **Simulation globale** proposées sans contrainte de temps, volontairement. Cela permet à chacun de développer ces simulations à sa guise et en fonction de son rythme.

En fin d'ouvrage, un précis grammatical et une liste des constructions verbales complexes rencontrées dans les 3 niveaux de *Café Crème* font de *Café Crème 3* un outil de travail complet pour tout apprenant de niveau moyen.

Les composants de la méthode apportent un enrichissement :
– un cahier d'exercices offre à l'étudiant la possibilité de s'entraîner et d'évaluer ses acquisitions tout au long des unités ;

– les cassettes audio proposent les enregistrements des dialogues et des documents authentiques « chaque fois que possible ».

– la vidéo lui donne l'occasion d'élargir son information.

Tableau des contenus

	Thème et situations	Savoir-faire	Vocabulaire et Grammaire	Apprentissage
UNITÉ 1 **Invitation**	• se débrouiller	• comprendre et répondre à des invitations par des lettres de remerciements, des cartes	• les emprunts, les antonymes • pour exprimer une négation • pour ajouter une information (1) : le complément	• gérer son vocabulaire : le sélectionner et l'apprendre
UNITÉ 2 **Renseignements**	• se renseigner	• chercher et trouver des informations par lettre ou par téléphone	• les noms de lieux • l'activité professionnelle • pour poser une question • tout, tous ou toutes ?	• s'exercer à écrire et à parler
UNITÉ 3 **C'est dans le journal**	• s'informer	• lire et écouter des messages et y répondre	• abréviations et sigles • masculin, féminin • les déterminants • pour rapporter des paroles	• apprendre par cœur
UNITÉ 4	DELF épreuve A2	Repérages : *À la une*	Civilisation : *L'information*	Simulation : *La une du Petit Café Crème*
UNITÉ 5 **Toujours plus**	• aller toujours plus loin dans le progrès	• connaître l'évolution de la société • faire des comptes rendus • présenter des projets	• chez le médecin, le pharmacien • pour parler de l'avenir : les pronoms (1)	• prendre des notes et faire des fiches
UNITÉ 6 **Critiques**	• se tenir au courant de la vie culturelle	• faire des critiques et donner son jugement sur des événements de la vie culturelle	• exprimer son opinion sur un spectacle, un film, une exposition • pour ajouter une information (2) : l'adjectif • le présent	• améliorer son intonation
UNITÉ 7 **Lieux de mémoire**	• se souvenir	• résumer, raconter, analyser des événements, des lieux de mémoire	• quelques expressions pour ordonner des faits historiques et les raconter • pour se situer dans le passé • le passif	• mieux connaître la civilisation
UNITÉ 8	DELF épreuves A2, A4 en 2e position	Repérages : *Messieurs les enfants*	Civilisation : *Les exceptions culturelles françaises*	Simulation : *Les visiteurs*

PARTIE 1 : VIVRE AU QUOTIDIEN (Unités 1 à 4)

PARTIE 2 : VIVRE AVEC SON TEMPS (Unités 5 à 8)

Tableau des contenus

	Thème et situations	Savoir-faire	Vocabulaire et Grammaire	Apprentissage
PARTIE 3 : VIVRE AVEC LES AUTRES *UNITÉ 9* **Solidarité**	• s'intégrer, s'engager	• s'engager dans la société • écrire des lettres de revendications	• la fonction des mots • pour ajouter une information (3) : le pronom relatif • les constructions verbales (1)	• travailler avec un dictionnaire
UNITÉ 10 **Pas d'accord**	• se brancher, s'adapter	• participer à la vie sociale • faire des réclamations au téléphone • rédiger des imprimés	• le français ou les Français ? • les emplois régionaux • le subjonctif (1) • les constructions verbales (2) • les pronoms (2)	• maîtriser son vocabulaire
UNITÉ 11 **Revendications**	• se faire entendre	• fournir des explications • faire des statistiques comparatives	• formation des mots • le français populaire • article défini ou indéfini • le subjonctif (2) • exprimer la condition	• différencier les registres de langue
UNITÉ 12	DELF épreuve A3	Repérages : *Milou en mai*	Civilisation : *Institutions*	Simulation : *Élections municipales*
PARTIE 4 : VIVRE SA VIE *UNITÉ 13* **Pour ou contre**	• s'expliquer, se justifier	• discuter, débattre • préparer des arguments pour étayer son opinion • rédiger des tracts	• des textes administratifs et politiques • pour comparer • l'accord du participe passé • l'infinitif passé	• dépasser les stéréotypes
UNITÉ 14 **En chanson**	• exprimer son opinion	• écrire des lettres pour convaincre • donner son point de vue • prendre la parole dans une table ronde	• des mots pour donner son avis • pour souligner une argumentation	• préparer une discussion
UNITÉ 15 **Tout change**	• justifier une opinion, argumenter	• faire des commentaires à partir de statistiques • faire une synthèse	• des expressions pour s'opposer à un intervenant dans un débat, animer une table ronde • pour se distancier • pour exprimer son intention	• faire une synthèse
UNITÉ 16	DELF épreuve A4	Repérages : *La Terre est malade*	Civilisation : *Une identité française*	Simulation : *Opération environnement*

LA FRANCE ADMINISTRATIVE

Carte de France

01 Ain	2B Corse (Haute-)	40 Landes	60 Oise
02 Aisne	21 Côte-d'Or	41 Loir-et-Cher	61 Orne
03 Allier	22 Côtes-d'Armor	42 Loire	62 Pas-de-Calais
04 Alpes-de-Haute-Provence	23 Creuse	43 Loire (Haute-)	63 Puy-de-Dôme
05 Alpes (Hautes-)	24 Dordogne	44 Loire-Atlantique	64 Pyrénées-Atlantiques
06 Alpes-Maritimes	25 Doubs	45 Loiret	65 Pyrénées (Hautes-)
07 Ardèche	26 Drôme	46 Lot	66 Pyrénées-Orientales
08 Ardennes	27 Eure	47 Lot-et-Garonne	67 Rhin (Bas-)
09 Ariège	28 Eure-et-Loir	48 Lozère	68 Rhin (Haut-)
10 Aube	29 Finistère	49 Maine-et-Loire	69 Rhône
11 Aude	30 Gard	50 Manche	70 Saône (Haute-)
12 Aveyron	31 Garonne (Haute-)	51 Marne	71 Saône-et-Loire
13 Bouches-du-Rhône	32 Gers	52 Marne (Haute-)	72 Sarthe
14 Calvados	33 Gironde	53 Mayenne	73 Savoie
15 Cantal	34 Hérault	54 Meurthe-et-Moselle	74 Savoie (Haute-)
16 Charente	35 Ille-et-Vilaine	55 Meuse	75 Paris
17 Charente-Maritime	36 Indre	56 Morbihan	76 Seine-Maritime
18 Cher	37 Indre-et-Loire	57 Moselle	77 Seine-et-Marne
19 Corrèze	38 Isère	58 Nièvre	78 Yvelines
2A Corse-du-Sud	39 Jura	59 Nord	79 Deux-Sèvres

80 Somme	
81 Tarn	
82 Tarn-et-Garonne	
83 Var	
84 Vaucluse	
85 Vendée	
86 Vienne	
87 Vienne (Haute-)	
88 Vosges	
89 Yonne	
90 Belfort (Territoire de)	
91 Essonne	
92 Hauts-de-Seine	
93 Seine-Saint-Denis	
94 Val-de-Marne	
95 Val-d'Oise	

Partie 1
VIVRE, AU QUOTIDIEN

INVITATION

Qu'est-ce que je fais si...

... je veux garder le contact avec mes amis

Profitez de votre retour de vacances pour perdre vos mauvaises habitudes. Ne dites plus « non, non, ça ira » quand vos invités proposent de s'occuper du dessert. Ne perdez plus votre temps à faire une pâte à tarte qu'on peut acheter toute prête. Et au téléphone, ne raccrochez jamais sans avoir choisi une date pour vous revoir.

D'après *Biba*, septembre 1997.

... je suis invité

Après le oui
Catherine, Pierre
et leurs parents
vous invitent au cocktail
qui sera servi
à l'Auberge Frantel
de Nancy

RSVP avant le 15 mars

... j'ai oublié de lui acheter des chocolats

Stéphanie est amoureuse. Deux jours avant la Saint-Valentin, elle est en voyage d'affaires aux États-Unis. Soudain, elle constate qu'elle n'a pas eu le temps de penser à un cadeau pour son ami. Pas de problème : elle prend son ordinateur portable et le connecte au Web[1], le réseau convivial d'Internet, où elle trouve le site *Marché de France* et là, elle achète une boîte de chocolats qu'elle paie en donnant le numéro de sa carte de crédit. Jean-Daniel recevra les chocolats à Paris le jour de la fête des amoureux.

D'après *Le Nouvel Observateur*.

1. Le Web est un réseau mondial auquel on connecte les ordinateurs pour communiquer. Il relie des millions d'ordinateurs entre eux.

le réseau = internet

❶ **Lisez le texte (1) et repérez les conseils donnés pour garder le contact avec ses amis.**

❷ **À deux, essayez de trouver d'autres conseils.**

❸ **Lisez la carte d'invitation (2). Vrai ou faux ?**
1. Catherine est la sœur de Pierre.
2. Vous êtes invité(e) au cocktail qui sera servi après la cérémonie du mariage.
3. RSVP signifie « Répondez, s'il vous plaît. »
4. Le mariage a lieu avant le 15 mars.

❹ **Lisez le texte (3) et répondez aux questions.**
1. Dans quelle phrase est-ce qu'on décrit le problème de Stéphanie ?
2. Pour acheter la boîte de chocolats, que fait Stéphanie ?
a. elle reste devant son ordinateur ;
b. elle va au Marché de France ;
c. elle téléphone à Jean-Daniel.

TEST — Êtes-vous cool ou maniaque?

1 Il vous arrive souvent de perdre vos clés, vos papiers, votre parapluie...
a. Jamais. ❑
b. Oui. ❑

2 Vous n'aimez pas faire la vaisselle. Vous la faites...
a. Après chaque repas. ❑
b. Une fois que l'évier est plein. ❑

3 Vous ne supportez aucun désordre.
a. Oui. ❑
b. Non. ❑

4 Dans la salle de bains, un tube de dentifrice non rebouché vous met en colère
a. Oui. ❑
b. Non. ❑

5 Vous ne supportez aucune trace de poussière dans votre voiture.
a. Ni dans votre voiture, ni ailleurs ! ❑
b. Ça vous est égal. ❑

6 Chez vous, la lumière n'est allumée que dans la pièce où vous êtes.
a. Évidemment. ❑
b. Cela n'a aucune importance. ❑

7 Vos invités ne doivent être ni en avance ni en retard, mais à l'heure.
a. Absolument. ❑
b. Non. Vous voulez les voir, c'est tout. ❑

8 Chez vous, vous demandez à vos invités d'enlever leurs chaussures.
a. Oui. ❑
b. Vous n'avez jamais pensé à une chose pareille ! ❑

*Si vous avez plus de quatre **b** :*
Vous êtes plutôt cool. Cela vous donne un côté bohème très sympathique, mais attention, pensez aux autres : le désordre poussé à l'extrême est quelquefois difficile à supporter.

*Si vous avez plus de quatre **a** :*
La vie à vos côtés ne doit pas être drôle tous les jours... et en vieillissant vous risquez de devenir invivable. Alors, faites un effort... Vous étonnerez votre famille et vos amis.

❶ Lisez le test.

❷ Trouvez parmi les réponses plusieurs façons de dire *oui* et de dire *non*.

❸ Donnez deux exemples de comportement :
1. pour une personne cool ;
2. pour une personne maniaque.

❹ Retrouvez dans le texte ce qui met une personne maniaque en colère.
Inventez d'autres situations.

❺ Êtes-vous plutôt cool ou maniaque ?
Faites le test et donnez d'autres exemples.

Conversation téléphonique entre Catherine et Carole

❶ Lisez les affirmations suivantes, puis écoutez la conversation une première fois.
Dites si les affirmations sont vraies ou fausses.

1. Carole va se marier.

2. Le mariage a lieu au printemps.

3. Le futur mari de Carole s'appelle Nicolas.

❷ Écoutez la conversation une deuxième fois et prenez des notes sur ce que dit chaque personne.

Catherine	Carole
Félicitations…	

❸ À deux, comparez vos notes et essayez de reconstituer le dialogue.

Communication avec le répondeur de Philippe

❶ Écoutez le texte deux fois.
À deux, essayez de reconstituer le message de Nicole pour Philippe.

ODILE SCHMEMER
présente

FLORENT CHOPIN
œuvres récentes

du 16 septembre au 9 octobre 1997

Vernissage mardi 16 septembre
de 18 h à 21 h 30

GALERIE

Médiart

ART CONTEMPORAIN

109, rue Quincampoix
75003 Paris

du mardi au samedi de 14 h à 19 h 30
et sur rendez-vous
Tél 01 42 78 44 93 – Fax 01 42 78 84 02

Œuvres d'artistes visibles sur Internet :
http://WWW. at.vianet.fr/galerie/mediart
Parking rue Beaubourg- Métro Étienne Marcel-Rambuteau

Quand on appelle la préfecture…

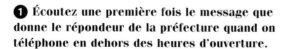

❶ Écoutez une première fois le message que donne le répondeur de la préfecture quand on téléphone en dehors des heures d'ouverture.

❷ Lisez le texte ci-contre.

❸ Écoutez le message une deuxième fois et complétez le texte.

Préfecture de …
… avenue Daumesnil, 17 … Morland,
heures d'ouverture : 8 heures 15 à …
sans interruption, du … au …
Pour les demandes de permis de conduire, carte grise, … d'identité, … et droits de séjour pour les ressortissants étrangers :
Appelez le standard de la … de police au 01 53 71 … … ou le … 36 67 … … .
En cas d'urgence, appelez la préfecture de la région Ile-de-France au … … … … … .

VoCABulAirE

❶ Retrouvez le mot qui correspond à la définition.

1. C'est un groupe d'ordinateurs reliés entre eux (dans un bâtiment ou par le téléphone et un modem).

2. C'est un disque sur lequel sont stockées des informations.

3. C'est un café qui met des ordinateurs à la disposition de ses clients.

4. Ceux qui voyagent sur l'Internet.

5. Pour imprimer ce que vous voyez sur l'écran.

6. Il peut être portable. Vous utilisez son clavier, quelquefois une souris et vous regardez l'écran.

7. Ce réseau d'informations permet à des dizaines de millions de personnes de communiquer.

a. un ordinateur
b. l'Internet ou le Net
c. un réseau
d. une imprimante
e. un cybercafé
f. un CD-Rom (cédérom)
g. les internautes

LES EMPRUNTS

En France, on utilise parfois des mots étrangers. Pour les mots empruntés à l'anglais, les dictionnaires indiquent *mot anglais, anglicisme*, etc. Ils donnent la prononciation qui est devenue française et, souvent, ils proposent un mot français de même sens.

cool [kul] adj. inv. Fam. (Anglicisme) Détendu, calme. ▷ *Spécial.* Se dit d'une manière de jouer le jazz : *cool jazz* (par oppos. à *hot jazz*, plus énergique et exubérant).

> Extrait du *Dictionnaire Hachette encyclopédique*.

cocktail [kɔktɛl] n. m. **1.** Boisson résultant d'un mélange dans lequel entrent des alcools. ▷ *Par ext.* Mélange. *Cocktail de fruits.* Fig. *Un heureux cocktail de malice et de gravité.* **2.** Réunion mondaine où l'on boit des cocktails. *Le vernissage de l'exposition sera suivi d'un cocktail.* **3.** *Cocktail Molotov* : projectile offensif continué par une bouteille remplie d'un liquide explosif. **4.** MÉD *Cocktail lytique* : mélange de médicaments destiné à lutter contre des douleurs violentes résistant aux médicaments plus simples.

> Extrait du *Dictionnaire Hachette encyclopédique*.

❷ Donnez, quand c'est possible, un équivalent français pour les mots suivants. Vous pouvez utiliser un dictionnaire.

Cool ➡ *décontracté.*

Un cocktail ➡ *une réception (en fin de journée).*

1. Le week-end.
2. Le Web.
3. Un fax.
4. OK.
5. Un toast (pour le petit-déjeuner).
6. Une star.
7. Un cameraman.
8. Un sandwich.
9. Un hot dog.
10. Le marketing.
11. Le football.

LES ANTONYMES

• Les antonymes sont des mots de sens contraire.

Haut ≠ *bas.*   *La pauvreté* ≠ *la richesse.*
Lever ≠ *baisser.*   *Cher* ≠ *bon marché.*

• On peut former des antonymes en employant des préfixes exprimant la négation.

préfixes	exemples
pour les verbes	
dé- (devant consonne)	charger ≠ décharger (une voiture)
dés- (devant h muet ou voyelle)	s'habiller (le matin) ≠ se déshabiller (le soir)
pour les adjectifs et les noms	
in-	utile ≠ inutile l'utilité ≠ l'inutilité
mais im- devant m, p, b	possible ≠ impossible :
il- devant l	lisible ≠ illisible :
ir- devant r	remplaçable ≠ irremplaçable
	la responsabilité ≠ l'irresponsabilité
mal-	heureux ≠ malheureux la chance ≠ la malchance
non-	fumeur ≠ non-fumeur

❸ Donnez un antonyme pour chacun des mots suivants. Vous pouvez vous aider d'un dictionnaire.

1. Patient.
2. Maniaque.
3. Connu.
4. Capable.
5. Supportable.
6. Accepter.
7. Faire.
8. Parfait.
9. La possibilité.

◆ POUR EXPRIMER UNE NÉGATION

vous le savez déjà...

**❶ Répondez de façon négative.
Il y a plusieurs solutions possibles.**

1. Il y a un problème ?
2. Cela a de l'importance ?
3. Vous travaillez le week-end ?
4. Il y a encore des enfants dans la queue ?
5. Tu achètes toujours *Le Monde* ?
6. Vous avez de la monnaie, s'il vous plaît ?
7. À qui l'as-tu dit ?
8. Tu viendras avec tes bagages ?
9. Vous y avez déjà pensé ?

❷ Faites la liste des constructions que vous connaissez pour exprimer une négation.

❸ Complétez avec *rien* ou *personne*.

1. Vous n'avez … vu ?   2. Vous n'avez vu …?

POUR RÉCAPITULER.

1. *Pas, plus, jamais, rien* se placent-ils avant ou après le participe passé d'un temps composé ?
2. *Personne* se place-t-il avant ou après le participe passé d'un temps composé ?

• *voir Négation p. 175.*

AUCUN, AUCUNE

– *Cela a de l'importance ?*
– *Non, cela **n'**a **aucune** importance.*
– *Vous supportez le désordre ?*
– *Non, je **ne** supporte **aucun** désordre.*
• Comme adjectif, **aucun** s'accorde en genre avec le nom qu'il précède.

Nous avons écrit à plusieurs entreprises.
***Aucune n'**a répondu.*
Nous avons consulté plusieurs médecins.
***Aucun n'**a été dissuasif.*
• Comme pronom, **aucun** prend le genre du nom qu'il remplace. Il est toujours suivi d'un verbe au singulier.

❹ Répondez aux questions en utilisant *aucun* ou *aucune* comme adjectif puis comme pronom.

Tu as eu beaucoup de lettres ?
➜ *Non, je n'ai eu aucune lettre.*
➜ *Je n'en ai eu aucune.*

1. Vous avez eu des nouvelles ?
2. Tu as vu plusieurs films ?
3. Tu as lu beaucoup de livres ?
4. Vous avez écrit quelques cartes ?

NE... NI... NI...

*Je **ne** supporte la poussière **ni** dans ma voiture, **ni** ailleurs.*
*Vos invités sont priés de **n'**être **ni** en avance **ni** en retard.*
• Dans une phrase négative, **ni** remplace **et** ou bien **ou**. **Ni** se place devant chacun des groupes reliés par **et** ou par **ou**.

 Il faut utiliser **ne** devant le verbe.

❺ Complétez en utilisant *ni… ni…*

1. À qui ressemble-t-il : à sa mère ou à son père ?
Il ne…
2. Où irons-nous : au théâtre ou au cinéma ?
Nous…
3. Vous aimez le soleil ou la plage ? *Je….*

NE... QUE

*La lumière **n'**est allumée **que** dans la pièce où vous êtes.*
• **Que** introduit une restriction.
On pourrait aussi dire :
*La lumière est allumée **seulement** dans la pièce où vous êtes.*
*La lumière n'est pas allumée, **sauf** dans la pièce où vous êtes.*

❻ Reformulez ces phrases en utilisant *ne… que*.

1. Elle mange seulement une fois par jour.
2. Les bureaux sont seulement fermés le samedi.
3. Il n'utilise jamais sa voiture, sauf pendant les vacances.

**❼ 1. Utilisez *ne… que* devant les mots soulignés.
2. Proposez, pour chaque phrase, une autre façon d'exprimer la restriction.**

1. Elle mange des <u>gâteaux et des glaces</u>.
2. Il parle <u>français</u>.
3. Il travaille <u>deux heures</u> par jour.
4. On <u>t'</u>attend.

◆ POUR AJOUTER UNE INFORMATION (1) : LE COMPLÉMENT

LE COMPLÉMENT D'OBJET

• *voir Constructions verbales p. 186.*

Après un verbe

*Elle achète **une boîte de chocolats**.*

*Vous ne supportez pas **la poussière**.*

• Le complément peut venir directement après le verbe : c'est un **complément d'objet direct**.

*Elle se connecte **au Web**, être invité **à un repas**.*

*Convenir **d'une date**.*

• Il peut être introduit par une préposition (*à, de…*) : c'est un **complément d'objet indirect**.

LE COMPLÉMENT DE NOM

• *voir Préposition p. 179.*

*Une boîte **de** chocolats, une carte **de** crédit, un voyage **d'**affaires.*

*Le tube **de** dentifrice, le jour **des** amoureux.*

• On peut préciser le sens d'un nom par un autre nom : c'est un **complément de nom.**

• Les deux noms sont généralement reliés par la préposition **de** (**d'** ou **des**).

*Une pâte **à** tarte, un sac **à** dos, un sorbet **au** citron, une veste **en** cuir.*

• Autres prépositions : **à** (**au** ou **aux**), **en**.

On emploie **de** si on considère le contenu : *une tasse **de** thé, une boîte **de** biscuits.*
On emploie **à** si on considère la fonction de l'objet : *une tasse **à** thé, une boîte **à** biscuits.*

9 **Complétez avec *à* ou *de*.**

1. Vous mettez la table, vous disposez les couverts … poisson, les verres … vin, les cuillères … café, la carafe … eau, les assiettes … dessert.

2. Pendant le repas, on apporte le plat … poissons, des bouteilles … vin, le plateau … fromages, des coupes … glace, une carafe … eau.

10 **Complétez.**

Au moment de partir en vacances, vérifiez que vous avez votre sac…, votre trousse…, votre permis…, votre billet…, votre carnet…, votre maillot…, votre séchoir…, vos chaussures…, une veste…

Continuez.

11 **Formez des petits groupes. Chaque groupe cherche :**

1. trois verbes qui peuvent être suivis d'un complément d'objet direct.

2. deux verbes qui peuvent être suivis d'un complément d'objet indirect (introduit par *à*).

3. deux verbes qui peuvent être suivis d'un complément d'objet indirect (introduit par *de*).

Pour chaque verbe, donnez un exemple.

8 **Choisissez : *à, de* ou *en* ?**

1. Un film … aventures.

2. Une pièce … théâtre.

3. Une place … 8 euros.

4. Un sac … cuir.

5. Un foulard … soie.

6. Une paire … lunettes.

7. Une tarte … pommes.

8. L'office … tourisme.

Alain Caillon

adresse ses très vives félicitations à Monsieur et Madame Bertheau pour la naissance de leur fille, Andréa.

11, rue de Paris – 37000 Tours

M. et Mme Hervé Junot

sont heureux d'adresser leurs plus vives félicitations à Monsieur et Madame Montain à l'occasion du mariage de leur fille.
Meilleurs vœux de bonheur aux futurs époux !

24, rue Satory – 78000 Versailles

Madame Sylvie Vallet

vous adresse toutes ses félicitations et ses vœux de bonheur les plus sincères. Elle sera heureuse d'être à vos côtés le 15 janvier.

3, rue Eugène-Boudin
14600 Honfleur

Monsieur et Madame Benoît

se réjouissent d'apprendre votre mariage. Ils sont désolés de ne pouvoir être parmi vous pour ce grand jour et vous adressent leurs plus vives félicitations et tous leurs vœux de bonheur.

59, rue Saint-Nicolas 49400 Saumur
Tél. : 02 41 22 34 37

❶ **Lisez ces cartes de visite qui ont été écrites pour répondre à des faire-part puis répondez aux questions.**

1. À quelle personne les verbes sont-ils utilisés ?
2. Relevez les expressions utiles pour féliciter, pour accepter ou refuser une invitation.
3. Complétez cette liste avec d'autres expressions que vous connaissez.

❷ **Votre amie Juliette vient de vous apprendre qu'elle allait se marier. Complétez la lettre que vous lui envoyez.**

Chère Juliette,

Quelle ..., ce matin, d'apprendre ... de ton mariage.
Nous attendons avec ... de faire la ... d'Elton.
Nous serons très ... d'être... pour ce grand jour.
Reçois toutes nos ... et nos ... .
Avec toutes nos amitiés.

PS : Nous ... vous faire un petit ... . Dis-nous ce qui vous ... .

❸ À votre tour, préparez une carte de visite pour répondre à cette invitation.

Monsieur et Madame Alain Lalande   Madame Aline Delcour

Monsieur et Madame Lionel Job   Monsieur et Madame Jean Neveu

ont la joie de vous faire part du mariage

de *Catherine* et de *Jacques*

qui sera célébré le 26 juin 1998 à 16 heures 30
en l'église Saint-Nicolas à Vigny.

Madame Lionel Job

Madame Jean Neveu

recevront à l'issue de la cérémonie à la Villa des Pommiers
promenade Van Gogh, à Vigny.

RSVP avant le 20 mai 1998.

❹ Pour chaque phrase de la colonne de gauche, retrouvez la phrase de refus qui correspond.

1. Je serai ravi de pouvoir me joindre à votre randonnée dimanche prochain.

2. J'accepte volontiers votre invitation à dîner.

3. C'est avec plaisir que je viendrai passer le week-end chez vous. Je serai très contente de vous revoir tous.

4. Merci beaucoup pour votre invitation à laquelle nous aurons le plaisir de nous rendre.

5. Nous serons heureux d'être parmi vous pour ce grand jour.

a. J'aurais beaucoup aimé être avec vous. Malheureusement j'ai promis à mes parents de passer ce week-end avec eux.

b. M'étant foulé la cheville, je suis dans l'impossibilité de me joindre à vous cette semaine.

c. Je suis désolée, je ne pourrai pas venir. Je vais au théâtre ce soir-là.

d. Nous sommes vraiment désolés de ne pouvoir assister à la cérémonie. Nous penserons beaucoup à vous.

e. Nous regrettons que des engagements ultérieurs ne nous permettent pas d'accepter votre aimable invitation.

❺ Vous venez de recevoir cette invitation. Malheureusement, vous ne pourrez pas participer à cette fête. Écrivez une petite lettre pour vous excuser de ne pas pouvoir venir.

Bernard Duchemin   Saint-Germain-en-Laye, le 12 mai

Chers amis,

Le temps passe et je ferai partie des quadragénaires à partir du mois de juin. Je vous invite cordialement à fêter mes 40 ans dans la joie et la bonne humeur le samedi 12 juin en Normandie, dans ma maison de campagne.

Soyez gentils de me dire si j'aurai le plaisir de vous voir à cette occasion.

À bientôt, j'espère

Bernard

❶ En petits groupes, retrouvez les expressions utiles pour téléphoner. Notez-les au fur et à mesure.

Comment demande-t-on à parler à quelqu'un ? Comment fait-on répéter ? Comment dit-on qu'on n'a pas compris ? Comment vérifie-t-on que l'autre personne est toujours là ?…

❷ Vous téléphonez à un ami pour le remercier du cadeau qu'il vous a envoyé pour la naissance de votre bébé. À deux, jouez la scène.

❸ ▭▭▭ Votre entreprise vous propose d'aller travailler pendant trois mois en France. Vous téléphonez à un(e) ami(e) français(e). Vous tombez sur son répondeur. Écoutez le texte du répondeur. À deux, préparez le message que vous voulez lui laisser.

« Allô, ici Dominique Dubois. Je ne suis pas libre pour le moment. Laissez votre nom, votre numéro de téléphone et la raison de votre appel après le signal sonore, et je vous rappellerai. »

Je m'appelle Aurélien

Après avoir fait parler de moi pendant neuf mois, je suis né le 28 mai 1998. Mes parents sont heureux de vous faire partager leur joie.

Annick et Gilles
Résidence des Bois
122, avenue Jean-Michellier
82 200 Servolex

❹ Vous voulez appeler la messagerie pour laisser un message à votre fils, à votre fille ou à quelqu'un de votre famille au sujet d'un problème de vie quotidienne (retard, conseils, panne de voiture, etc.). À deux, préparez votre message, qui sera court.

LA NOUNOU ÉLECTRONIQUE

« N'oublie pas d'aller chez le dentiste. Fais tes devoirs. As-tu pris ton goûter ? Signé : ta Maman qui t'aime… »
Les opératrices qui réceptionnent les messages des « pagers » sont habituées à ces recommandations. Dès huit ans, des enfants sont équipés de Tam-Tam ou Tatoo par des parents soucieux de garder un œil sur leurs bambins.

Laser Société, Le Point, n° 1282.

SAVOIR APPRENDRE SAVOIR FAIRE
GÉRER SON VOCABULAIRE

Cette page vous propose régulièrement des pistes pour vous aider à améliorer vos performances en fonction de vos intérêts et à combler des lacunes éventuelles : l'apprentissage c'est votre affaire !

SÉLECTIONNER LE VOCABULAIRE

Il faut savoir sélectionner le vocabulaire, c'est à dire distinguer ce qu'on n'est pas obligé de retenir parce qu'on peut s'en passer et ce qui est utile et qu'on doit développer.

Par exemple, page 11 de cet ouvrage, vous trouvez des expressions concernant l'informatique.

• De quels mots avez-vous besoin pour faire les exercices ? Et dans votre activité professionnelle ?

• L'informatique vous intéresse-t-elle ?

• Quels mots pouvez-vous oublier ?

• Y a-t-il des mots que vous auriez voulu trouver sur cette page et qui n'y sont pas ?

Par exemple : *copier, cliquer, sauvegarder, copier-coller…*

AUGMENTER SON VOCABULAIRE

• Notez toujours les mots et les expressions qui vous semblent utiles (par exemple sur des fiches).

• Cherchez les mots et les expressions que vous voulez connaître :

– en demandant à votre professeur ;

– en regardant dans un dictionnaire ;

– en les repérant dans des textes.

APPRENDRE LE VOCABULAIRE

La mémoire travaille mieux quand elle peut s'appuyer sur un système.

• Apprenez les mots et expressions qui concernent le même thème (en faisant un réseau).

• Apprenez en même temps les mots de sens contraire (*j'allume, j'éteins* mon ordinateur).

• Travaillez avec un fichier.

■ Avez-vous d'autres suggestions pour mieux apprendre le vocabulaire ? Discutez entre vous.

QUAND VOUS NE COMPRENEZ PAS…

Vous ne comprenez pas ce qu'on vous dit. Ne vous inquiétez pas, car vous savez comment réagir :

• **tout de suite signalez le à votre interlocuteur :**
Comment ? Pardon ?
Excusez-moi, je n'ai pas compris ce que vous venez de dire…
Je ne comprends pas ce que je dois faire…

• **demandez-lui de répéter ou d'expliquer d'une autre manière :**
Vous pouvez répéter, s'il vous plaît…
Une souris, qu'est-ce que c'est ?…

• **avant de continuer, vérifiez que vous avez bien compris ce qu'il fallait comprendre :**
Donc… Vous voulez dire que…

• **n'attendez pas d'avoir perdu le fil de la conversation pour vérifier si vous comprenez votre interlocuteur.** Manifestez votre intérêt en répétant un argument ou en posant une question :
Vous voulez dire que… C'est-à-dire… C'est bien…
Non seulement, cela vous donne le temps de réfléchir mais, si vous ne comprenez pas quelque chose, votre interlocuteur s'en rend compte tout de suite et peut vous l'expliquer.

N'hésitez pas à vous manifester en classe, si vous ne comprenez pas votre professeur ou un autre étudiant !

UN ÉCRAN ◄·············· avec l'article pour avoir le genre

1. un écran = traduction dans votre langue ◄·············· sens dans l'unité 1
un écran d'ordinateur, un écran de télévision
travailler sur écran = travailler sur ordinateur

2. le petit écran = la télévision
le grand écran = le cinéma ◄·············· à compléter plus tard
porter un roman à l'écran = en faire un film
les vedettes de l'écran = les vedettes de cinéma

3. un écran solaire = qui protège du soleil (une crème solaire)
un écran total = qui assure une très grande protection
contre les rayons du soleil (pour une crème solaire) ◄····· autres expressions
faire écran = protéger

La Picardie c'est tout un roman

Chapitre V

Côte picarde, les dunes entre Quend et Fort Mahon

La Picardie donne vie à toutes vos envies !

PICARDIE

N°Azur 0 801 02 60 80
Comité Régional du Tourisme

Vallée de la Loire, d'hôtel en hôtel à bicyclette

Le temps d'un week-end, découvrez les charmes de la Vallée de la Loire et de ses grands châteaux : Blois, Chambord, Cheverny, mais également les petits manoirs moins connus du public. L'itinéraire est accessible à tous (45 km environ par jour) et nous nous chargeons du transport de vos bagages d'une étape à l'autre.

LE PRIX COMPREND :
• l'hébergement 2 nuits, en demi-pension en hôtel 2 étoiles ;
• un dossier touristique avec carte et itinéraire détaillés ;
• la location de la bicyclette ;
• le transport des bagages ;
• le parking de la bicyclette la nuit.

Enquête Voyageurs
Départ : Aéroport Lyon-Satolas
Aujourd'hui

1. Vous venez :   de la région lyonnaise ❑
de Lyon ❑   vous êtes en transit ❑

2. Vous êtes venu à l'aéroport :
en voiture ❑   en car ❑   en taxi ❑
en avion ❑

3. Vous êtes en voyage :
d'agrément ❑   d'affaires ❑

4. Votre voyage est financé par :
vous ❑   votre employeur ❑
une entreprise qui vous invite ❑   autre ❑

5. Vous êtes :
salarié ❑   travailleur indépendant ❑
retraité ❑   autre ❑

❶ **Regardez le document (1).**

1. Quel est le but de cette publicité ?

2. Quel lieu précis est représenté sur la photographie ?

3. À votre avis, à quoi renvoie l'expression *chapitre V* ?

4. En groupes, proposez trois raisons de venir dans votre région.

❷ **Lisez cet extrait de catalogue. Reportez-vous p. 20 et lisez l'annonce « Thermes marins » . À deux, choisissez chacun un voyage et présentez-le.**

❸ **Retrouvez dans le questionnaire, les mots qui signifient : 1. la région de Lyon ; 2. un voyage pour le travail ; 3. un voyage pour le plaisir.**

Enquête

Jérôme avait vingt-quatre ans. Sylvie en avait vingt-deux. Ils étaient tous deux psychosociologues. Ce travail, qui n'était pas exactement un métier, ni même une profession, consistait à interviewer des gens, selon diverses techniques, sur des sujets variés. (…)

5 Et pendant quatre ans, peut-être plus, ils explorèrent, interviewèrent, analysèrent. Pourquoi les aspirateurs-traîneaux se vendent-ils si mal ? Que pense-t-on, dans les milieux de modeste extraction, de la chicorée ? Aime-t-on la purée toute faite, et pourquoi ? Parce qu'elle est légère ? Parce qu'elle est onctueuse ? Parce qu'elle est si facile à faire : un geste et hop ? Trouve-t-on vraiment que les voi-
10 tures d'enfants sont chères ? N'est-on pas toujours prêt à faire un sacrifice pour le confort des petits ? Comment votera la Française ? Aime-t-on le fromage en tube ? Est-on pour ou contre les transports en commun ? À quoi fait-on d'abord attention en mangeant un yaourt : à la couleur ? à la consistance ? au goût ? au parfum naturel ? Lisez-vous beaucoup, un peu, pas du tout ? Allez-vous au
15 restaurant ? (…) Que pense la jeunesse ? Que pensent les cadres ? Que pense la femme de trente ans ? Que pensez-vous des vacances ? Où passez-vous vos vacances ? Aimez-vous les plats surgelés ? Combien pensez-vous que ça coûte un briquet comme ça ? Quelles qualités demandez-vous à votre matelas ? Pouvez-vous me décrire un homme qui aime les pâtes ? Que pensez-vous de
20 votre machine à laver ? Est-ce que vous en êtes satisfaite ? Est-ce qu'elle ne mousse pas trop ? Est-ce qu'elle lave bien ? Est-ce qu'elle déchire le linge ? Est-ce qu'elle sèche le linge ? Est-ce que vous préféreriez une machine à laver qui sécherait votre linge aussi ? Et la sécurité à la mine, est-elle bien faite, ou pas assez selon vous ? (Faire parler le sujet : demandez-lui de raconter des
25 exemples personnels ; des choses qu'il a vues ; est-ce qu'il a déjà été blessé lui-même ? comment ça s'est passé ? Et son fils, est-ce qu'il sera mineur comme son père, ou bien quoi ?)

GEORGES PEREC, *Les Choses*, Julliard, 1965.

❶ **Lisez le texte de Georges Perec une première fois. Ensuite repérez les mots qui expliquent le travail d'enquêteur. Puis proposez une définition du mot enquêteur.**

❷ **1. Quelle est la forme d'interrogation généralement utilisée pour poser des questions dans une enquête ?**
a. l'interrogation avec inversion ;
b. l'interrogation avec *est-ce que* ; **c.** autres.

2. Repérez dans le texte deux questions qui cherchent plutôt une information sur la personne interrogée que sur un produit.

❸ **À deux, préparez trois questions sur un produit de la vie quotidienne, puis posez-les à des étudiants de votre groupe. Avant de formuler les questions, il faut savoir si vous voulez apprendre quelque chose sur le produit ou sur les personnes que vous allez interroger.**

En communication avec l'office du tourisme

❶ Écoutez la conversation téléphonique une première fois.
Dites si la demande d'information concerne :

1. le camping ;

2. les loisirs sportifs ;

3. les hôtels ;

4. les manifestations culturelles.

❷ Écoutez l'enregistrement une deuxième fois.
1. Essayez de noter les questions.
2. Quelle différence voyez-vous entre
Pourriez-vous… **et** *Pouvez-vous…* **?**

À l'agence de voyage

❶ Écoutez l'enregistrement une première fois.

❷ Écoutez la conversation une deuxième fois pour retrouver l'information qui manque sur la fiche.

Le prix comprend :

• hébergement (2 nuits)

• pension … (…)

• …

**THERMES MARINS
RIVA BELLA NORMANDIE**
Un week-end en bord de mer pour vous oxygéner et vous remettre en forme.
À **Ouistreham** à 2 heures de Paris, un programme de trois soins par jour durant 2 jours (vendredi soir au dimanche soir). Accès gratuit au parcours aquatique et salles de musculation.
Hôtel 3 étoiles.

Chapitre VIII

La Picardie c'est tout un roman

Les jardins du château de Chantilly.

La Picardie donne vie à toutes vos envies !

PICARDIE

N°Azur 0 801 02 60 80
Comité Régional du Tourisme

Mini enquête dans la rue…

❶ Lisez les trois affirmations suivantes, puis écoutez l'enregistrement une première fois.
Quelle affirmation est juste ?

1. Il s'agit de la campagne picarde.

2. Il s'agit d'une campagne de publicité sur la Picardie.

3. Il s'agit d'un roman.

❷ Écoutez l'enregistrement une deuxième fois et répondez aux questions.

1. Quels sont les animaux qui sont cités ?

2. Où peut-on trouver cette publicité ?

a. sur les quais du métro ;

b. dans des magazines ;

c. dans l'Eurostar.

VOCABULAIRE

LES NOMS ET LES ADJECTIFS CORRESPONDANT AUX NOMS DE LIEUX

• Les adjectifs et les noms correspondant aux noms de lieux se forment généralement avec les suffixes **-ais**, **-ois** ou **-ien**.
• Il y a de nombreuses exceptions :
Toulouse ➜ *le cassoulet* **toulousain**.
La Picardie ➜ *la campagne* **picarde**.
La Provence ➜ *la cuisine* **provençale**.
• Le nom qui désigne l'habitant d'une ville, d'une région ou d'un pays prend une majuscule, mais pas l'adjectif.
Un **Parisien**, *un journaliste* **parisien**.
Une **Lyonnaise**, *un cuisinier* **lyonnais**.

❶ **Retrouvez l'adjectif correspondant au nom de lieu.**
Satolas, c'est l'aéroport de la région (Lyon).
➜ *Satolas, c'est l'aéroport de la région lyonnaise.*

1. Le métro est le moyen de transport (Paris) le plus rapide.
2. Je vais passer mes vacances dans la forêt (Landes).
3. Le parlement européen est à Strasbourg, la capitale (Alsace).
4. Si vous n'aimez pas les olives, vous n'aimerez pas non plus la salade (Nice).

❷ **Classez les adjectifs suivants selon leurs suffixes, puis donnez le nom du lieu correspondant.**
  1. Grenoblois.
  2. Lyonnais.
  3. Strasbourgeois.
  4. Orléanais.
  5. Genevois.
  6. Nantais.
  7. Languedocien.
  8. Rouennais.
  9. Versaillais.
  10. Vosgien.
  11. Bruxellois.

ien, -ienne	ais,-aise	ois, -oise
parisien (Paris)	*marseillais (Marseille)*	*lillois (Lille)*
…	…	…

❸ **1. Formez des petits groupes.**
Un étudiant demande :
a. 5 noms de villes francophones commençant par **l-** ;
b. 5 noms d'habitants de villes terminés en **-ois**.
Le groupe le plus rapide gagne.

2. Formez deux groupes. Le groupe A cherche des noms d'habitants amusants dans un dictionnaire et demande au groupe B de deviner le nom de la ville (en moins d'une minute). Si B ne trouve pas le nom de la ville, A marque un point et continue à faire des propositions. Si B trouve le nom de la ville, c'est lui qui marque un point et qui continue le jeu.
Castelroussin ➜ *Châteauroux.*

L'ACTIVITÉ PROFESSIONNELLE

• Parmi les gens qui travaillent en France, on distingue :
– ceux qui travaillent pour un employeur : les **salariés** (les employés et les ouvriers) ou pour une administration publique : les **fonctionnaires** ;
– ceux qui travaillent pour leur propre compte : les **travailleurs indépendants** ;
– les **professions libérales** : médecins, architectes, avocats, notaires, traducteurs, etc. ;
– les **employeurs** : ceux qui proposent un emploi payé aux salariés.

• Il faut ajouter ceux qui ne travaillent plus :
– parce qu'ils ont perdu leur emploi : ce sont les **chômeurs** ;
– parce qu'ils sont trop âgés : ce sont les **retraités**.

• Il ne faut pas oublier les **sans profession**, qui travaillent souvent beaucoup : les femmes ou les hommes au foyer, qui restent à la maison pour s'occuper de leurs enfants, et les étudiants.

❹ **1. Classez les professions suivantes dans les catégories définies ci-dessus.**
Secrétaire de direction, chanteur, auteur, étudiant, policier, journaliste indépendant, artiste photographe, femme/homme au foyer, médecin, architecte, pilote chez Air France, infirmier dans un hôpital, informaticien, professeur.
2. Complétez les listes. Comparez votre tableau avec celui des autres étudiants.

❺ **Complétez ce réseau avec des mots et expressions utiles pour parler d'une profession.**

le temps de travail par semaine — les horaires de travail — le salaire — le bureau — **la profession** — les collègues — le syndicat — la direction

◀ POUR POSER UNE QUESTION

vous le savez déjà...

❶ Retrouvez les questions qui correspondent aux renseignements suivants.

Dominique Druon
20, rue Saint-Pierre
14100 Caen
19 avril 1979
dessinateur
J'aime le cinéma, les voyages.
Je joue régulièrement au tennis.

❷ Posez trois questions à votre voisin.

Depuis combien de temps...
Depuis quand...
Pendant combien de temps...
Dans quelle ville...
En quelle année...
Ça fait combien de temps que...
Il y avait combien de temps que...

❸ Complétez avec *qui est-ce qui*, *qui est-ce que*, *qu'est-ce qui*, *qu'est-ce que*.

1. – ... la secrétaire t'a répondu ? – Qu'on m'écrirait.
2. – ... on te propose ? – Un poste très intéressant.
3. – ... tu as rencontré ? – Un ami de mon frère.
4. – ... t'a répondu ? – Monsieur Dupont.
5. – ... le passionne ? – Le cinéma.

❹ Classez les différentes questions trouvées dans le texte de Perec.

1. Phrases avec **est-ce que** :
Est-ce qu'elle lave bien ? ...
2. Phrases avec **inversion** du sujet
Aime-t-on le fromage en tube ? ...
3. Phrases se terminant par un point d'interrogation :
Parce qu'elle est légère ? ...

• *voir Interrogation p. 173.*

LA QUESTION PAR INVERSION À LA TROISIÈME PERSONNE

*Aime-t-**on** la purée toute faite ?*
*La Française travaille-t-**elle** plus ?*
• **Interrogation totale :** c'est toujours un pronom qui vient après le verbe ou l'auxiliaire.

*Combien gagnent **les agriculteurs** ?*
*Combien les agriculteurs gagnent-**ils** ?*
*Pour qui votent **les banlieues** ?*
*Pour qui les banlieues votent-**elles** ?*
• **Interrogation partielle :**
mot interrogatif + { **verbe** + sujet
{ **sujet** + verbe + pronom

 Après **pourquoi** le verbe est toujours suivi d'un pronom.
*Pourquoi écrit-**elle** ?*

 Que est toujours suivi du verbe et de son sujet.
*Que **pensent les Parisiens** de la pollution ?*
*Que **fait-elle** ?*

QUE OU QUOI ?

Que veux-tu ? Qu'est-ce que tu fais ?
Que pense la femme de trente ans ?
• **Que** vient au début d'une phrase.

De quoi est-ce que vous parlez ?
À quoi fait-on attention en mangeant un yaourt ?
Tu veux quoi ?
• **Quoi** vient après une préposition ou après un verbe.
Quoi après un verbe est surtout employé dans la langue parlée.

❺ Préparez vos questions pour interroger un(e) francophone sur les habitudes de son pays. Vous utilisez la 3ᵉ personne pour demander l'heure à laquelle les Français/Québécois... mangent, combien de temps ils passent devant la télévision, s'ils utilisent beaucoup Internet, etc.

❻ Complétez avec *que*, *qu'* ou *quoi*.

1. ... pensez-vous des hypermarchés ?
2. Vous y achetez ... ?
3. ... est-ce que vous achetez toutes les semaines ?
4. De ... vous servez-vous pour nettoyer votre four ?
5. À ... accordez-vous le plus d'importance : au prix ou à la qualité ?

GᴙAᴍMᴀɪᴙE

LEQUEL, PRONOM INTERROGATIF

Auquel penses-tu ?
Avec quelle compagnie voyagez-vous aujourd'hui ?
Avec laquelle voyagez-vous habituellement ?
Pour lequel vas-tu voter ?
• **Lequel**, **laquelle** peuvent être précédés d'une préposition.

	singulier	pluriel
masculin	lequel (auquel, duquel, pour lequel…)	lesquels (auxquels, desquels, pour lesquels…)
féminin	laquelle (à laquelle, de laquelle, pour laquelle…)	lesquelles (auxquelles, desquelles, pour lesquelles…)

La nuit, tous les chats sont gris.

◀ TOUT, TOUS OU TOUTE(S) ?

L'INDÉFINI TOUT

• *voir Les indéfinis p. 32.*

Tout est un mot qui a plusieurs sens, plusieurs orthographes, plusieurs places dans la phrase.

*La Picardie donne vie à **toutes** vos envies.*
***Tous** les jours…*
***Tout** le monde le connaît. **Toute** la salle…*
• Il peut se placer devant le déterminant du nom.

*Elle sait **tout**.*
*L'itinéraire est accessible à **tous**. Ils les ont **toutes** vues.*
• Il peut être pronom singulier (**tout** = toutes les choses), ou pluriel (**tous** ou **toutes** = toutes les choses ou les personnes)

 Attention à la prononciation : On prononce le **s** de **tous** quand c'est un pronom.
On ne prononce pas le **s** de **tous** quand il est devant un déterminant.
Ils sont tous [tus] *là.*
Tous [tu] *les enfants sont là.*

*C'est **tout** près. Pas **du tout** (= absolument pas).*
• Il peut être adverbe (= *tout à fait*).

---

❼ Voici des réponses. Retrouvez les questions. Elles doivent contenir le pronom interrogatif *lequel* (avec ou sans préposition).

1. Je parie sur celui-ci.
2. Je finis par l'exercice le plus facile.
3. Je pense à l'appartement qui donne sur les Champs-Élysées.
4. Il s'agit des articles les moins chers.

❽ Retrouvez l'ordre des mots de ces deux proverbes.

1. bien qui finit est tout bien.
2. est or brille pas qui ce n' tout.

❾ Complétez les phrases ou groupes de mots avec *tout, toute, tous* ou *toutes*.

1. … nos amies les bêtes.
2. … de suite.
3. … finit par s'arranger.
4. … les matins du monde.
6. … dehors !

❿ Utilisez *tout* ou *tout(e)s* et trouvez une autre façon de dire les expressions suivantes.

1. Chaque jour. **2.** Le lundi. **3.** Soudain.
4. Immédiatement. **5.** À plus tard.

⓫ Complétez avec *tout, tous* ou *toutes*.

Travailler à domicile, c'est être disponible … les jours et à … heure mais c'est aussi être souvent … seul. Cela demande … une organisation et … n'en sont pas capables.

❶ Vous avez préparé une liste des dernières petites choses à vérifier avant la réunion de demain. L'organisatrice n'est pas dans son bureau pour répondre à vos questions. Vous lui demandez de confirmer dans un message écrit.

réunion du 29 mai
- *salle de réunion : salle 111 ?*
- *plus de vingt participants ?*
- *écran ?*
- *rétroprojecteur ?*
- *jusqu'à 15 h 30 ?*
- *…*

J'ai encore quelques questions pour la réunion de demain :
— Est-ce que la salle de réunion...
—
—
—
—

Merci de déposer votre réponse au secrétariat.
Martine Thibaut, bureau 430

❷ Vous avez accepté d'organiser avec un ami une visite guidée pour un groupe de Français en stage dans votre pays.
À deux, préparez une fiche sur les modèles suivants pour présenter un produit typique.

AIRON-SAINT-VAST
Conche-Authie

LES ESCARGOTS DU BOCAGE

217, rue Henri-Bethouart
62180 Airon-Saint-Vaast (A5).
Tél. : 03 21 84 37 27

- Contact commercial : M. Floart Sébastien.
- Activité : élevage et transformation d'escargots.
- Accueil : 20 personnes maximum, visites en français, scolaires acceptés, parking autocars, visite de l'élevage du 15 mai au 15 octobre, sur réservation.
- Participation : 3 € par personne, sur la base de 20 personnes.
- Durée de la visite : 1 h - 1 h 30.
- Programme : visite de l'élevage en extérieur, diaporamas avec commentaires et dégustation.

MAROILLES
Avesnois

SARL LE VERGER PILOTE

1810, route de Landrecies
59550 Maroilles (K7).
Tél. : 03 27 84 71 10 – Fax : 03 27 77 77 23

- Contact commercial : M. Colas.
- Activité : fabricant de fromages Maroilles.
- Accueil : de 11 h à 19 h, réservation 48 h à l'avance par téléphone ou fax, groupes de 20 à 80 personnes, en français uniquement, accessible aux handicapés, scolaires acceptés, parking pour 7 autocars.
- Participation : visite gratuite.
- Durée de la visite : 30 min.
- Programme : visite du laboratoire de fabrication, historique, explications sur la fabrication et l'affinage du fromage, dégustation.

❸ Lisez les deux lettres suivantes. Repérez :
1. des expressions utiles pour demander une information ;
2. des formules utilisées pour conclure.

José Dubois
30, avenue Pasteur
33000 Bordeaux

Bordeaux, le 4 octobre 1998

Office du Tourisme et Accueil de France
Donjon du Capitole
31000 Toulouse

Monsieur,
J'ai vu, dans le journal, une publicité sur le festival des musiques occitanes que vous organisez au mois de novembre. J'aimerais venir avec un groupe de douze jeunes (14 à 16 ans).
Je vous serais reconnaissante de bien vouloir me faire parvenir une documentation sur le festival, sur les conditions d'inscription et d'hébergement de groupes.
Pourriez-vous aussi m'indiquer quelles sont les conditions d'accès pour les handicapés ?
En vous remerciant d'avance, je vous prie de croire, Monsieur, à l'expression de ma considération distinguée.

J. Dubois

Henri Leroy
14, quai Joffre
77000 Melun

Melun, le 3 septembre

« Radio Provins »
Journée du patrimoine
77160 Provins

Madame,
Au cours de l'émission « Journée du patrimoine » (le 28/8), vous avez parlé de la journée portes ouvertes organisée par une usine de chocolat de la région parisienne.
Merci de m'envoyer l'adresse de cette usine et d'autres détails que vous pourriez avoir sur cette journée.
Veuillez agréer, Madame, mes salutations distinguées.

H. Leroy

❹ Vous venez de voir cette publicité.
Vous écrivez une lettre à l'organisateur du festival ou à l'office du tourisme d'Angoulême, pour obtenir une information.
Expliquez ce que vous voulez faire.
Posez au moins une question sur le programme, sur le lieu des manifestations, sur les droits d'inscription, sur l'hébergement…

Spécial BD
Enfants de la bulle
Ceux qui font la planche sont toujours debout. Ouverture aujourd'hui du XXIVe festival international de la BD d'Angoulême.

❶ Vous allez rencontrer un ami qui rentre de voyage d'un pays étranger. Vous devez vous rendre dans ce pays pour affaires. Préparez quatre questions que vous aimeriez lui poser.

❷ 📼 La poste de votre ville a décidé d'aider les étrangers de passage.
Vous êtes chargé(e) de répondre à leurs demandes d'information.
1. Écoutez les questions qu'on vous pose au téléphone et imaginez les réponses.
2. À deux, posez d'autres questions puis jouez la scène.

❸ Pour rendre service à un ami, vous assurez la permanence au syndicat d'initiative pendant son absence.
Vous conseillez :
1. un couple de professeurs : lui collectionne les timbres, elle s'intéresse aux antiquités, ils sont gastronomes ;
2. des jeunes artistes qui sont là pour un mois et qui aiment beaucoup sortir ;
3. une femme en voyage d'affaires et qui est passionnée d'art et de cinéma ;
4. une famille avec trois enfants (7, 10 et 12 ans) qu'il faut occuper.

Vous leur posez des questions sur ce qu'ils aiment, vous consultez votre programme et vous proposez des activités. Vous trouvez des arguments…
À deux ou en petits groupes, imaginez les différentes scènes, puis jouez-les.

Une question ?
Appelez le 08 01 63 02 01

À quel tarif affranchir une lettre pour le cousin de Martinique ? **C**ombien de temps va mettre un pli destiné à un copain anglais ? **C**omment assurer un colis qui contient un objet de valeur ? **P**eut-on acheter à La Poste un emballage spécial pour expédier une bouteille de vin ? **E**t cette lettre tant attendue qui n'est toujours pas arrivée ?
Pour répondre à ces questions et à toutes les autres, La Poste met à la disposition de tous une ligne de téléphone.

Du lundi au vendredi entre 9 h et 19 h (dès 8 h et le samedi matin en Ile-de-France).
Au 08 01 63 02 01, des équipes fournissent les renseignements demandés dans l'instant ou engagent des recherches.
Temps moyen d'attente pour obtenir le correspondant de La Poste : dix secondes.
Prix de la communication : le tarif local (0,10 € TTC/3 min).
Nombre d'appels en 1996 : plus de 300 000.

OCTOBRE

1	NANCY - **Déballage professionnel européen antiquité brocante** (parc des expositions) ☎ 03 83 15 68 00
3	VILLERS LES NANCY - **Foire aux pommes** - Artisanat, brocante (quartier Placieux 9h à 18h) ☎ 03 83 92 12 12
3 au 5	DOMBASLE SUR MEURTHE - **Foire commerciale et artisanale** (salle polyvalente) ☎ 03 83 18 34 36
3 au 5	VILLERUPT - **Le Livre en fête** - Nature, patrimoine, écrivains locaux ☎ 08 82 89 33 11
4 et 5	MALZEVILLE - **Fête du pain** - Brocante ☎ 03 83 29 43 78
11 et 12	TOUL - **Salon des Antiquaires** (Salle Valcourt) ☎ 03 83 63 70 00
11 au 25	NANCY - **Nancy Jazz Pulsations** - Festival International de jazz - Concerts de blues, jazz, … (dans la ville et tout le département) ☎ 03 83 35 22 41
11 au 9/11	NANCY - **Exposition des artistes lorrains** (galeries Poirel) ☎ 03 83 85 30 00
12	JARVILLE LA MALGRANGE - **Fête des pommes** - Dégustations, animations, promenades en calèche, artisanat (rue Foch) ☎ 03 83 15 84 02
18 et 19	TOUL - **Congrès régional de philatélie couplé avec philajeune lorraine 97** (salle Valcourt 9h à 18h) ☎ 03 83 63 70 00
19	BLAINVILLE SUR L'EAU - **Dentelle et violon d'Ingres** - Exposition artisanale (Maison des Fêtes/de la Culture 11h à 18h) ☎ 03 83 75 70 05
19 et 20	ST MAX - **Expo champignons** (château) ☎ 03 83 18 32 32
23 au 14/11	VILLERUPT - **Festival du film Italien** - Panorama de l'activité du cinéma italien, bilan des 20 derniers festivals ☎ 03 82 89 33 11
24 au 26	DOMBASLE SUR MEURTHE - **Salon d'automne de brocante** (salle polyvalente) ☎ 03 83 18 34 36
25 et 26	NANCY - **Bourse des miniatures** (salles Chepfer et Mienville)
25 et 26	PIENNES - **Expo fossiles et minéraux** ☎ 03 82 21 93 43
25 au 2/11	TOUL - **Foire d'Automne** (pl. du Champ de Foire) ☎ 03 83 63 70 00

L'étude du français obéit aux lois de tout apprentissage : plus on en fait, meilleur on est. Surtout, on améliore ses performances grâce à l'analyse de ses erreurs. Il est normal de faire des fautes, mais il est grave de ne pas les comprendre.

ÉCRIVEZ

• Prenez l'habitude d'écrire chaque jour deux ou trois phrases en français. Vous pouvez, par exemple, utiliser une nouvelle structure ou une nouvelle expression pour décrire quelque chose ou dire ce que vous pensez d'un événement.

N'ayez pas peur ! Lancez-vous !

Relisez ce que vous avez écrit un peu plus tard, et faites vous-même une première correction.

Demandez ensuite à votre professeur de vous dire ce qui ne convient pas et pourquoi.

Vous pouvez également travailler à deux et échanger vos productions pour vous corriger mutuellement.

• À chaque fois que votre professeur vous rend un devoir écrit, notez vos erreurs les plus fréquentes et essayez de comprendre pourquoi vous les avez faites. Consultez votre manuel ou votre grammaire, demandez des explications. Relisez vos notes régulièrement.

• Lisez des textes français : le journal, des articles de magazine, de la publicité, etc. Repérez les structures qui vous semblent encore difficiles, soulignez-les, observez comment elles fonctionnent.

PARLEZ

• Parlez le plus souvent possible. Si vous le pouvez, testez ce que vous venez d'apprendre sur des francophones. L'essentiel est de comprendre et de se faire comprendre : vous savez réagir devant un problème de compréhension. N'ayez pas peur de faire quelques fautes : parlez d'abord, vous vous corrigerez ensuite !

• Si vous rencontrez des difficultés, essayez de comprendre pourquoi. Demandez qu'on vous explique ce qui ne va pas. Notez les formes correctes et réutilisez-les le plus rapidement possible pour vérifier si vous en avez bien compris le fonctionnement.

QUAND VOUS NE CONNAISSEZ PAS UNE EXPRESSION

Dans votre esprit, tout est clair, mais vous ne savez pas comment l'exprimer en français. Surtout, gardez votre calme, vous savez comment vous en sortir :

• **signalez tout de suite votre problème à votre interlocuteur :**

(Excusez-moi.) Je ne sais pas comment ça s'appelle.

Je ne connais pas le mot en français.

Je ne sais pas comment ça se dit.

• **proposez une explication :**

C'est quelqu'un qui/que…

C'est quelque chose/un truc/un machin qui/que…

C'est ce qui/ce que…

C'est pour…/Il en faut pour…/Ça sert à…/Avec ça, on peut…

Ça ressemble à…

C'est le moment où…/C'est quand…

C'est l'endroit où…/C'est où…

• **avant de continuer, assurez vous que votre interlocuteur vous a bien compris :**

Vous voyez ?

Vous pouvez me dire comment ça se dit ?…

• **ne renoncez pas s'il ne vous a pas compris(e) :**

Non, ce n'est pas ça, je me suis mal expliqué(e)…

Non, ce n'est pas ce que je voulais dire…

Attendez, je vais faire un croquis/un dessin…

On peut regarder dans un dictionnaire…

• **ensuite, faites une fiche de vocabulaire avec ce que vous venez de découvrir.**

Pour ne pas faire d'erreur, consultez votre dictionnaire ou adressez-vous à votre professeur.

■ Relevez les expressions qui vous semblent utiles. À deux, demandez-vous comment on pourrait compléter les listes ci-dessus. Si vous avez quelques chose à dire, n'hésitez pas : prenez la parole.

C'EST DANS LE JOURNAL

Petites annonces

OFFRES D'EMPLOI

VENDANGES

✪ Ch. vendangeurs nour. logés env. 12 j. – Yves Monteil Javenard 69115.

✪ Cherche vendangeur(euses) le 8 septembre, env. pour 10 jours. Écrire Lacoste Julien, Le Vieux Bourg, 69480 Marcy-sur-Anse.

DIVERS

✪ Voyage aux Cyclades. Ch. coéquipier(ères) du 8 au 27 sept. 01 46 09 56 82 (HdB).

ENQUÊTES ET PANELS

✪ Sté d'études de marché cherche pr réunion de consommatrices mères d'enfants de 0 à 6 mois. Contacter rapidement Isabelle au 01 40 36 76 06.

✪ Recrute urgent pour saison 98 enquêteurs enquêtrices. Étudiants acceptés. Tél. pour RDV au 04 67 89 59 12.

Expérience : le troc des savoirs

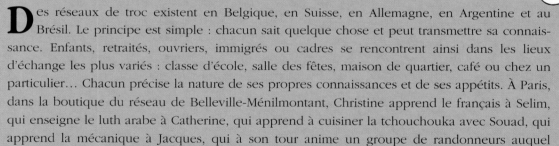

D es réseaux de troc existent en Belgique, en Suisse, en Allemagne, en Argentine et au Brésil. Le principe est simple : chacun sait quelque chose et peut transmettre sa connaissance. Enfants, retraités, ouvriers, immigrés ou cadres se rencontrent ainsi dans les lieux d'échange les plus variés : classe d'école, salle des fêtes, maison de quartier, café ou chez un particulier… Chacun précise la nature de ses propres connaissances et de ses appétits. À Paris, dans la boutique du réseau de Belleville-Ménilmontant, Christine apprend le français à Selim, qui enseigne le luth arabe à Catherine, qui apprend à cuisiner la tchouchouka avec Souad, qui apprend la mécanique à Jacques, qui à son tour anime un groupe de randonneurs auquel appartient Christine, qui apprend…

M. Goldminc et C. Moncel, *Le Point* n° 1261.

❶ **Comparez les deux premières petites annonces sur les vendanges. Que signifient les abréviations :** *ch., nour., env., 12 j.* **?**

❷ **Lisez les autres annonces et complétez les phrases suivantes.**

1. 01 46 09 56 82 (HdB) n'est pas un numéro personnel : on ne peut appeler qu'aux h…s de b…r…u.

2. Avez-vous compris : Tél. pour RDV ? (R…d…z-v…s).

❸ **Lisez l'article (2). Allez jusqu'au bout, même si vous ne comprenez pas tout.**

1. Définissez l'expression *troc des savoirs* **: qui est concerné ? de quoi s'agit-il ?**

2. Trouvez dans l'article un autre mot moins familier pour *troc.*

❹ **Rappelez-vous une expérience de troc de savoirs ou de troc d'objets puis racontez-la.**

À Montpellier, la vie s'organise sans « Midi libre »

Le quotidien régional est absent des kiosques depuis trois semaines

Montpellier
de notre envoyé spécial

On ne se bouscule pas dans la boutique d'Arlette Thérond. « *Ils poussent la porte, ils voient que c'est le petit, alors ils repartent* », explique la marchande de journaux de Saint-Martin-de-Londres. Le « petit », c'est l'édition de douze pages que la direction de *Midi libre* fait imprimer quelque part à l'étranger en lieu et place du quotidien absent des kiosques depuis le 24 juin (*Le Monde* du 4 juillet). La commerçante montre la pile de ces journaux à 0,30 €, restée quasiment intacte en début d'après-midi. Il est vrai que ce *Midi libre* de fortune manque de l'essentiel pour les habitués : l'information locale.

À Saint-Martin comme dans les autres communes de l'arrière-pays, une partie de la population a perdu ses repères. « *Les gens ne savent plus où ils en sont* », résume cet ancien ouvrier agricole. L'absence prolongée de nouvelles du voisinage semble créer une situation de manque intolérable aux plus âgés, qui l'expriment d'un bref cri du cœur : « *Je ne peux pas vivre sans mon journal.* » (…)

La non-parution du quotidien local perturbe la vie des communes. Comment annoncer les fêtes votives ou les courses de taureaux ? Faute de publication des avis de décès dans le journal, « *les églises sont vides pour les enterrements* », assure Jean-Pierre Grand, maire (RPR) de Castelnau. Pour la même raison, les fleuristes estiment à 40 % leur perte de chiffre d'affaires. Les chantiers prennent du retard : « *Nos avis d'adjudication n'ont pas encore pu paraître*, explique Marguerite Mathieu, maire de Fraisse-sur-Agout, petite commune de 250 habitants aux confins du Tarn. *Or, dans nos pays de montagne, il ne faut pas attendre la fin de l'été pour entreprendre les travaux.* » Toutes ces petites misères au quotidien ont incité le sénateur de l'Hérault Gérard Delfau, maire (PS) de Saint-André-de-Sangonis, à attirer par une question écrite l'attention du ministère de la Communication sur le « *rôle social que n'assume plus le journal* ».

Le patronat local redoute les gênes apportées à la vie économique. (…) « *Le téléphone sonne moins dans nos agences* », constate simplement Jacques Dandine, responsable du Syndicat national des promoteurs immobiliers. Au nom des constructeurs de maisons individuelles, Jean-Claude Novet est plus précis : « *On a 50 % de contacts commerciaux en moins.* » Les patrons d'écoles privées se disent gênés pour leur recrutement au lendemain du bac. Et le commerce, petit ou grand, en cette période de soldes ? « *Curieusement nous n'en sommes pas morts*, sourit Jean-Louis Marc, sous-directeur des Galeries Lafayette. *Nous avons réorienté notre communication, en particulier vers des radios comme NRJ. Notre chiffre est même supérieur aux autres années.* »

L'absence de *Midi libre* est moins traumatisante en ville, où l'on s'organise sans lui. Le Printemps des comédiens a fait salles combles de même que la Fête du cinéma. (…)

Jean-Jacques Bozonnet,
Le Monde, 15-05-1997.

❶ **Lisez le titre et le sous-titre de l'article paru dans *Le Monde*. À votre avis, de quoi l'article parle-t-il ? Réfléchissez en groupes de deux.**

❷ **Lisez l'article en entier, même si vous ne comprenez pas tout. À votre avis, quelle est la fonction essentielle du *Midi libre* ?**

❸ **Repérez les passages en italique. Quel type d'information contiennent-ils ? Est-ce que c'est le journaliste qui parle ?**

❹ **Classez les opinions exprimées dans les passages en italique selon l'activité des personnes. Dites si elles ont été touchées par la non-parution du *Midi libre*.**

Activité	marchande de journaux
Touché	x
Non touché	

❺ 1. **Lisez-vous un journal local ?**
a. jamais *b.* quelquefois *c.* tous les jours

2. **Pourquoi ?**

Entretien avec l'adhérent d'un SEL

Comment créer un SEL ?

Imaginons que Gérard, prof de maths, donne deux heures de cours à Catherine. On retire 300 unités du compte de Catherine et on met 300 unités sur celui de Gérard. Pour équilibrer son compte, Catherine propose ses services (baby-sitting, par exemple) aux autres membres du SEL. Gérard, lui, peut utiliser son crédit pour faire réparer sa voiture.

En fin de mois, le trésorier envoie un relevé des comptes pour permettre à tous les adhérents de savoir où ils en sont.

❶ Lisez le texte.

❷ Écoutez une première fois l'enregistrement d'un des membres du réseau de Belleville-Ménilmontant.

❸ Écoutez l'enregistrement une deuxième fois et répondez aux questions.

1. Que signifient les trois lettres SEL ?

2. Par quelle expression est-ce qu'on peut remplacer *troquer* ?

3. Comment est-ce que la personne interrogée a payé les vêtements pour son bébé ?

Réponse à une petite annonce

❶ Vous avez lu la petite annonce de Julien Lacoste pour les vendanges page 28. Vous téléphonez pour proposer vos services.

À deux, préparez et jouez la conversation au téléphone en suivant ce schéma.

La personne qui appelle	Monsieur Lacoste
1. Vous demandez à parler à Monsieur Lacoste.	**1.** Vous dites que vous êtes M. Lacoste.
2. Vous expliquez pourquoi vous téléphonez.	**2.** Vous demandez si la personne a déjà fait les vendanges.
3. Vous demandez quelques renseignements supplémentaires.	**3.** Vous répondez aux questions.
4. Vous demandez comment y aller.	**4.** Vous vérifiez que la date convient.
5. …	**5.** …

❷ Écoutez l'enregistrement et comparez avec votre production.

Cher Monsieur EDF[1]...

❶ Écoutez l'enregistrement une première fois et dites de quel type de texte il s'agit (d'une anecdote, d'une publicité, etc.).

❷ Écoutez l'enregistrement une deuxième fois, puis répondez aux questions.

1. Quel est le destinataire de la lettre ?

2. Quel est l'objet de la lettre ?

3. La lettre sera-t-elle envoyée ? Pourquoi ?

1. EDF : Électricité de France, la société qui produit et vend l'électricité de France.

VOCABULAIRE

ABRÉVIATIONS ET SIGLES

Vous connaissez HdB pour *heures de bureau*, RDV pour *rendez-vous*, PME pour *petites et moyennes entreprises*. NRJ (se prononce comme *énergie*) est le nom d'une station de radio.
Les Français aiment utiliser les abréviations et les sigles. On les trouve dans tous les domaines de la vie, et il faut connaître les plus courants pour lire le journal ou suivre une conversation.

❶ Recherchez la signification des abréviations et des sigles suivants.

1. Partis politiques et syndicats
a. Le PS. *b.* Le RPR. *c.* La CFDT. *d.* FO.

2. Santé publique et vie sociale
a. Le SAMU. *b.* Le SIDA. *c.* Un SDF.

3. Monde du travail
a. L'ANPE. *b.* Le RMI. *c.* Le SMIC. *d.* Un CDD.
e. Un CDI. *f.* Un PDG.

4. Transports
a. Le TGV. *b.* Le RER. *c.* La SNCF. *d.* L'A13.
e. La N13.

5. Production d'énergie
EDF-GDF.

6. Culture
Une BD.
Un film en v. o.

UN VERBE, PLUSIEURS SENS

❷ Dans les phrases ci-dessous, remplacez le verbe *donner* par un des verbes suivants : *livrer, passer, distribuer, laisser, fournir, remettre*.

1. Est-ce que vous avez donné des cadeaux aux employés pour leurs enfants ?

2. Je vous donne cinq minutes pour faire cet exercice.

3. Dans cette salle, on donnait toujours des films en VO.

4. Le permanent m'a donné des renseignements sur votre association.

5. La secrétaire m'a donné une lettre pour vous.

6. Au cours de l'interrogatoire, le voleur a donné ses complices.

MASCULIN-FÉMININ : L'ÉMANCIPATION ET LE VOCABULAIRE

• La tradition veut que l'on écrive et dise :
Madame le ministre.
Madame le directeur de cabinet.
L'écrivain Marguerite Yourcenar est un grand auteur.
Le mannequin Claudia Schiffer.
Cette femme est un excellent ingénieur.
Mon professeur de français était une petite femme énergique.
et :
Ce garçon est une bonne recrue.
Ce soldat est une sentinelle courageuse.

• Les choses sont en train de changer. Depuis quelques années, en règle générale, les noms de métier ou de fonction :
– terminés par un **e** sont masculins et féminins :
Un architecte, une architecte.
Un ministre, une ministre.
Un comptable, une comptable.
Un sociologue, une sociologue.

– terminés par une autre lettre au masculin, ils ajoutent le plus souvent un **e** pour former le féminin…
Un employé ➜ *une employée.*
Un délégué ➜ *une déléguée.*
Un commerçant ➜ *une commerçante.*
Un soldat ➜ *une soldate (ou une femme soldat).*

…parfois avec certaines modifications :
Un cuisinier ➜ *une cuisinière*
(comme les autres noms en **-er**).
Un informaticien ➜ *une informaticienne*
(comme tous les noms en **-ien**).
Un vendangeur ➜ *une vendangeuse*
(comme beaucoup de noms en **-eur**).
Un directeur ➜ *une directrice*
(comme beaucoup de noms en **-teur**).

– Exceptions
En France, le féminin de *écrivain, professeur, auteur, ingénieur,* se forme en ajoutant le mot *femme : une femme écrivain.*
Pour un homme qui exerce le métier de sage-femme, on dira : *un homme sage-femme* dans la langue courante. Le mot *mannequin* est toujours masculin.
On précise : *un mannequin femme* ou *un mannequin homme.*

Les Canadiens et les Suisses francophones recommandent et utilisent les formes :
une professeure, une auteure, une ingénieure et même *une écrivaine.*

❸ Formez quatre groupes.
Trouvez des noms de métier et classez-les dans une des quatre rubriques ci-dessus. Comparez ensuite vos résultats.

vous le savez déjà…

LES DÉTERMINANTS

**❶ 1. Complétez avec les mots suivants : *ses,
l', des, la, un, cet, du, la, quel, mon, au, cet,
le, du, une, de, ce, son.***

1. *Le Monde* est … quotidien … soir.

2. … homme rentre de … hôpital.

3. À midi, je mange … fruits, … fromage blanc et
bien sûr je bois … tasse … café.

4. … prix de … location est compris.

5. Pour … vacances, … amie est partie … Canada.

6. … programme regardes-tu … soir, à …
télévision ?

7. *Le Midi libre* est en grève. … ancien ouvrier
agricole voudrait retrouver … journal.

**2. Comparez vos réponses avec celles des
autres étudiants.**

• *voir Déterminants p. 170.*

EMPLOI DES ARTICLES

• *voir Article défini ou indéfini p. 170.*

On ne met généralement pas d'article :

• devant une apposition :
*Fraisse-sur-Agout, petite commune de 250 habitants…
Jean-Pierre Grand, maire de Castelnau…*

• devant un nom de métier après **il/elle est** :
Elle est coiffeuse, il est mécanicien.
Mais : *C'est un mécanicien.*

• après certaines prépositions :
En français. Faute de publication… Sans idées…

• après une forme négative + **de** :
Pas de temps. Plus de pain, pas de livres.

• devant un nom propre
À Montpellier. La boutique d'Arlette.

• pour les rubriques et titres dans un journal :
EXPÉRIENCE, COMMUNICATION

• dans une liste (dans les journaux, à la radio, à la télévision) :
*Enfants, retraités, ouvriers, immigrés ou cadres se
rencontrent ainsi dans les lieux d'échanges les plus
variés…*

---

❷ Complétez avec un article si nécessaire.

1. Connaissez-vous … petits pâtés de … Pézenas,
… petite ville du Languedoc où a séjourné …
Molière.

2. Elle n'avait pas de … travail depuis deux ans.

Elle est maintenant … conseillère scolaire. Elle
rencontre … parents, … professeurs, … élèves
et … psychologues.

3. Je t'apprends … français et tu m'apprends …
plongée.

LES INDÉFINIS

EMPLOI DES INDÉFINIS

• *voir L'indéfini Tout p. 23.*
• *voir Quantité p. 182.*

• **Adjectifs indéfinis**
aucun(e), chaque
d'autres, plusieurs, certain(e)(s), quelques
tout(e) (le/la), tou(te)s (les)
*Comme dans les **autres** communes de l'arrière pays…*

• **Pronoms indéfinis**
aucun(e), chacun(e), quelqu'un, personne, rien
d'autres, plusieurs, certain(e)(s)
tout(e), tou(te)s, quelques-uns
***D'autres** existent en Belgique, en Suisse, en Allemagne.*
***Chacun** sait quelque chose…*
***Personne** ne s'avance à chiffrer le préjudice.*

❸ Complétez avec des indéfinis.

Comme … les ans, après Noël, … le monde se
précipite vers les magasins : c'est la période des
soldes. … magasins soldent … articles seulement,
… semblent offrir des réductions sur … . Cette
année, j'y suis allée avec ma sœur. Je n'ai eu … mal
à trouver un nouveau service à café, des moules à
gâteau et … petits cadeaux pour la famille. Je n'ai
oublié … . … monde a eu quelque chose. Ma sœur
a eu moins de chance, elle n'a … trouvé qui lui
plaisait.

GrAmMAirE

◆ POUR RAPPORTER DES PAROLES

❹ 1. Observez ces trois phrases et dites ce qui change dans la façon de rapporter les paroles (ponctuation, ordre des mots...).

a. « Ils voient que c'est le petit, alors ils repartent », explique la marchande de journaux.

b. La marchande de journaux explique : « Ils voient que c'est le petit, alors ils repartent. »

c. La marchande de journaux explique qu'ils voient que c'est le petit et qu'alors ils repartent.

2. Rapportez les paroles citées de deux autres façons.

a. « Les églises sont vides pour les enterrements », nous a assuré le maire de Castelnau.

b. « Nous ne pourrons pas vivre longtemps sans notre journal », ont dit les personnes plus âgées.

c. « Le téléphone a moins sonné dans nos agences », a constaté Jacques Dandine.

• *voir Discours direct/indirect p. 171.*

RAPPORTER DES CONSEILS, DES ORDRES

• Pour rapporter une phrase à l'impératif, on utilise **dire de**, **demander de** suivi du verbe à l'infinitif.

Ce qui a été dit
« Donnez-moi votre numéro de téléphone. »
« Sultan, laisse entrer le monsieur ! »

Ce qui est rapporté
*Il m'**a demandé de** lui donner **mon** numéro de téléphone.*
*Il **a dit** à son chien **de** laisser entrer le monsieur.*

❺ Mettez au discours indirect.

1. Petit message.
N'oublie pas d'acheter une baguette en rentrant.
Prends aussi une demi-livre de café.
Je t'ai demandé...

2. Conseils aux candidats.
Ne vous énervez pas. Lisez soigneusement le sujet.
Réfléchissez puis commencez à noter vos idées.
Ils nous ont dit...

3. Le truc de la semaine.
Pour démouler un flan, passez une lame de couteau le long des parois du moule puis déposez-le une minute dans l'eau chaude. Retournez le moule sur un plat.
Elle nous conseille...

DES VERBES POUR RAPPORTER

• *voir Constructions verbales p. 186.*
• Pour rapporter une déclaration, on utilise les verbes
dire que, répondre que, expliquer que, répéter que, annoncer que, prétendre que...

« Il pleut. »	➜ *Il dit qu'il pleut.*
« Je viendrais. »	➜ *Il a répondu qu'il viendrait.*
« Nous allons nous marier. »	➜ *Ils ont annoncé qu'ils allaient se marier.*

• Pour rapporter une question, on peut utiliser les verbes
demander si/ce que/ce qui/comment/où/quand, se demander si, ne pas savoir si...
Est-ce que tu as compris ?
➜ *Elle m'a demandé si j'avais compris.*
Qu'est-ce que tu préfères ?
➜ *Dis-moi ce que tu préfères.*
Qu'est-ce qu'il faut faire ?
➜ *Il ne sait pas ce qu'il faut faire.*

• Pour rapporter une phrase à l'impératif, on utilise les verbes **demander de, dire de, répondre de, écrire de, téléphoner de, conseiller de...**

« Écris-moi. »	➜ *Elle nous a demandé de lui écrire.*
« Attends. »	➜ *Il m'a dit d'attendre.*
« N'aie pas peur. »	➜ *Il nous a répondu de ne pas avoir peur.*

❻ Rapportez ces conversations au discours indirect.

1. JACQUES : Est-ce que nous sommes à l'heure ?
MARTINE : Je ne sais pas.
JACQUES : Dépêchons-nous.

2. CAROLE : Il n'est pas encore rentré ?
JULIEN : Ne t'inquiète pas. C'est l'heure de pointe, il y a des embouteillages.

3. LE PÈRE : Qu'est-ce qu'on fait ce soir ?
L'ENFANT : On pourrait regarder la télévision.
LA MÈRE : Fais d'abord tes devoirs.

❶ **Lisez ces petites annonces. En petits groupes, retrouvez ce que signifient les mots abrégés.**

PERDUS/TROUVÉS

▶ Disparu, prox. village Abondance, chien moyen roux, museau noir, poils mi-longs, queue touffue. 06 90 47 65 43. Récompense.

GARDE ENFANTS

▶ J.F. sérieuse, avec réf. et expér. rech. garde enft. ou ménage. Pas sér. s'absten. 01 45 21 78 38.

MEUBLES

▶ Vds lit bébé bois blanc, poussette, siège auto, armoire. Le tout exc. état. Prix sacrif. (03 23 78 19 85).

LOCATIONS

▶ Grande Motte loue villa T4, jardin, cuis. équip., cheminée, piscine. Juillet. Écrire journal.

❷ **Vous cherchez à vendre ou acheter quelque chose et vous voulez passer une petite annonce dans un journal.**

À deux, préparez d'abord un petit texte en français courant. Transformez ensuite votre texte en petite annonce : Quelles phrases pouvez-vous supprimer ou simplifier ? Quels mots allez-vous abréger ? Pouvez-vous utiliser des sigles ?

❸ **Lisez la coupure de presse et la petite annonce suivantes.**
Un de vos amis vient de passer sans succès la petite annonce dans un journal. Vous lui envoyez un message par courrier électronique : vous lui recommandez de s'adresser directement à Michel D., que vous connaissez personnellement. Précisez le nombre d'années d'expérience de Michel D. et les avantages que propose son entreprise.

> **296435** – Rech. bon conducteur pr conduire voit. avec remorque : 4 planches à voile + 2 VTT. Trajet Versailles-Royan. Dern. sem. de juil. Conditions à débattre.

FAITES-VOUS PLAISIR :
vous me rendrez service

C'est ainsi que Michel D. proposait ses services, il y a un peu moins de deux ans. Il était au chômage, il adorait conduire, et il a eu l'idée de se proposer comme chauffeur « à la carte ». Pour ramener une voiture avec ou sans passagers si le propriétaire était dans l'impossibilité de conduire, permettre aux randonneurs et aux amateurs de VTT de ne pas revenir à leur point de départ, mais de retrouver leur propre voiture une fois arrivés au but. Aujourd'hui, il emploie plus ou moins régulièrement une trentaine de chauffeurs. Il permet aussi à des étudiants de voyager gratuitement : ils conduisent, par exemple, un client qui aurait besoin de sa voiture une fois arrivé, mais qui n'a pas envie de faire 600 ou 700 kilomètres derrière un volant. Avec ce système, les mauvaises surprises de l'auto-stop sont supprimées. De plus, chauffeur et propriétaire du véhicule sont assurés.

❹ C'est décidé : plus de grosses dépenses ni de stress pendant les vacances. Mais comment faire ? Lisez d'abord le texte. Puis, à deux, réfléchissez et imaginez une solution qui pourrait vous aider.

Rédigez une petite annonce dans laquelle vous recherchez de l'aide.

Bientôt les vacances : pensez à votre budget !

Des retraites ou des salaires trop modestes, le chômage ou le prix élevé des études, ça donne des idées, qui sont ensuite reprises par tout le monde. Les échanges de logement sont devenus banals. On prête également de plus en plus souvent son appartement pendant les vacances, à des retraités par exemple : ils pourront visiter la ville, aller au concert ou au théâtre, et habiter chez vous gratuitement s'ils veulent bien arroser les plantes et montrer que l'appartement est occupé. Certains feront visiter leur région en organisant des randonnées et en racontant des contes, d'autres se proposeront comme chauffeurs : si vous passez une semaine en mer, vous pourrez, grâce à eux, laisser votre voiture aux Sables-d'Olonne, en Vendée, et vous la retrouverez en descendant du bateau à Honfleur, en Normandie. De plus, c'est la solution la moins chère !

Classification

☐ **Affaires**   ☐ **Correspondance**   ☐ **Contact**   ☐ **Auto-moto**

☐ **Immobilier**   ☐ **Collection**   ☐ **Voyages**   ☐ **Emploi**

Texte de l'annonce

_____

_____

_____

_____

_____

_____

_____

_____

Informations obligatoires

Nom : .... Prénom : ....

Adresse : ....

Ville : .... Code postal : ....

Date : .... Téléphone : .... Signature : ....

❺ Quelqu'un a lu votre annonce rédigée dans l'exercice 4 et demande qu'on lui explique de quoi il s'agit exactement.

À deux, vous rédigez une lettre dans laquelle vous fournissez tous les renseignements utiles.

❶ **Vos voisins sont français et ils vous ont aidé(e) à écrire une lettre. À deux, vous discutez pour savoir comment vous allez les remercier. Vous voulez leur proposer quelque chose en échange... Imaginez le dialogue et jouez la scène.**

❷ **Un ami vous a parlé d'un réseau d'échanges auquel il appartient. Vous êtes très intéressé(e) et vous lui téléphonez. À deux, imaginez la conversation en respectant les points suivants, puis jouez la scène.**

1. Vous lui rappelez votre dernière rencontre.

2. Vous lui dites que vous êtes intéressé(e).

3. Vous lui demandez de vous expliquer comment le système d'échange local fonctionne.

4. Il vous renseigne et vous donne un exemple.

5. Il vous demande ce que vous pouvez proposer aux autres.

6. Vous dites ce que vous aimeriez faire et ce que vous attendez en échange.

DIVERS

● Librairie « Noir sur Blanc » rech. pour 3 mois env. pers. de confiance pr classer livres anciens et aider à la vente
du mardi au samedi 10 h-13 h et 15 h-19 h
dimanche 15 h-19 h
possibil. déjeuner. Tél. 02 98 43 43 69.

❸ **Vous avez découvert l'annonce ci-dessus en feuilletant le journal local.
Un(e) de vos ami(e)s est à la recherche d'un travail pour quelques mois. Vous lui téléphonez pour lui dire que vous avez peut-être trouvé un travail pour lui/elle. À deux, préparez l'entretien au téléphone.**
Essayez d'imaginer en quoi consiste le travail.
Vous cherchez des arguments pour et des arguments contre et vous réfléchissez aux renseignements qu'il faut donner au libraire.

APPRENDRE PAR CŒUR

Il est toujours rassurant de savoir qu'on peut réagir naturellement dans pratiquement toutes les situations, Pour avoir cette aisance, il suffit d'avoir à sa disposition un certain nombre d'expressions. Il faut savoir ce qu'elles signifient, quand et comment on peut les employer, mais on n'a pas besoin de les comprendre d'un point de vue linguistique.

DANS LA CONVERSATION

Vous savez comment réagir quand vous ne comprenez pas quelqu'un ou quand vous ne savez pas exprimer quelque chose en français.

• **Pour poursuivre la conversation ou prendre la parole :**

Vous parlez de…, ça me fait penser que…
À propos/Au fait…
Cela me rappelle que…
Exactement/Justement/Parfaitement…
Mais non…
Oui, mais/D'accord, mais…
Absolument pas…

• **Pour terminer la conversation :**

Excusez-moi, mais il faut que je m'en aille.
Il faut que je parte, mais on se revoie.
On se téléphone ?
Cela nous mènerait trop loin.
Il faudrait que nous ayons un peu plus de temps.
Il faudra en reparler une autre fois.
On en reparlera une autre fois.

• **Pour gagner du temps et réfléchir :**

Oui, bon, bien, euh, c'est-à-dire, en fait, n'est-ce pas, alors là, bien sûr, eh bien, si vous voulez, vous savez, vous voyez, vous comprenez, écoutez, voilà, enfin, finalement, de toutes façons, en tout cas…
(Mais n'abusez pas des *euh ! ben ! hein !*)

ET AUSSI… Avant de noter une formule, commencez toujours par la tester sur quelqu'un. Si elle vous paraît efficace, apprenez-la par cœur.
Si vous cherchez une expression spécifique, consultez la rubrique « savoir faire » dans le tableau des contenus, p. 2 et 3.

DANS LA CORRESPONDANCE

Pour les formules employées dans la correspondance, vous pouvez faire des fiches qu'il vous suffira de consulter avant d'écrire une lettre.
Complétez vos fiches au fur et à mesure avec les nouveaux contenus de *Café crème* ou selon vos besoins. Si vous recevez du courrier, notez les formules intéressantes. Demandez à votre professeur de vous conseiller dans votre choix.

• **Quelques formules pour commencer une lettre :**

(N'oubliez pas la virgule après la formule du début.)
– À des amis :
Cher/Chère + prénom,
(Mon) Cher ami/(Ma) Chère amie/(Mes) Chers amis,
– À quelqu'un qu'on connaît bien :
Cher Monsieur/Chère Madame, Cher/Chère collègue,
– À quelqu'un qu'on connaît ou non :
Monsieur/Madame/Mademoiselle,
– À une société, à un journal, on écrit tout simplement… : Monsieur,

• **Formules pour terminer une lettre :**

– À des amis :
Bons baisers
Je vous/t'embrasse
Bien à toi/à vous
Très amicalement
Bien affectueusement
Bien cordialement
Amitiés
– À quelqu'un qu'on connaît bien :
Acceptez, Madame/Monsieur, mes salutations les plus cordiales.
– À quelqu'un qu'on connaît ou non :
Veuillez agréer/accepter, Madame/Monsieur, mes salutations distinguées.
Veuillez agréer, Madame/Monsieur, l'expression de ma considération distinguée.
– À quelqu'un qui a une fonction officielle :
Je vous prie d'accepter, Monsieur, l'assurance de toute ma gratitude.
Je vous prie d'accepter, Madame, l'hommage de mon profond respect.
(Quand on termine la lettre par une phrase complète, on reprend la formule du début pour s'adresser à son correspondant.)

ET AUSSI… Si vous faites des fiches, complétez-les avec les formules utiles pour répondre à une invitation, faire une demande de renseignement, etc.

OBJECTIFS

• Évaluer une capacité à exprimer une opinion, un sentiment.

• Donner son avis, argumenter.

Oral : 15 minutes (30 minutes de préparation)

• Défense d'un point de vue.

• Présentation d'informations.

Écrit : 45 minutes

• Repérage de points de vue.

• Expression d'une attitude.

A2 ORAL 1 Présenter son opinion

CONSEILS

• Avant de présenter votre opinion oralement, listez par écrit tous les arguments pour et contre, ou les côtés positifs et négatifs puis choisissez ceux qui vont servir à argumenter et alimenter votre point de vue.

• Pensez aussi à noter un ou deux exemples qui illustreront votre propos.

❶ **Choisissez une de ces affirmations et donnez votre opinion personnelle.**

1. Le CD-Rom va remplacer le livre.

2. Dans un demi-siècle, les hommes ne pourront plus vivre en ville.

3. Bientôt, les hommes resteront à la maison pour s'occuper des enfants.

4. Il faut mettre rapidement des limites aux progrès de la médecine.

❷ **Choisissez une de ces questions et répondez-y en argumentant.**

1. Pensez-vous qu'il soit utile de développer les recherches spatiales ?

2. Quel a été pour vous l'événement le plus marquant ces cinq dernières années ?

3. Faut-il augmenter les taxes sur les cigarettes ?

4. Quelle est pour vous la meilleure façon de découvrir un pays ?

A2 ORAL 2 Décrire et interpréter un document

CONSEILS

• Prévoyez les questions que peut poser l'examinateur sur l'image et répondez-y.

• Enregistrez votre production et appréciez vous-même ou faites apprécier par votre professeur les critères suivants : la maîtrise du système phonologique (intonation, prononciation, accent), la correction syntaxique (nombre d'erreurs), la richesse et la maîtrise du lexique employé (utilisation correcte et appropriée du vocabulaire), l'aisance et la souplesse (facilité d'expression, débit régulier, formulation variée et adaptée).

• Remédiez aux problèmes par un travail individuel adapté. Demandez conseil à votre professeur.

Les jeunes mariés s'envoient au ciel

Air France vient d'ouvrir un nouveau service qui va faire planer les jeunes mariés. Il est maintenant possible de déposer une liste de mariage auprès de la compagnie aérienne. Les futurs époux choisissent leur destination de rêve, puis la famille et les amis participent à l'achat.

■ Renseignements auprès des agences d'Air France et des comptoirs de la société dans les aéroports.

Télérama n° 2514, 18 mars 1998.

Observez chaque document.

1. Identifiez-le : *C'est un dessin d'humour/une photo/une publicité…*

2. Décrivez-le : *Cette image représente/montre… Au premier plan/au centre/au dernier plan… Les couleurs/les personnages/les objets…*

3. Dites ce qu'il vous inspire : *Cette image évoque/fait référence au thème de/illustre le problème de/critique le/la/les… Selon moi, cette image nous fait réfléchir sur/m'inspire l'idée que/est un appel à/attire notre intention sur…*

4. Développez le thème qu'il vous évoque, et donnez votre opinion : *Je trouve que… Je ne suis pas d'accord avec… D'abord parce que… Puis… Enfin… Pour moi, c'est totalement différent, je…*

5. Ajoutez un exemple ou une expérience personnelle : *Ça me rappelle quand je… Moi aussi, l'année dernière je… Un jour, j'ai… Je connais quelqu'un qui…*

A2 ÉCRIT 1 Repérer des sentiments

❶ **Associez les mots qui correspondent au même sentiment.**

1. Colère.	**a.** Surprise.
2. Satisfaction.	**b.** Angoisse.
3. Nostalgie.	**c.** Indignation.
4. Étonnement.	**d.** Contentement.
5. Déception.	**e.** Regret.
6. Peur.	**f.** Joie.
7. Gaieté.	**g.** Désillusion.

❷ **Associez chaque note critique de journaliste sur un restaurant à l'un des sentiments suivants :** *indignation – déception – enthousiasme – regret – surprise.*

1. J'ai appris avec stupeur que le restaurant de Michel Poli avait baissé le prix de son menu. Il ne coûte plus que 23 €. C'est une occasion à ne pas manquer, il faut y aller !

2. Quel bonheur de déguster des fruits de mer très frais. L'une des meilleures adresses à Paris !

3. La viande de la brasserie Dago ne m'a pas enthousiasmé. Je m'attendais à mieux !

4. Manque d'espace et service assez médiocre ! J'aurais mieux fait de passer ma soirée au cinéma.

5. Quel manque d'accueil et de confort ! La cuisine, n'en parlons pas, et en plus les prix sont scandaleux !

❸ **Rédigez une note critique pour le journal de votre quartier sur le restaurant où vous avez dîné pour la dernière fois.**
Développez les aspects positifs et négatifs : cadre, accueil, nourriture, variété de la carte, prix…

MERCREDI 10 SEPTEMBRE 1997

Enquête: vivre à 35 heures

Libération

Une journée sans pollution automobile

L'utopie de La Rochelle

Les Rochelais ont, dans l'ensemble, bien accueilli l'interdiction d'utiliser auto, moto ou camion dans leur centre-ville hier. Mais cette initiative symbolique, la première de ce genre en France, devra être suivie de mesures plus importantes et durables afin de lutter contre la pollution de l'air. Page 2

Les 35 heures changent la ... portraits et témoi- ... nos huit pages spéciales ... tral.

...: l'affront ...-Karadzic
Les leaders serbes proches de Karadzic ont quitté hier Banja Luka sous les huées, encadrés par des soldats de l'Otan. Reportage, page 6

Du Prozac dans le sang de «M. Paul»
Une analyse toxicologique a révélé hier des traces d'antidépresseur dans le sang d'Henri Paul, le chauffeur mort dans l'accident qui a coûté la vie à la princesse de Galles. Et confirmé une alcoolémie de 1,75g. Page 10

Téléphone: haro sur le mouchard
France Télécom a reçu en une semaine 650000 appels pour (ou contre) son nouveau service qui «dénonce» le numéro appelant. Page 16

CINEMA: JOHN WOO A FOND
La nouvelle réalisation du cinéaste hongkongais, «Volte/Face», avec John Travolta et Nicolas Cage, révolutionne le film d'action. Interview de John Woo, et toute l'actualité du cinéma pages 24 à 33

http://www.liberation.com

M 0135-910-1,07€

Guyane 10 F, Allemagne 3,20 DM, Autriche 30 Sch, Belgique 45 F, Cameroun 1000 CFA, Canada $2.95, Côte d'Ivoire 1000 CFA, Danemark 15Kr, Egypte 7,50 L ... Bretagne 1,20 L, Grèce 400 Dr, Irlande 1,30 L, Italie 3000 L, Liban £1,40 , Luxembourg 45 F, Maroc 12 Dh, Norvège 18 Kr, Pays-Bas 3,50 Fl, Portugal Cont. 280 Esc, Sénégal 1000 C ...

La Rochelle a expérimenté hier la journée sans voiture. De 7 h à 21 h, le centre-ville a été réservé aux véhicules non polluants : transports en commun, voitures électriques, bus de mer, vélos et même chevaux.

Le bilan est indiscutablement positif. Au-delà de l'aspect médiatique, les Rochelais ont expérimenté un autre art de vivre, plus décontracté. Et ils ont pourtant vécu et travaillé comme d'habitude. Michel Crépeau a donc lancé une idée : faire, en 1998, dans toute la France, une journée du véhicule non polluant.

Succès de la journée sans véhicules polluants
Pendant treize heures, La Rochelle a fait rempart contre la voiture
Après cette opération de sensibilisation, le maire voudrait interdire le centre aux poids lourds et développer un service de taxis électriques à petit prix.

STRATÉGIES DE LECTURE

▶ 1 Observez la première page de *Libération* et celle de *La Charente Libre*.

1. S'agit-il de journaux nationaux ou régionaux ?

2. Y a-t-il une nouvelle commune aux deux journaux ?

3. Qu'est-ce qui vous a aidé(e)s à répondre ? *les titres, les photos, les articles, des noms de lieux, des publicités…*

▶ 2 Observez les deux premières pages de journaux. Ensuite, répondez à deux aux questions suivantes. Justifiez vos réponses. Puis comparez-les avec celles des autres étudiants.

1. Qu'est-ce qui a d'abord attiré votre attention dans chacune de ces pages ?

2. Quels sujets avez-vous remarqués ?

a. Politique

b. Économie

c. Culture

d. Environnement

e. Société

f. Spectacles

g. Sports

h. Faits divers

i. Techniques

j. Monde

k. France

l. Annonces

m. Météo

n. Jeux

o. Voyages

3. Quelle page préférez-vous ? Appuyez-vous sur la mise en page, la typographie, les photos, les sujets…

▶ **3** Relisez les deux pages.
Aimeriez-vous qu'une expérience comme celle de La Rochelle soit proposée dans votre ville ou dans une ville voisine ? Discutez-en par groupe de deux.

TOP CHRONO !

Quelle est la première équipe qui trouvera, dans les textes, les réponses à ces questions ?

◆ **1.** Comment s'appellent les habitants de La Rochelle ?

◆ **2.** Citez cinq véhicules non polluants.

◆ **3.** Quel jour l'expérience de La Rochelle a-t-elle eu lieu ?

STRATÉGIES D'ÉCOUTE

▶ **1** Écoutez l'enregistrement en entier même s'il y a des passages que vous ne comprenez pas. Quelle est la situation ?

▶ **2** De quoi parlent les deux personnages ?

▶ **3** Réécoutez l'enregistrement :

1. Quelle est la force de l'image à la télévision ?

2. En quoi les images prétextes sont-elles utiles ?

3. Quel danger présente l'utilisation d'images hors contexte ?

LE COMPTE EST BON !

◆ Combien de fois entendez-vous les mots *image* et *information* ?

L'information

La presse

Un Français sur deux lit régulièrement la presse quotidienne régionale, à peine un Français sur cinq la presse quotidienne nationale. C'est peu comparé à la Grande-Bretagne et au Danemark (où on lit deux fois plus) ou au Japon (trois fois plus). Si le prix élevé des quotidiens français n'explique pas tout, il joue cependant un rôle : un quotidien anglais coûte, par exemple, 40 % moins cher en moyenne.

En revanche, les Français sont les champions de la presse hebdomadaire : 95,5 % d'entre eux sont lecteurs, réguliers ou non, c'est-à-dire que, pour les statistiques, chaque Français lit en moyenne 6,3 magazines par an.

La télévision

● On trouve au moins un téléviseur dans 95 % des foyers.

● En moyenne, un Français passe un peu plus de trois heures par jour devant le petit écran, c'est beaucoup par rapport à l'heure et demie consacrée à la télé-vision aux Pays-Bas, mais c'est peu en comparaison des quatre heures quotidiennes des Britanniques, des Portugais ou des Espagnols.

On ne comprend rien à la télévision française si on ne connaît pas la réponse à la question suivante : *Qu'est-ce que le responsable d'une émission télévisée en France craint le plus ?*

Réponse : L'audimat. Derrière ce mot barbare se cache l'estimation de l'audience d'une émission de télévision, ce qui permet de comparer les chaînes entre elles. Et celui qui n'a pas fait aussi bien que ses concurrents est souvent prié de laisser sa place à meilleur que lui, jusqu'au jour où…

La radio

● Tous les foyers ont au moins un poste de radio.

● 90 % des automobilistes disposent d'un autoradio.

● En moyenne, les Français écoutent la radio un peu plus de trois heures par jour.

● Les stations du service public (France-Inter, France-Info, France-Culture, France-Musique, etc.), les radios commerciales privées (RTL, Europe 1, NRJ, etc.) et les radios privées associatives se partagent l'audience. Les radios locales attirent de plus en plus les auditeurs en partie grâce à leur programme musical.

● C'est une station commerciale privée (RTL, avec 18 %) qui connaît la plus grande audience, suivie d'une station du service public (France-Inter, avec presque 12 %).

Le triomphe de France-Info

Créée en juin 1987 par Roland Faure et Jérôme Bellay sur le concept novateur de l'information en continu, la station n'a cessé de voir son audience progresser. (…) Un journal est proposé toutes les sept minutes ; il est suivi de rubriques dans les domaines économique, financier, social, scientifique, sportif, etc. La station bénéficie du réseau de Radio-France auquel elle appartient, ce qui lui permet d'être présente très rapidement pour couvrir des événements régionaux. Sa réussite repose sur le besoin d'information immédiate et rapide des Français.

Francoscopie 1997 Larousse.

Actualité : Comment les Français s'informent-ils ?

TÉLÉVISION	**47 %**
PRESSE ÉCRITE	**28 %**
RADIO	**19 %**

Sondage annuel
Sofres-*Télérama-La Croix*, janvier 1996.

É vénement politique ou économique, exploit sportif ou catastrophe : la radio est généralement la première à informer le public, immédiatement, à toute heure de la journée. Très rapidement, elle donne la parole aux témoins, interviewe des spécialistes et des personnalités, complète l'information au fur et à mesure pour finalement faire le point dans les « journaux » de mi-journée ou de fin d'après-midi.

La télévision réagit presque aussi rapidement, mais recherche le spectaculaire. Vers 13 heures et surtout en fin de journée, elle veut frapper les téléspectateurs par des images accompagnées de réactions à chaud.

Commentaires, explications, prises de position, analyses sont le domaine de la presse écrite qui prend du recul par rapport au fait brut. Pour elle, il s'agit plus de faire comprendre que de montrer. La presse écrite quotidienne a malheureusement un gros handicap : il se passe beaucoup de temps entre l'événement et la parution du journal, surtout le week-end, puisque la plupart des journaux ne paraissent pas le dimanche.

Les journaux du matin ignorent ce qui s'est passé la nuit précédente, et si les journaux du soir comme *Le Monde* peuvent réagir aux événements de la matinée ou du début de l'après-midi à la grande satisfaction des Parisiens, ils ne pourront être lus que le lendemain par les provinciaux.

Celui qui veut limiter le handicap-temps des journaux et qui ne veut pas se contenter des faits présentés par la radio ou la télévision peut, grâce à Internet et au Minitel, s'informer directement auprès des agences de presse, consulter plusieurs journaux dès leur parution et regarder les images proposées par les chaînes de télévision françaises et étrangères.

▶ **1.** À votre avis, pourquoi lit-on moins le journal en France qu'au Royaume-Uni ou au Japon ?

▶ **2.** Les Français lisent plus la presse régionale que la presse nationale. Proposez une explication à ce phénomène.

▶ **3.** Un ami vous offre un abonnement à une publication française de votre choix. Est-ce que vous allez choisir un quotidien, un hebdomadaire ou un mensuel ? Pourquoi ?

▶ **4.** Le temps que les Français consacrent à la télévision et à la radio est pratiquement

le même. Cependant, 47 % déclarent qu'ils s'informent en regardant la télévision et 19 % seulement en écoutant la radio. À votre avis, pourquoi y a-t-il une telle différence ?

▶ **5.** Vous êtes de passage dans une grande ville française. Le texte d'un panneau d'affichage mobile annonce un événement politique dans votre pays. Il est 15 heures. Vous voulez en savoir plus.
a. Qu'est-ce que vous faites tout de suite ?
b. Qu'est-ce que vous ferez dans la soirée, le lendemain, dans le courant de la semaine ?

▶ **6.** Quelle est votre source d'information préférée ? Pourquoi ?

La une du *Petit Café crème* 1

VOUS AVEZ DÉCIDÉ DE PUBLIER UN JOURNAL EN FRANÇAIS, LE *PETIT CAFÉ CRÈME*.

Vous allez vous organiser pour le produire.

DÉCISIONS

1 **Choisissez votre type de journal après avoir débattu entre vous.**

1. Le *Petit Café crème* est un journal :

a. national ; *b.* régional ; *c.* quotidien ;

d. hebdomadaire ; *e.* mensuel.

2. Son tirage est :

a. de moins de 50 000 exemplaires ;

b. entre 50 000 et 100 000 exemplaires ;

c. entre 100 000 et 500 000 exemplaires.

3. Il s'adresse à un public âgé :

a. de 15 à 18 ans ; *b.* de 18 à 35 ans ;

c. de 35 à 60 ans ; *d.* de plus de 60 ans.

4. C'est un journal d'informations :

a. générales ; *b.* économiques ; *c.* culturelles ;

d. scientifiques ; *e.* autres choix, à préciser.

2 **Rédigez la carte d'identité de votre journal.**

1. Nom du journal : …

2. Adresse : …

3. Date de sa fondation : …

4. Nom et prénom du fondateur : …

5. Circonstances ayant motivé sa fondation : …

6. Valeurs et idées défendues par le journal : …

7. Emploi du temps avant le bouclage (la sortie du journal)

8. Nombre d'employés travaillant au journal : …

9. Format : …

10. Nombre de pages : …

11. Publicité : *a.* oui *b.* non

3 **Établissez l'identité de chaque personne qui travaille pour le journal.**

1. Dites combien de personnes se trouvent à chaque poste.

2. Complétez et mettez une photo d'identité. Faites une carte d'identité pour chacun d'eux.

Vous pouvez rechercher dans les unités 1 à 4 des éléments (noms, prénoms, caractéristiques, photos, etc.) vous aidant à rédiger cette carte d'identité.

Et n'oubliez pas que vous pouvez mélanger les données pour inventer de nouveaux personnages.

3. Complétez une fiche signalétique pour chacun d'eux (portrait physique et moral).

4 **Tirez au sort votre fonction dans le journal en piochant (choisissant) une carte d'identité accompagnée de sa fiche signalétique.**

Le personnage que vous avez tiré au sort pourra vous accompagner lors des trois autres simulations prévues. Il est donc important qu'il vous plaise. Vous pouvez ainsi changer certains éléments qui vous ont été donnés et ajouter des informations, notamment en écrivant une mini biographie, à partir de la matrice suivante :

> **1.** Circonstances de la naissance : …
>
> **2.** Enfance : …
>
> **3.** Scolarité et études : *a.* aisées…
>
>   *b.* lentes…
>
> **4.** Premières rencontres : …
>
> **5.** Premières amours : …
>
> **6.** Voyages : …
>
> **7.** Débuts professionnels : …

ÉCRITS ET JEUX DE RÔLES

1 **Aujourd'hui, le comité de rédaction de votre journal se réunit pour choisir les articles de la une à paraître. Piochez vos informations dans les leçons 1 à 4 et transformez-les pour en inventer de nouvelles. Écrivez les gros titres et les quinze premières lignes de chaque article.**

Mariages, décès, accidents, inaugurations officielles, découverte d'une région, d'une ville, d'un site, d'un monument, petites annonces, publicités, etc.

2 **Une information de dernière minute vous oblige à revoir votre une :** annonce de mariage princier ou de célébrité, découverte scientifique importante, catastrophe naturelle, événement culturel, visite d'une personnalité, déclaration de guerre, décès soudain d'un personnage célèbre…

Partie 2
VIVRE AVEC SON TEMPS

TOUJOURS PLUS

DEMAIN

Tout change, tout va plus vite. Les objets qui feront partie de votre univers quotidien à partir de l'an 2000 sont, pour certains, tellement inattendus que vous n'en soupçonnez même pas l'arrivée prochaine. Qui aurait imaginé des vêtements qui soignent, qui massent ou qui réchauffent ? Qui aurait pensé aller faire ses courses aux États-Unis sans bouger de sa chambre ? Ou naviguer sur Internet à partir de son téléphone portable ?

Quo, novembre 1997.

GRAND STANDIGNE

Un jour on démolira
ces beaux immeubles si modernes
on en cassera les carreaux
de plexiglas ou d'ultravitre
on démontera les fourneaux
construits à polytechnique
on sectionnera les antennes
collectives de tévision
on dévissera les ascenseurs
on anéantira les vide-ordures
on broiera les chauffoses
on pulvérisera les frigidons
quand ces immeubles vieilliront
du poids infini de la tristesse des choses.

Raymond Queneau,
Courir les rues, Battre la campagne, Fendre les flots,
Gallimard.

❸ **Classez les verbes du texte (2) selon leur sens en deux catégories :**
1. défaire ; **2.** détruire complètement.

❹ **Certains mots employés par le poète, comme *tévision*, *chauffoses* ou *frigidons*, vous surprennent peut-être. À quels mots du français courant vous font-ils penser ?**

❶ **Dans le texte (1), comment le journaliste justifie-t-il son appréciation du début : *Tout change, tout va plus vite* ?**

❷ **Donnez d'autres exemples qui confirment cette appréciation.**

❺ **Est-ce que les prévisions du poète vous semblent réalistes ?**

Un retour à la nature

Jean de Florette, le « bossu », est un citadin qui rêve de vivre de son travail à la campagne. Il pense y arriver grâce à un héritage qu'il vient de faire.

« Je veux vivre en communion avec la Nature. Je veux manger les légumes de mon jardin, l'huile de mes olives, gober les œufs frais de mes poules, m'enivrer du seul vin de ma vigne, et dès que ce sera possible, manger le pain que je ferai avec mon blé.

5

— Vous savez, dit Ugolin, ça ne sera pas de sitôt ! Ces oliviers, ils sont partis dans la sauvagerie, et pour les rattraper, il vous faudra trois ans. La vigne ici viendra bien, mais comptez aussi trois ans. Vos poules, vous en mangerez les œufs, si les renards ne vous mangent pas les poules. Et les légumes du jardin, sans eau, ils ne seront pas bien gros…

10

— Nous verrons bien, dit le bossu, avec un sourire supérieur. Je sais bien que rien ne se fait qu'avec du temps et du travail. Mais grâce au petit héritage – que je dois à la bienfaisante avarice de ma mère – nous avons de quoi tenir au moins trois ans. Et dans trois ans… »

15

20

Il fit un mystérieux sourire, et se tut.

« Oui, dans trois ans ! » dit la chanteuse…

Elle secouait la tête d'un air de triomphe.

« Qu'est-ce qu'il y aura, dans trois ans ? dit Ugolin.

25

— Nous avons de vastes projets ! dit le bossu en caressant les cheveux de sa femme. (…) Je vous en parlerai un de ces jours : à ce propos, il faut que je vous demande un renseignement. Me serait-il possible de louer ou d'acheter les champs qui prolongent les nôtres, vers le nord ? »

30

Pour le coup, Ugolin fut suffoqué…

« Vous savez que vous avez plus de douze mille mètres ?

35

— 12 800, dit le bossu… C'est insuffisant, ou plutôt, ce sera un jour insuffisant, et je voudrais m'assurer par avance au moins un hectare de plus. Voulez-vous avoir la gentillesse d'y penser ?

— Je demanderai au village, dit Ugolin… Je crois que votre voisin, c'est le boulanger… Je lui demanderai.

40

— Je vous en remercie.

— Mais pour cultiver deux hectares, il va vous falloir des ouvriers ?

45

— Bien sûr, il m'en faudra deux. Et ces deux ouvriers, les voilà ! »

Il ouvrit largement ses deux mains, et les présenta : elles étaient larges et longues, mais fines et blanches, avec des ongles presque transparents.

50

Puis il se leva, souriant.

« Je dois vous dire que votre gentillesse m'a causé une très heureuse surprise. En effet ma mère, qui est née ici, m'a répété bien souvent que les paysans des Bastides sont de véritables sauvages, et qui détestent fort bêtement les gens de Crespin. Je constate avec plaisir que vous êtes une exception, et je me félicite de vous avoir rencontré. Mais je vous demande de ne pas annoncer notre arrivée au village : ils l'apprendront bien assez tôt.

55

60

— Vous serez bien forcé d'aller y chercher votre pain !

— Nous ferons nos provisions à Ruissatel. C'est évidemment un peu plus loin, mais on y trouve des gens civilisés… Merci encore ; mais maintenant, je dois parer au plus pressé. Aimée, quelle heure est-il ? »

65

Elle regarda la montre d'or de son bracelet.

« Dix heures juste, dit-elle.

70

— Nous n'avons pas une minute à perdre. Pendant que vous mettrez de l'ordre, et que vous préparerez le déjeuner, je vais commencer par le toit. Excusez-moi, mon cher voisin. Cette première journée est particulièrement importante, et je dois me mettre en besogne immédiatement ! »

75

Il se leva, et lui serra la main, en disant :

« Je vous remercie de votre aide généreuse, et je vous prie de croire à mon amitié vicinale. Au travail. »

80

Marcel Pagnol, *Jean de Florette*,
éd. Bernard de Fallois, 1988.

La suite sera tragique : la méchanceté des hommes le tuera avant la réalisation de son rêve parce qu'il aura été naïf et trop confiant.

❶ **Lisez cet extrait de roman en entier, puis répondez aux questions suivantes.**

1. Quels sont les différents personnages qui parlent dans le texte ?

2. Pourquoi le bossu se méfie-t-il des gens du pays ?

❷ **Repérez comment Ugolin essaie de décourager le bossu.**

❸ **Trouvez deux phrases qui montrent que le bossu se sent supérieur aux gens du pays.**

❹ **Le bossu a soif d'authenticité et veut vivre en harmonie avec la nature.**
Pensez-vous que des gens de votre pays aient de tels rêves aujourd'hui ?

Le navire à grande vitesse, destination la Corse

1 Écoutez deux fois l'extrait de l'enregistrement dans lequel on présente le navire à grande vitesse, puis établissez sa carte de visite.

N... à G... V...	poids : ...
relie ... à ... en ...	vitesse : ...
	longueur : ...
capacité : ... passagers	... véhicules

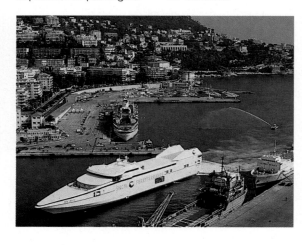

Chez le marchand de journaux

1 Écoutez l'enregistrement une première fois. Combien de personnes prennent la parole dans cette scène ? De qui s'agit-il ?

2 Écoutez l'enregistrement une deuxième fois et dites si les affirmations suivantes sont vraies ou fausses.

1. Monsieur Legrand achète un journal.

2. Il va partir le lendemain pour Jersey.

3. Le Condor relie le continent à Jersey.

4. Le Condor a eu un accident dans le port de Jersey.

5. Il a fallu secourir les passagers en hélicoptère.

6. Les voyages entre la France et les îles anglo-normandes (Jersey et Guernesey) sont de plus en plus rapides et de plus en plus confortables.

7. Yves propose à monsieur Legrand de l'emmener à Jersey sur son voilier.

8. Rendez-vous est pris pour le jeudi, à six heures du matin.

Avec Brittany Ferries,

votre traversée pourrait bien avoir quelque chose de plus : l'esprit croisière.

L'accueil

A notre bord, un personnel exclusivement français assure un service de premier ordre et veille au bien-être de ses passagers.

La restauration

3 types de restauration sont proposés à bord : restaurant gastronomique, restaurant self-service et salon de thé.

Les divertissements

Tout est prévu à bord pour rendre votre traversée agréable : cinéma, boutiques hors taxes, salles de jeux pour enfants, bar et discothèque.

Le repos

De luxueux salons de sièges pullmann ou des cabines avec couette et linge de toilette vous permettront d'arriver détendus et reposés de l'autre côté de la Manche.

VoCaBulAirE

❶ Quels mots désignant les parties du corps connaissez-vous ? Notez-les et comparez vos listes.

❷ À deux, retrouvez la signification des expressions suivantes. Au besoin, aidez-vous d'un dictionnaire.

1. S'évanouir.

2. Avoir mal au dos.

3. Avoir la nausée.

4. Avoir des problèmes d'estomac.

5. Avoir des picotements/des démangeaisons dans les jambes.

Voilà que j'ai de nouveau des fourmis dans les jambes !

Oooh... je sens que je vais tomber dans les pommes !

❸ Avec un(e) ami(e), vous suivez un cours de gymnastique. Que dit le moniteur ? Que font les participants ?
Faites l'exercice à deux. L'un répète ce que dit le moniteur. L'autre décrit les gestes des participants.

Lever/tête ➜ *Levez la tête.*
➜ *Ils lèvent la tête.*

1. Baisser/bras.

2. Étirer/dos.

3. Rentrer/ventre.

4. Mettre/mains derrière la tête.

5. Plier/jambes.

6. Fermer/yeux.

7. Écarter/bras.

8. Allonger/jambes.

SE DÉBROUILLER CHEZ LE MÉDECIN

Quelques expressions utiles pour expliquer au médecin ce que vous avez :

Il m'a fait mal en jouant...

J'ai mal là.
J'ai mal à la tête/à la jambe/au genou…
Je suis tombé(e).
Je me suis blessé(e) avec un outil de jardinage.
Je me suis fait mal en jouant au tennis.
Je me suis brûlé(e) avec un fer à repasser.
J'ai des boutons/des démangeaisons.
J'ai des difficultés/du mal à respirer/à marcher.
J'ai la tête qui tourne/des vertiges.

CE QUE DIT LE MÉDECIN

Vous avez mal où ?
Vous avez ça depuis quand ?
Est-ce que cela vous arrive souvent ?
Est-ce que vous prenez des médicaments ?
Est-ce que vous êtes vacciné(e) contre… ?
Je vais vous ausculter, retirez votre pull, s'il vous plaît.
Inspirez/respirez à fond.
Ne respirez plus.
Toussez.

SE DÉBROUILLER CHEZ LE PHARMACIEN

Pour les petits problèmes, le pharmacien peut généralement vous aider.
Vous lui expliquez ce que vous souhaitez :
Je voudrais quelque chose contre les maux de tête/la toux/le rhume/la grippe/pour dormir/digérer…
S'il ne peut rien pour vous, il vous dira :
Je vous conseille de consulter un médecin. C'est plus prudent.

❹ À deux, imaginez que l'un de vous s'est blessé lors d'un entraînement sportif.
Votre cheville est enflée et vous fait très mal. Le lendemain, vous devez partir en voyage. Vous allez d'abord chez le pharmacien, mais il vous conseille de consulter un médecin. Inventez les différents dialogues et jouez les scènes.

GRAMMAIRE

POUR PARLER DE L'AVENIR

vous le savez déjà...

❶ 1. Mettez les verbes entre parenthèses au futur, au futur proche ou au conditionnel. Attention à la place du pronom quand il y en a un.

Je vous (dire) ce qui s'est passé. Nous allions passer à table quand le téléphone a sonné. Vous ne (deviner) jamais qui c'était. C'était mon frère qui annonçait qu'il (venir) passer Noël chez nous. Ça (faire) deux ans ce week-end qu'on ne s'est pas vus. Il (rappeler) pour nous donner l'heure de son arrivée mais je sais déjà qu'il (rester) un mois puis qu'il (repartir) pour le Japon. Après il (voir). Il (aller) peut-être en Amérique Latine. S'il rentre en France, il (acheter) un appartement. Il ne (savoir) où il va que dans deux mois. Je dois dire qu'une petite visite en Amérique latine me (plaire) assez. En attendant, je (vouloir) déjà être à Noël. Nous (avoir) tant de choses à nous dire. Il (falloir) que tu viennes nous rendre visite bien sûr.

2. Comparez vos réponses avec celles des autres étudiants et, au besoin, justifiez votre choix.

❷ Complétez les phrases. Quel est le temps utilisé ?

1. Qui aurait imaginé…

2. Qui aurait pensé…

3. Qui aurait…

• voir Futur, conditionnel p. 172.

ANNONCER UNE ACTION FUTURE

• voir Préposition, p. 179

• Présent + expression de temps
J'arrête dans cinq minutes.
L'été prochain, je pars au Canada.
Des expressions de temps :
bientôt, tout à l'heure, demain, après-demain, mardi prochain, la semaine prochaine, lundi en huit, un de ces jours, dans une semaine/un an, à partir de maintenant, désormais, d'ici demain, jusqu'à demain, en 2025…

• Futur proche : **aller** + infinitif
*Je **vais commencer** par le toit. Tu **vas tomber**.*

• Futur simple
*Je vous en **parlerai** un de ces jours.*

• Futur antérieur
*La suite sera tragique parce qu'il **aura été** naïf et trop confiant.*

ANNONCER UNE ACTION DONT ON N'EST PAS SÛR

• voir Concordance des temps, conditionnel p. 168.
• voir Devoir p. 168.

• Futur + adverbe (**peut-être, sans doute, probablement**)
*Nous **vivrons peut-être** mieux.*

• Le verbe **devoir**
*Elle **doit** passer une semaine à Paris cet été.*

• Conditionnel
*La vie **serait** plus agréable (si…)*
*Un bateau **se serait jeté** sur les rochers…*
(une nouvelle non confirmée)

CONJUGAISON : LE FUTUR ANTÉRIEUR

j'**aurai** travaill**é**	je **serai** ven**u(e)**
tu **auras** oubli**é**	tu **seras** arriv**é(e)**
il/elle **aura** téléphon**é**	il/elle **sera** tomb**é(e)**
nous **aurons** fini	nous **serons** couch**é(e)s**
vous **aurez** perd**u**	vous **serez** entr**é(e)(s)**
ils/elles **auront** mang**é**	ils/elles **seront** reç**u(e)s**

• On forme le futur antérieur avec l'auxiliaire **avoir** ou **être** au futur et le participe passé du verbe.

• On emploie le futur antérieur pour :
– une action qui sera terminée à un moment futur :
*J'**aurai fini** d'ici une heure.*
– une action antérieure à une autre au futur :
*Nous partirons quand vous **aurez fini** de manger.*
– une action qui s'est passée avant une autre au présent ou au passé :
*Il **aura fallu** dix ans pour voir un changement.*
– une supposition :
*Elle **aura oublié** de brancher son répondeur.*

❸ Récrivez les phrases en utilisant les expressions données et en mettant les verbes au futur et au futur antérieur.

1. Tu introduis ta carte dans la machine, tu tapes ton code. *Dès que…*

2. Je lis ce livre. Tu peux l'emprunter. *D'ici une semaine…*

3. Tu arrives. Tu nous téléphones ? *…aussitôt que…*

4. Je lis le document. Je le signe. *…quand…*

5. Nous recevons votre chèque. Nous vous envoyons votre commande. *… dès que…*

GRAMMAIRE

4 Ce sont des hypothèses... vous n'êtes pas sûr(e) que cela va changer votre vie. Faites des phrases.

Vivre mieux.
➜ *Nous vivrions mieux si nous avions plus d'argent.*

1. Téléphoner plus souvent.

2. Vivre plus sainement.

3. Faire du sport.

4. Manger équilibré.

5 Récrivez cet article : rien n'a été confirmé officiellement.

JOHNNY, C'EST FINI !

Johnny renonce à sa carrière. Il abandonnera la chanson après son prochain spectacle. Il va se retirer dans sa maison méditerranéenne. Il se consacrera à la culture de ses vignes. Il a aussi l'intention de faire de la moto. C'est donc son dernier disque compact qui sort cette semaine.

LES PRONOMS (1)

6 Remplacez les mots soulignés par des pronoms.

1. – Tes vieux livres, tu ... lui as fait payer ?

– Non, je les ... ai offerts.

2. – Tu viens avec nous à la piscine ?

– Non, je vous... rejoindrai plus tard.

3. – Tu as téléphoné à tes parents ?

– Non, je vais ... téléphoner.

4. – Je vous ai parlé de mes projets ?

– Non, vous ... ... parlerez plus tard.

5. – Lui as-tu rendu son chèque ?

– Oui, je ... ... ai envoyé.

6. – Vous a-t-elle déjà fait un de ses gâteaux ?

– Oui, elle ... ... a apporté un hier.

7. – Tu peux me passer cette boîte ? Ne ... ... lance pas ! Donne-... ... en faisant attention, elle est fragile.

• *voir Pronoms personnels p. 180.*

LUI, À LUI OU Y ? DE LUI OU EN ?

• *voir Constructions verbales p. 186.*

*Voulez-vous avoir la gentillesse d'**y** penser ?*
                                    (= à ce projet)

*Il a pensé **à eux**. (= à ses enfants)*
*Il **leur** a écrit. (= à ses amis)*

*Elle n'arrête pas **d'en** parler. (= de son travail)*
*Elle parle toujours **de lui**. (= de son fils)*

• Le pronom dépend du verbe.
• Il faut savoir s'il renvoie à une personne ou à une chose.

verbes + **à quelqu'un**	
me, te,	téléphoner, dire, répondre,
lui, leur	acheter, donner, envoyer,
nous, vous	expliquer, demander, parler (à)...

verbes +	**à quelqu'un**	**à quelque chose**
penser, tenir,	à **moi/toi**	**y**
faire attention	à **nous/vous**	
s'intéresser, s'habituer...	à **lui**, à **elle**, à **eux**, à **elles**	

verbes +	**de quelqu'un**	**de quelque chose**
parler (de), se débarrasser,	de **moi**, de **toi**	**en**
avoir besoin, avoir peur,	de **nous**, de **vous**	
se souvenir, s'occuper...	d'**elle**, de **lui**, d'**eux**, d'**elles**	

7 Répondez aux questions en remplaçant les groupes soulignés par des pronoms.

1. Est-ce que vous avez pensé à ceux qui n'ont pas d'emploi ?

2. Est-ce que vous avez peur de la solitude ?

3. Est-ce que vous avez besoin d'aide ?

4. Est-ce que vous vous intéressez à la peinture ?

5. Est-ce que vous avez déjà écrit à votre député ?

6. Est-ce que vous vous habituez à l'Internet ?

7. Est-ce que vous vous intéressez à vos voisins ?

8. Est-ce que vous donnez votre adresse à tous vos collègues ?

❶ **Lisez l'article suivant et complétez la fiche du kiwi.**

VITAMINES

Kiwi
pour le petit déjeuner

Il renferme quatre fois plus de vitamine C qu'une orange, deux fois plus de vitamine E qu'un avocat, et autant de potassium qu'une banane, mais avec deux fois moins de calories. On y trouve aussi du magnésium. Alors profitez de l'été, et faites comme en Nouvelle-Zélande, son pays d'origine : mangez-le « à la coque » au petit déjeuner.

LE KIWI

- fruit de couleur marron
- provenance : ..., Italie, France
- riche en : ..., ..., ...
- faible taux ...
- dégustation : à toute heure
- suggestion : ...

❷ **Votre comité de quartier, association sportive ou culturelle vous a demandé de présenter un projet aux autres membres et de l'organiser. À deux, imaginez un tel projet, puis faites une fiche pour préparer la première réunion en vous aidant du document ci-dessous.**

ÉTABLISSEMENTS BERTRAND FRÈRES
COMITÉ D'ENTREPRISE

PROJET : Week-end en Normandie
RESPONSABLE DE L'ORGANISATION : Hervé Poutris

Création d'un groupe *Week-end en Normandie*

Nous vous proposons de créer un groupe de réflexion pour préparer notre prochain voyage. En effet, le comité d'entreprise a organisé plusieurs excursions et de nombreuses sorties spectacles et vous nous avez souvent fait des propositions ou des critiques très pertinentes. C'est pourquoi nous avons décidé de faire participer tous ceux qui le désirent à l'organisation de notre prochain voyage pour :
- réunir des informations générales sur la région ;
- préparer un itinéraire ;
- se renseigner sur les possibilités d'hébergement ;
- se renseigner sur le prix de location des cars ou les prix de groupe de la SNCF ;
- écrire aux offices de tourisme des lieux à visiter ;
- fixer la date du voyage ;
- faire les réservations ;
- rédiger le programme pour les participants ;
- réunir l'argent...

Nous vous proposons de nous réunir mercredi 2 mars à 17 heures.
Si vous êtes intéressé(e)s, faites-le nous savoir : tél. poste 202, bureau 123.

❸ Lisez cet extrait de documentation, puis rédigez une fiche sur les pergolas « classiques ».
N'oubliez pas qu'on peut les transformer en vérandas.

Les pergolas
sont proposées en trois versions :
« Classique », « Grillage » et « Idéale ».

En bois, elles sont parfaites pour l'aménagement d'une terrasse ou d'un jardin.

La « *classique* », dans sa simplicité, est peut-être la plus belle. Elle existe en plusieurs versions kit qui, combinées avec des extensions complémentaires, permettent de nombreuses variantes. Elle a sa place sur un balcon, une terrasse ou un jardin où elle s'harmonise avec tous les styles d'habitation. De plus, grâce à sa robustesse, cette pergola peut se transformer au fil du temps en une

splendide véranda. L'ensemble étant parfaitement modulable, vous pouvez réaliser cette transformation quand vous le désirez. Les kits de base que nous proposons ont une profondeur de 3 ou 4 mètres et une largeur maximum de 6 mètres, qu'il est ensuite possible d'agrandir mètre par mètre. Pour votre pergola-véranda, vous pouvez choisir entre une couverture tout bois ou une couverture bois et tuiles.

❹ Votre appartement est petit et vous avez besoin de place. Vous voudriez installer une pergola sur votre terrasse et éventuellement la transformer plus tard en véranda. Vous avez besoin de l'accord des copropriétaires : vous téléphonez au syndic de l'immeuble, qui vous demande de lui fournir tous les renseignements utiles par écrit.
À deux, écrivez la lettre que vous devez envoyer au syndic.

❶ À deux, vous organisez une soirée pour une vingtaine de personnes. Vous ne voulez rien laisser au hasard et vous faites l'inventaire de tout ce qu'il faudra faire la veille. Vous distribuez les tâches et vous imaginez ce que vous pourrez faire si jamais…

• *Laver les verres.* ➔ *Et s'il n'y en a pas assez ?*
On ira en chercher chez les voisins.
• *Vérifier qu'il y a des glaçons dans le congélateur.*
• *Mettre certaines boissons au réfrigérateur.*
• *Acheter des olives, des chips.*
• *Penser à la musique, préparer des CD.*
• *Passer l'aspirateur.*
• *…*

❸ Avant de parler d'un projet important à des clients, vous devez préparer sa présentation avec vos collègues. Vous êtes en retard, tout le monde s'inquiète. Finalement, vous arrivez avec deux heures de retard, et les clients doivent arriver d'une minute à l'autre. Au collègue qui voulait vous remplacer, vous dites que vous avez eu un accident…

À deux, préparez la scène entre votre collègue et vous. Présentez-lui vos excuses et expliquez les raisons de votre retard. Qui va faire la présentation, lui ou vous ? et comment ?
Jouez ensuite la scène devant le groupe.

**❷ Des amis étrangers doivent passer quelques jours chez vous ou une délégation étrangère doit visiter votre entreprise.
À deux ou trois, préparez un programme pour leur faire découvrir votre ville ou votre région. Discutez.**

On pourrait leur faire visiter… leur faire découvrir… leur faire goûter… leur faire voir…
Ils voudront peut-être…Quand ils auront terminé…

**❹ Après la réunion avec les clients, le directeur vous fait appeler dans son bureau pour vous demander des explications.
Votre histoire d'accident ne l'a pas convaincu.
À deux, imaginez la scène et jouez-la.**

PRENDRE DES NOTES ET FAIRE DES FICHES

Prendre des notes, c'est fixer les points importants d'un texte par écrit de telle manière qu'on puisse retrouver facilement son contenu. La prise de notes est une technique indispensable :
- pour accompagner l'écoute, afin de restituer ensuite l'essentiel de l'enregistrement à partir des notes prises ;
- pour accompagner la lecture, afin de raconter ou de présenter ensuite oralement le récit, la description, les arguments, etc. faisant l'objet du texte.

La prise de notes peut conduire à la fiche de lecture. Les notes sont alors organisées en fonction de leur utilisation future fiche : sur un personnage, sur un objet, fiche de civilisation, etc.

PRENDRE DES NOTES À L'ÉCOUTE

- Avant d'écouter, il faut réfléchir. Il est facile de se préparer à l'écoute des enregistrements de *Café crème* : les questions posées, le titre vous donnent des informations importantes. Vous pouvez déjà noter ce que vous savez et compléter ensuite pendant l'écoute. Dans les autres cas, devinez en utilisant votre expérience.

Par exemple :

– pour une interview, faites deux colonnes, une pour celui qui pose les questions et l'autre pour la personne interrogée ;

– pour un récit, concentrez-vous sur les indications de temps *(avant, après, pendant, d'abord, ensuite…)* et sur les verbes ;

– pour une description, pensez aux indications de lieu ;

– pour une explication, fixez votre attention sur les conjonctions qui donnent la structure du texte *(parce que, puisque, donc…).*

- Pendant que vous écoutez, ne perdez pas le fil. Si vous ne comprenez pas quelque chose, laissez-vous porter par la suite du texte.

- Pour ne pas perdre de temps, utilisez des abréviations ou des signes : =, ≠, +, –, etc.

- Après l'écoute, complétez tout de suite les points importants pour ne pas les oublier et notez ce que le contexte vous a permis de comprendre.

- Si vous pouvez écouter le texte une deuxième fois, vérifiez vos notes et complétez-les.

PRENDRE DES NOTES EN LISANT

- On peut lire un texte plusieurs fois. La première lecture permet de comprendre de quoi il parle et de découvrir comment il est construit. Rendez sa structure visible en soulignant les mots importants selon le type de texte (par exemple, les indications de temps pour un récit).

- Sachant de quoi il s'agit, vous pouvez prendre des notes à la deuxième lecture, par exemple en donnant un titre à chaque partie et en écrivant les mots importants pour chacune d'elles. Concentrez-vous sur l'essentiel, oubliez le superflu, ne faites pas de phrases, utilisez des mots clés, des abréviations…

- Ensuite, essayez de donner oralement le contenu du texte à partir de vos notes.

C'est un test qui vous permet de repérer les faiblesses de vos notes. Il est facile d'y remédier en vous reportant au texte que vous avez lu.

Ce travail régulier (à faire seul ou à deux), vous familiarise avec les différentes sortes de textes et leurs structures spécifiques.

■ À deux, relisez *À Montpellier, la vie s'organise sans « Midi libre »*, page 29 et *Faites-vous plaisir*, page 34. Prenez des notes, puis présentez-vous les textes mutuellement. Comparez vos productions. Discutez avec les autres étudiants de votre groupe.

PRÉPARER UNE PRODUCTION AVEC UNE FICHE

À l'inverse d'une prise de notes, une fiche peut aussi servir à préparer une production orale ou une production écrite.

On peut noter le plan avec les différentes parties, les points importants et les mots qui structurent le texte.

- À l'oral, ne rédigez jamais ce que vous voulez dire, contentez-vous de notes. Entraînez-vous à parler librement.

- À l'écrit, une fiche permet de réfléchir, de compléter, de supprimer, de classer, etc. avant de passer à la rédaction de votre texte qui en sera amélioré.

■ À deux, choisissez un sujet : un nouveau modèle de voiture, un fait divers, un produit alimentaire… Préparez chacun de votre côté une fiche, puis présentez votre interprétation du sujet à l'autre. Comparez vos productions.

CRITIQUES

« Bel-Ami » triomphe au théâtre Antoine !

MACHA MÉRIL, GENEVIÈVE CASILE
PIERRE CASSIGNARD, CAROLE RICHERT

Une création exceptionnelle LE POINT. *Une interprétation brillante* JDD. *Admirable !* LE PARISIEN. *C'est merveilleux, Maupassant !* LE FIGARO. *Superbe* PARISCOPE. *Du brio* LE MONDE.

Une pièce de PIERRE LAVILLE
d'après Guy de MAUPASSANT
Mise en scène DIDIER LOING
et avec
MARCEL CUVELIER et ALEXIS NITZER
Loc. 01 42 08 77 71/76 58

QUELLE PERFORMANCE !

« Éblouissant », « prodigieux », « époustouflant », les mots ne manquent pas pour qualifier le spectacle de Fabrice Luchini. Ce sont ces mots-là qui, de bouche à oreille répétés indéfiniment, ont fait son succès. Un succès qui est une vraie performance. Seul sur scène, Luchini lit des textes de La Fontaine, Céline, Baudelaire, Nietzsche, Hugo. Le public vient et revient. En septembre, Fabrice Luchini est toujours à la Gaîté-Montparnasse, à Paris. Il sait si bien vivre les mots, capter les auteurs.

Sciences et beauté n° 11.

ARTS Au Grand-Palais, pleins feux sur Georges de La Tour, le maître du clair-obscur.

C'est l'événement artistique de la saison. Une exposition qui, pour la première fois, réunit l'intégralité d'une œuvre mythique, mystique et profondément mystérieuse. Celle de Georges de La Tour, un peintre lorrain du XVIIe siècle, dont on ne sait pratiquement rien. Sinon que ses fameux clairs-obscurs ne se laissent pas oublier. Qu'elles représentent des femmes, des paysans ou des joueurs, des musiciens ou des saints, ses toiles sont comme éclairées de l'intérieur.

Maître de la lumière, ou plutôt de l'éclairage et du cadrage, La Tour apparaît comme un grand précurseur du cinéma. Une star dont la découverte fut tardive.

D'après *Elle*, 6 octobre 1997.

❶ **Avant de lire les différents textes, regardez la page et devinez leur thème commun.**

❷ **Parcourez ensuite les textes. Relevez au moins cinq adjectifs pour apprécier un spectacle.**

❸ **Vous avez trois minutes pour retrouver dans cette page les noms :**

1. de deux théâtres ;

2. d'une galerie d'exposition ;

3. de trois magazines ;

4. de trois quotidiens ;

5. d'un peintre ;

6. de trois comédiens.

❹ **Relisez le texte *Arts*, puis dites si les affirmations suivantes sont vraies ou fausses :**

1. L'exposition du Grand-Palais réunit toutes les œuvres de Georges de La Tour.

2. On sait peu de chose de ce peintre.

3. La Tour va être la star d'un film.

4. C'est l'éclairage des personnages qui fait l'originalité de son œuvre.

Un restaurant chic. Seul à une table, un client énervé appelle le directeur, celui-ci s'approche de sa table, très courtois.

Le directeur. Monsieur, un problème ?
L'homme. Regardez ce que je viens de trouver dans mon potage.
Il montre une boule d'acier, pleine de vermicelles.

5

Le directeur. *(ahuri).* Mais c'est… c'est une boule de pétanque !
Le client. Je ne vous le fais pas dire !
Le directeur. Dans votre potage !!!

10 Le client. C'est insensé, non ? Je ne veux pas faire d'esclandre mais enfin reconnaissez tout de même qu'une boule de pétanque dans un minestrone à l'oseille, c'est un peu beaucoup.
Le directeur. Elle est petite remarquez… Mais enfin, c'est vrai, c'est tout à fait inadmissible…

15 *Il remue la louche dans la soupière.*
Le client. Qu'est-ce que vous faites ?
Le directeur. Je regarde s'il y a le cochonnet… parce qu'une boule de pétanque c'est vrai que ce n'est pas très agréable dans son assiette, mais enfin ce n'est pas

20 dangereux. On la voit…
Le client. Ça !
Le directeur. Tandis que le cochonnet, c'est perfide. Il suffit qu'il se soit niché entre deux champignons. On ne

25 le remarque pas et hop, c'est l'étranglement assuré… Non il n'y est pas. Tant mieux !
Il pose la louche.
Le client. Bon Dieu !
Le directeur. Quoi !

30 Le client. Si je l'avais avalé !
Le directeur. Le cochonnet !
Le client *(blème).* Oui !
Le directeur. Ça m'étonnerait beaucoup.
Le client. Pourquoi ?

35 Le directeur. Parce que si vous aviez un cochonnet dans l'estomac, vous ne seriez pas là à gesticuler, à clamer « Appelez-moi le directeur », « C'est un scandale », et patati et patata pour une malheureuse boule de pétanque dans votre velouté d'oseille… Non, vous n'en

40 auriez pas la force… Vous seriez faible.

LA RÉCLAMATION

Le client. Ah… ?
Le directeur. Holà ! Oui. Ça épuise un cochonnet. On est groggy. Vous auriez mangé votre potage avec la boule de pétanque sans même 45 vous en apercevoir.
Le client. Ah bon, vous me rassurez…
Le directeur. C'est pour ça, je trouve toute cette histoire un peu exa- 50 gérée… C'est vrai, pas l'ombre d'un cochonnet dans la soupière. Vous êtes en pleine forme et la boule de pétanque, mon Dieu, elle ne vous a pas mordu…
Le client. C'est exact… 55
Le directeur. Vous savez, quand on voit certaines images à la télévision… faire toute une histoire pour ça… *(Il montre la boule.)* Par moments, je me dis que certains clients perdent un peu le sens de la réa- lité… 60
Le client. Je… je vous demande de m'excuser… Je me suis laissé emporter…
Le directeur. Vraiment, c'est une réaction d'enfant gâté…
Le client. Je suis navré. Ma mère m'a toujours passé 65 tous mes caprices et je me crois tout permis… je suis infernal… J'ai honte…
Le directeur. *(appelant un garçon).* Bien Raymond, voulez-vous changer le potage de monsieur…
Le client. Non ! 70
Le directeur. Alors, qu'est-ce qui ferait plaisir à monsieur ?
Le client. Remettez-la moi…
Le directeur. La boule ?
Le client. Oui… s'il vous plaît ! 75
Le directeur lève les yeux au ciel, soupire et met la boule dans l'assiette de potage du client.
Merci… et pardon…
Le directeur. C'est oublié, monsieur…
Il s'incline. Le client se remet à manger son potage 80
en écartant un peu la boule avec sa cuillère.
Le directeur s'éloigne en soupirant.
Le directeur. Quel métier !

Jean-Michel Ribes, *Monologues, Bilogues, Trilogues,*
Actes sud, 1997.

❶ 📼 **Écoutez l'enregistrement du dialogue entre le client et le directeur du restaurant. Lisez le texte en même temps.**

❷ **Répondez aux questions suivantes.**
1. Quel est le *problème* du client ?
2. Où se trouve la boule au début de la scène ? Et à la fin ?

3. Qui dit *Merci… et pardon* ?
4. Qui dit *C'est oublié, monsieur* ?
5. Trouvez-vous la réaction du client normale ?

❸ **À deux, lisez la scène à haute voix.**

❹ **À deux, imaginez une autre fin (à partir de : *et la boule de pétanque, mon Dieu, elle ne vous a pas mordu*). Puis jouez la scène en entier.**

Entretien avec un comédien

❶ Écoutez l'interview et répondez aux questions.

1. Est-ce que Marc Moro a toujours écrit ses pièces seul ?

2. Est-ce qu'il a écrit des *one-man-shows* ?

3. À quel genre de spectacle pense-t-il quand il parle de ses projets ?

❷ Un ami vous demande qui est Marc Moro et ce qu'il fait. Réécoutez l'enregistrement et prenez des notes, puis répondez à votre ami.

Sur la personne	Sur les idées	Sur les pièces	Sur les projets
60 ans	…	…	…

Critique du film *Western*

❶ Écoutez l'enregistrement et dites si les affirmations suivantes sont vraies ou fausses.

1. *Western* n'est pas un western.

2. *Western* est une superproduction française.

3. L'histoire se passe aux États-Unis et en Bretagne.

4. Le film permet de découvrir la vie des Français en France.

❷ Réécoutez le commentaire et relevez deux bonnes raisons d'aller voir le film.

SÉLECTION OFFICIELLE CANNES 97
50e ANNIVERSAIRE
PRIX DU JURY

Maurice Bernart
Michel Saint-Jean
présentent

Un film de Manuel Poirier

WESTERN

VOCABULAIRE

EXPRIMER SON OPINION SUR UN FILM, UN SPECTACLE, UNE EXPOSITION

• Vous exprimez votre enthousiasme :
Quelle pièce !/Quel film magnifique !
Quel exploit !
C'est l'événement littéraire/théâtral de l'année !
Comme ça nous change du théâtre classique !
C'est le meilleur film des cinq dernières années !
J'ai trouvé ça tout simplement merveilleux !
C'est tellement beau que les mots me manquent.

• Vous exprimez votre déception :
Je n'ai pas du tout aimé !
C'était d'un ennuyeux !
C'est scandaleux !/C'est un scandale !
Je suis choqué(e) !/C'est une honte !
Comme c'était mal joué !
Je n'ai pas retrouvé ce que les critiques disaient.

• Vous ne voulez pas dire ce que vous pensez :
Je ne sais pas encore ce que je dois en penser.
Je suis tellement déçu que je ne sais pas quoi vous dire.
Je suis très partagé(e).
C'est curieux/original, mais je reste perplexe.
Heu... comment dire... c'était...

❶ Retrouvez les constructions suivantes dans les exemples ci-dessus. Trouvez ensuite d'autres exemples.

Quel... ➜ *Quel exploit !* ➜ *Quel effort !*

1. Quelle...
2. Comme...
3. C'est tellement... que...
4. ... mais...

❷ À deux, choisissez un film, un livre, une pièce de théâtre.
Formulez vos opinions puis jouez la scène en prenant des positions opposées.

DES MOTS DE SENS CONTRAIRES

On retient plus facilement deux mots de sens contraires que deux mots isolés. Retenez les mots suivants pour parler de manière positive ou négative d'un film, d'un spectacle, d'un roman...
Un échec/un succès.
Un bide/un triomphe.
Un flop/un best-seller.
Une pièce intelligente/idiote.
Une histoire géniale/médiocre.

C'est un roman bien/mal construit.
Ce rôle est bien/mal interprété.

❸ Repérez dans les deux textes toutes les appréciations sur le CD de Patricia Kaas.
Ce qui est dit :
a. de sa voix : *sa voix semble aujourd'hui aux abonnés absents...* ;
b. des chansons ;
c. de l'orchestration ;
d. de sa prestation en général.

Sa voix semble aujourd'hui aux abonnés absents et on a l'impression que Patricia Kaas chante à l'économie. Et lorsque sa voix est soudain là, comme avant, dans *Fais-moi l'amitié* par exemple, on ressent comme une fragilité, on se dit qu'elle prend un risque, que ses cordes vocales sont trop sollicitées...

Le disque se termine sur un duo avec James Taylor, *Don't let me lonely tonight*, sans beaucoup d'intérêt et qui met la dernière touche à un disque décevant et creux. C'est dommage, quand on connaît les possibilités vocales et scéniques de celle qui aurait bien pu être la nouvelle Édith Piaf. Mais elle baigne ici dans une sorte de guimauve[1] orchestrale, de soupe musicale, bref elle se perd un peu. Et c'est dommage.

1. Pâte de guimauve : friandise à pâte molle et sucrée. Au sens figuré, un roman à la guimauve : niais, sentimental.

PATRICIA KAAS : *Dans ma chair*
La chanteuse vient d'enregistrer son cinquième album. On retrouve avec plaisir sa voix rappelant les cabarets enfumés et on constatera qu'elle a pris de l'assurance. Sur les treize titres proposés, douze sont en français, un seul en anglais : on s'en réjouira.

❹ Formez des paires avec les mots de sens contraires, puis ajoutez à la liste trois paires d'adjectifs que vous connaissez.

1. Plein d'humour.	a. Superficiel.
2. Réussi.	b. Négatif.
3. Profond.	c. Malhabile.
4. Bien écrit.	d. Mal écrit.
5. Passionnant.	e. Raté.
6. Beau.	f. Destructif.
7. Positif.	g. Moche.
8. Habile.	h. Plat.
9. Merveilleux.	i. Ennuyeux.
10. Constructif.	j. Nul.

◆ POUR AJOUTER UNE INFORMATION (2) : L'ADJECTIF

vous le savez déjà...

❶ 1. Reconstituez les exemples tirés des textes de l'unité.

2. L'adjectif vient-il avant ou après le nom ?

1. grand	***a.*** spectacle
2. énervé	***b.*** client
3. première	***c.*** fois
4. intéressant	***d.*** acteur
5. brillant	***e.*** vie
6. fameux	***f.*** côte
7. ouest	***g.*** superproduction
8. petite	***h.*** scène
9. française	***i.*** interprétation
10. quotidienne	***j.*** clairs-obscurs

POUR RÉCAPITULER

Quels sont les adjectifs qui se placent après le nom ?

❷ Faites une phrase avec chacun des adjectifs suivants : *beau, bon, grand, gros, joli, pauvre, mauvais, rond, nouveau, petit, neuf, vieux, premier, rouge, dernier.*

Quels sont les trois adjectifs qui ne viennent jamais devant le nom ?

• *voir Adjectifs p. 186.*

LA PLACE DE L'ADJECTIF

*un meuble **ancien** (vieux)*	*un **ancien** élève (il ne l'est plus)*
*la semaine **dernière** (précédente)*	*la **dernière** séance (après, il n'y en a plus)*
*un résultat **certain** (sûr)*	*un homme d'un **certain** âge (pas jeune : 40-50 ans)*
un restaurant cher (≠ bon marché)	***cher** ami (à qui on porte de l'amitié), **chère** amie*
*un homme **grand** (≠ petit)*	*un **grand** homme (important)*
*le soir **même** (ce soir-là)*	*le **même** homme (≠ autre)*
*une famille **pauvre** (≠ riche)*	*un **pauvre** homme (qui n'a pas de chance)*
*un mouchoir **propre** (≠ sale)*	*vos **propres** mots (ce que vous avez dit)*
*une personne **seule** (non accompagnée)*	*une **seule** personne (≠ plusieurs)*

• Certains adjectifs changent de sens en changeant de place.

*Ses **fameux** clairs-obscurs... = ses clairs-obscurs **fameux**.*
*Un accident **grave** sur l'autoroute A1 = **grave** accident sur l'autoroute A1.*
*Une vue **superbe** = une **superbe** vue.*

• Certains adjectifs changent de place sans changer de sens : ce sont des adjectifs qui expriment une appréciation, une qualité caractéristique permettant d'identifier ce dont on parle : **charmant, merveilleux, adorable, terrible...**

 Il peut y avoir plusieurs adjectifs avant et après le nom.
*Les **deux dernières** représentations **théâtrales**.*
*Les **deux autres jeunes** chanteurs **marseillais**.*

1	2	3		4
deux	*dernier* *premier* *autres*	*jeunes* *petit* *grand*	**nom**	*parisien* *théâtrales* *estivale*

---

❸ Complétez le texte avec un des groupes de mots (adjectif + noms ou noms + adjectif) choisis dans le tableau ci-dessus.

... ,

La ..., il m'est arrivé une drôle d'histoire. Je faisais la queue pour la ... de cinéma quand un ... d'un ... (quarante cinq ans, m'a-t-il dit plus tard) est venu me

dire bonjour. C'était un de mes ... . Le ... venait de se faire « piquer », selon ses ..., son portefeuille. Je lui ai demandé quel métier il faisait. Il vend des ... . Je lui ai parlé de la petite table que tu cherches et le ..., il me téléphonait pour me dire qu'il en avait trouvé une.

❹ Reconstituez les groupes de mots.

Station petite, estivale. ➜ *Une petite station estivale.*

1. Restaurant parisien, grand.

2. Élections législatives, dernières.

3. Accident mortel, terrible.

4. Acteur formidable, jeune.

5. Directrice dynamique, compréhensive.

MODIFIER L'ADJECTIF AVEC UN ADVERBE

peu	un discours **peu** intéressant
un peu	un film **un peu** long
pas très/bien	un acteur **pas très** bon
assez	un spectacle **assez** décevant
très	une journée **très** agréable
bien	un article **bien** écrit
trop	un appartement **trop** cher
tellement	un soirée **tellement** ennuyeuse
profondément	une œuvre **profondément** mystérieuse
tout à fait	**tout à fait** inadmissible

• L'adverbe peut se placer devant l'adjectif.

Un adjectif habituellement placé avant le nom peut venir après s'il est précédé d'un adverbe, surtout si cet adverbe est long.
*C'est un très **beau** paysage. C'est un paysage très **beau**.*
*C'est un paysage exceptionnellement **beau**..*

• *voir Adverbes, comparatifs et superlatifs p. 126, 167.*

❺ Précisez les phrases suivantes en ajoutant un adverbe devant chaque adjectif ou participe.

1. J'ai trouvé ce roman passionnant.

2. Ce film était long et invraisemblable.

3. Le voyage est fatigant.

4. Votre soirée était réussi.

5. Ça sent bon.

▶ LE PRÉSENT

EMPLOI DU PRÉSENT

Le présent est utilisé :

• pour une action qui se passe au moment où on parle :
*Le serveur **remue** la louche dans la soupière.*

• pour une habitude :
*Je **prends** le métro tous les jours.*

• pour une période qui couvre en partie le passé et l'avenir :
*C'**est** l'événement artistique de la saison.*
*Le comédien **lit** des textes…*
*Le public **vient** et **revient**.*

• dans un récit, pour un moment dont vous devenez le témoin :
*Le 13 janvier 1898, L'Aurore **publie** la lettre de Zola :*
« J'accuse. »
*L'autre jour, un enfant me **téléphone**…*

• pour une vérité générale :
*La nuit, tous les chats **sont** gris.*

❻ À quelle utilisation du présent correspondent les phrases suivantes ?

1. Il meurt à Sainte-Hélène en 1821.

2. Il y a peu de personnes qui restent insensibles à Georges de La Tour.

3. On a toujours besoin d'un plus petit que soi.

4. J'habite à Lille depuis cinq ans.

5. Cette bouteille se porte à la ceinture et conserve les boissons fraîches ou chaudes.

6. J'arrive dans un instant.

❶ **Reconstituez cet article sur la télévision. Complétez avec les mots suivants :**

Adjectifs : *excessif – abrutissante*.

Adverbes : *trop – mal – autrefois – plus – moins en moins*.

LA TÉLÉVISION

Mauvaise, la télévision ? Abrutissante ? Vulgaire ? Décervelante ?

Le procès est … . Elle est … quand on la regarde … . Elle est vulgaire quand on la regarde … sans choisir son programme. Elle est décervelante par sa nature même. On ne dira jamais assez les ravages produits par une information proliférante. Le public sait tout sur tout le monde et n'a pas de prise sur le monde. On croyait … que … les citoyens sont informés, mieux ils peuvent agir. Cette théorie est dépassée. Chacun en sait de plus en plus et peut agir de … .

Françoise Giroud
D'après *Le Nouvel Observateur*, 7-13 juillet 1997.

❷ **Retrouvez l'ordre du compte rendu critique de *La Cérémonie*.**

❸ **Repérez les renseignements sur le film, l'histoire et le jugement critique.**

Tiré d'un roman de Ruth Rendell, un des maîtres du polar britannique, *La Cérémonie* est un film parfaitement maîtrisé et interprété avec bonheur par deux des plus fascinantes actrices françaises.

La Cérémonie, un film de Claude Chabrol, avec Sandrine Bonnaire, Isabelle Huppert, Jacqueline Bisset et Jean-Pierre Cassel, 1995.

Les secrets que chacune cache vont les rapprocher, et leur amitié engendrer bien des problèmes à leur entourage.

Sophie (Sandrine Bonnaire), l'employée de maison taciturne d'une famille bourgeoise, rencontre Jeanne (Isabelle Huppert), la postière délurée du village.

❹ **Rédigez à votre tour le compte rendu critique du film de votre choix.**
Effectuez ce travail en trois phases :

1. Faire une fiche.

Lisez la fiche du film *Western* puis, à votre tour, faites la fiche du film que vous avez choisi.

2. Raconter l'histoire.

Racontez ensuite le scénario du film que vous avez choisi en quelques phrases.

3. Porter un jugement.

Portez un bref jugement sur le film que vous avez retenu. Vous pouvez adapter les exemples ci-dessous.

TITRE DU FILM : *Western*
GENRE : *road movie* à la française
ANNÉE : 1997
DURÉE : 120 minutes

AUTEUR : Manuel Poirier
RÉALISATEUR : Manuel Poirier

THÈMES :
– l'histoire de deux hommes
à la recherche du grand amour ;
– la France et les Français
à travers le regard de deux
étrangers.

PRINCIPAUX COMÉDIENS :
Sergi Lopez
Sacha Bourdo
Basile Siekoua
Élisabeth Vitali
Marie Matheron

TRÈS BIEN ♥ ♥ ♥	BIEN ♥ ♥	PAS BIEN ✔
Intelligent et sobre. Un film impressionnant. Mise en scène subtile et comédiens magnifiques. Une révélation. Un superbe bouquet d'actrices.	Un premier film sans prétention, touchant et honnête. Un moment agréable sans plus. Un effort, mais peut mieux faire.	Prétentieux et vide. Lourd et ennuyeux. Très inégal. Les caractères sont juxtaposés mais n'évoluent pas. Au total, décevant.

❶ *La Réclamation* de Jean-Michel Ribes (p. 57) va passer à la télévision. Un ami vous demande s'il doit regarder l'émission.
Vous résumez d'abord l'histoire, puis vous dites ce qui vous a plu et ce que vous n'avez pas aimé. Finalement, vous lui recommandez la pièce ou vous la lui déconseillez.

❷ Vous voulez aller dans un parc de loisirs (le Futuroscope de Poitiers par exemple) que vous connaissez déjà. Vous invitez des parents ou des amis à vous accompagner : vous leur racontez ce que vous aviez vu, comment s'était passée la journée, etc.

Dans un cadre futuriste, le Kinémax, le Solido, le Tapis Magique et tous les autres pavillons accueillent le visiteur pour un voyage où il découvre l'image dans tous ses états, de jour comme de nuits.

L'écran hémisphérique du Solido fait voir les choses sous un autre angle… et en relief !

Au pavillon de la Vienne, l'eau couvre la façade et, à l'intérieur, le spectateur face à un mur de 850 écrans, embrasse du regard toute la dimension technologique du PARC.

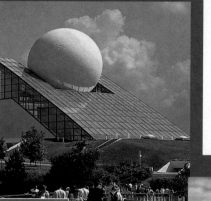

Trois mille miroirs composent le Kinémax, un des plus grands écrans

du monde (haut comme un immeuble de 7 étages). Le spectateur est installé confortablement… l'écran du kinémax s'éclaire soudain. C'est géant !

Deux écrans de 700 m2 chacun où défilent des images devant les yeux du spectateur et sous ses pieds… Il est sur le tapis volant !

On s'accroche à son siège, bougeant au rythme des images qui défilent au cinéma Dynamique.

❸ Constituez des groupes de travail en fonction des spectacles que vous avez vus récemment (émission de télévision, théâtre, concert, film, etc.). Chaque groupe présente son spectacle à l'ensemble du cours en respectant le schéma suivant :

1. nommer le spectacle
(type de spectacle, quand, où…) ;

2. présenter son contenu (principe d'une émission, scénario d'un film, résumé d'une pièce de théâtre, chansons pour un concert, etc.) ;

3. dire ce qui a plu et ce qui a déçu ;

4. conclusion : recommander ou non le spectacle.

AMÉLIORER SON INTONATION

Pour se faire comprendre, l'intonation est souvent aussi importante que le mot juste.
Observez les exemples suivants.

■ Observez les deux illustrations, puis jouez les scènes devant les autres étudiants qui vous diront si votre intonation les a convaincus ou non.

■ Faites deviner aux autres étudiants ce que vous voulez exprimer (la honte, la joie, la colère, l'étonnement, le doute…) en interprétant toujours la même expression *Ah !* ou *Oh !* par exemple, de différentes manières.

■ À votre avis, comment peut-on s'entraîner à la maison ?
Discutez de vos différentes expériences.

QUELQUES PROPOSITIONS POUR VOUS ENTRAÎNER

• Vous pouvez lire des sketches ou des extraits de pièces de théâtre à haute voix. Mettez-y le ton et accompagnez votre lecture des gestes qui conviennent à la situation.

• Interprétez d'autres textes (articles de journaux, extraits de roman…) pour un auditeur imaginaire.

• Vous pouvez aussi travailler à deux et lire des sketches à deux voix, ou encore imaginer vous-mêmes des petites scènes amusantes et les jouer.

Par exemple, vous constatez que vous n'avez pas votre carte de crédit au moment de payer au restaurant ; vous freinez trop tard à un feu rouge et vous rentrez dans la voiture qui est devant vous ; en montant dans le bus, vous voyez un(e) ami(e) assis(e) à côté de la fenêtre, vous l'appelez et vous vous asseyez en face de lui/elle, mais vous vous êtes trompé(e) : ce n'est pas votre ami(e) ; on donne les résultats du loto à la télévision : vous avez gagné un million…

ET AUSSI… Et surtout, écoutez la radio française le plus souvent possible pour vous faire l'oreille. Regardez la télévision française, allez voir des films français pour observer comment l'intonation, la mimique et les gestes soutiennent (et parfois même remplacent) le discours.

LIEUX DE MÉMOIRE

EN PASSANT PAR LA LORRAINE...
Qu'est-ce que la Lorraine nous a apporté ?

D'abord un symbole : la croix de Lorraine.

Son origine remonterait aux croisades, mais elle devint surtout le symbole de la France libre pendant la dernière guerre mondiale quand le général de Gaulle prit la tête de la Résistance. Et ce fut la croix de Lorraine que l'on choisit tout naturellement comme motif du mémorial Charles-de-Gaulle à Colombey-les-Deux-Églises.

Jeanne d'Arc (1412-1431), dite la Pucelle d'Orléans

Née à Domrémy, Jeanne est l'image même du patriotisme et de la résistance. Après avoir été reçue par Charles VII à Chinon, elle prit la tête d'une petite armée pour repousser les Anglais hors du pays. Dès qu'elle eut délivré Orléans, les Français reprirent confiance et remportèrent de nombreuses victoires. Malheureusement, elle fut capturée et remise aux Anglais. Elle fut finalement condamnée à être brûlée vive. Mais l'impulsion était donnée, et les Français allèrent de victoire en victoire. C'est ainsi que Jeanne d'Arc devint la sainte patronne protectrice de la France.

Un des « pères de l'Europe » : Robert Schuman (1886-1963)

Ce grand homme politique français fut ministre des Finances en 1946, avant de devenir président du Conseil[1] en 1947, puis ministre des Affaires étrangères de 1948 à 1953. Il fut également l'initiateur de la réconciliation franco-allemande. Il termina sa carrière politique comme président du Parlement européen de 1958 à 1960.

1. Le Conseil de la République (le Sénat depuis 1958).

❶ Quels événements associe-t-on à la croix de Lorraine ?

❷ Relevez trois moments importants dans la vie de Jeanne d'Arc.

❸ Expliquez en une phrase pourquoi on a fait de Jeanne d'Arc la protectrice de la France.

❹ Retracez la carrière politique de Robert Schuman. À votre avis, pourquoi est-ce que les Français parlent encore de lui aujourd'hui ?

Nestlé restaure la chocolaterie Menier

Quand le chantier a démarré, en 1993, l'endroit fleurait encore bon le cacao. « Les murs, bruns,
5 étaient imprégnés de cette odeur tenace », se souvient une salariée de la multinationale Nestlé, dont le siège social français
10 est, depuis un an et demi, installé à Noisiel, à quelque trente kilomètres de Paris, tout près de Marne-la-
15 Vallée (Seine-et-Marne). L'endroit, en bord de Marne, constituait alors une immense friche de quatorze hectares,
20 vestiges de ce qui fut la « première chocolaterie du monde » à la fin du XIXe siècle, la chocolaterie Menier. Mais
25 en 1993, seule une usine continuait de tourner, pour fabriquer les célèbres barres chocolatées « Lion ».

122 millions d'euros

30 Vieux de cent ans, d'immenses bâtiments étaient envahis d'arbres à l'intérieur, la pierre se lamentait.
35 Sous le soleil de septembre, l'usine de Noisiel et son domaine sont aujourd'hui

resplendissants. Trois années de chantier et 122 millions
40 d'euros d'investissements privés ont permis de préserver un patrimoine industriel unique. La fabrication du chocolat et de ses produits dérivés
45 a disparu, mais l'armature métallique, les rails des wagonnets ou les palans, énormes chaînes fixées aux plafonds pour déplacer des
50 charges, ont été conservés. Tout comme l'âme des bâtiments, qui abritent désormais direction générale, services administratifs, informaticiens
55 ou « goûteurs » de produits.
Le « cœur » de ce Noisiel moderne se nomme « le

Moulin » : un long et superbe bâtiment, achevé en 1872,
60 premier bâtiment à structure métallique porteuse réalisé au monde. Il abritait autrefois les ateliers de broyage des fèves de cacao, ainsi que le malaxa-
65 ge du chocolat. Les turbines, d'époque, ont été conservées. Parsemé de briques naturelles ou émaillées, de céramiques ornées de feuilles
70 de cacaoyer, le Moulin trône au-dessus de la Marne, classé monument historique depuis 1993.

« Salle de bal »

75 L'endroit rassemble encore « la Cathédrale », une structure cubique à étage, dotée d'immenses fenêtres et d'une très belle salle carrelée à colonnes,
80 véritable « salle de bal », un pont de 44,5 m de long, record à l'époque, une « halle Eiffel » aux arabesques métalliques.
L'an passé, ouvert pour la
85 première fois aux Journées du patrimoine, le site de Nestlé a reçu 12 500 personnes. Le patrimoine de la famille Menier, qui fit vivre pendant
90 près de cent ans la région, fait encore battre les cœurs.

VIVIANE CHOCAS

Aujourd'hui, 20-21 sept. 1997.

---

❶ Comment était l'endroit avant l'achat de l'usine Nestlé ?

❷ Retrouvez dans le texte les éléments qui expliquent comment Nestlé a restauré la chocolaterie Menier.

**❸ « Le Moulin » a été classé monument historique en 1902.
Cherchez dans le texte les éléments qui justifient ce classement.**

❹ Comment est-ce que Nestlé participe aux Journées du patrimoine ?

❺ D'après le texte, quels sont les aspects positifs de la restauration de la chocolaterie Menier ?

❻ Connaissez-vous d'autres exemples de restauration de sites industriels ? À votre avis, est-il important de conserver de tels sites ? Pourquoi ?

1 Émile Zola et Médan

❶ **Écoutez l'enregistrement une première fois, puis répondez aux questions suivantes.**

1. Qui est la personne qui parle ?
2. À qui s'adresse-t-elle ?
3. Où se trouvent ces personnes ?

❷ **Écoutez l'enregistrement une deuxième fois et dites si les affirmations suivantes sont vraies ou fausses.**

1. Les personnes descendent du train à Villennes.
2. Elles vont à Médan à pied.
3. Médan est très loin de Paris.
4. À Médan, il n'y a plus aucune construction ancienne.
5. Médan se trouve dans la vallée de la Seine.
6. Les personnes vont visiter la maison de Zola.

La villa de Médan ;
Émile Zola.

2 Droit de passage

❶ **Écoutez l'enregistrement une première fois, puis répondez aux questions suivantes.**

1. Qui parle ?
2. À qui ?
3. Où les personnes se trouvent-elles ?

❷ **Écoutez l'enregistrement une deuxième fois et remettez les phrases suivantes dans le bon ordre.**

1. La rivière débordait souvent et inondait les champs.
2. Tout le monde accepte de jeter une pièce dans la rivière.
3. La fillette a raconté qu'elle avait vu l'esprit de la rivière.
4. On a construit un premier pont aux Bassiaux.
5. L'esprit a dit à la fillette qu'il exigeait un droit de passage.
6. La rivière a emporté le pont.
7. Un jour, une fillette est tombée dans la rivière.

❸ **Écoutez l'enregistrement une troisième fois en prenant des notes. Écrivez surtout des noms et des verbes. Pensez à abréger les mots, par exemple : *bcp* pour *beaucoup* ou *vs* pour *vous*, etc. À deux, essayez ensuite de raconter le conte. Vérifiez en regardant la transcription à la fin du livre.**

VOCABULAIRE

QUELQUES EXPRESSIONS POUR ORDONNER LES FAITS HISTORIQUES

L'Antiquité
Le Moyen Âge
La Renaissance
Le XVIIe siècle
Le XVIIIe siècle
Le XIXe siècle
le XXe siècle – L'époque contemporaine –
le XXIe siècle
Le troisième millénaire

❶ À deux, classez les éléments suivants en vous reportant à la liste donnée ci-dessus. Aidez-vous d'un dictionnaire, d'une encyclopédie ou d'un livre d'histoire.

1. Jeanne d'Arc.
2. Vercingétorix.
3. François Ier.
4. Louis XIV.
5. La Révolution de 1789.
6. Charles de Gaulle.
7. L'Union européenne.
8. Napoléon Ier.
9. La tour Eiffel.
10. Le siècle des Lumières.
11. Le premier Empire.

❷ Dans le texte ci-dessous, relevez les mots et expressions qui se réfèrent :

a. au château ;
b. aux travaux de rénovation ;
c. à l'utilisation actuelle du château.

❸ À deux, ajoutez aux trois listes de l'exercice 2 les mots et expressions que vous avez trouvés dans les textes de cette unité.

GRIGNAN

Le département ranime le château de Madame de Sévigné[1].

HISTOIRE

Le château de Grignan est cité pour la première fois en 1035. Au XIIIe siècle, aux mains des Adhémar, il devint un vrai château fort.

Au XIVe siècle, les défenses furent renforcées. Dès le début du XVIe siècle, d'importants travaux furent entrepris. La vieille forteresse fut transformée en une demeure plaisante, aux façades ornées à l'antique, ouvertes de larges fenêtres et aux salles décorées.

À la fin du XVIIe siècle, on construisit une aile à l'est, qui masqua définitivement les traces de la forteresse médiévale. Le château était alors richement meublé, comme en témoigne la correspondance de Madame de Sévigné entre 1671 et 1696.

1794 : démantèlement partiel du château ; il fut acquis en 1837 par un particulier qui entreprit sa restauration avant de le revendre.

1913 à 1920 : reprise des restaurations du château.

1979 : le département de la Drôme acquit le château.

Des travaux récents permirent la restitution d'ensembles décoratifs d'après les archives de l'époque.

RÉUTILISATION

1986 : le département décide la remise en état de trois salles (installations électriques, restauration des décors, traitement des parquets, etc.), puis la création de nouvelles salles afin de développer les présentations permanentes. Aménagement de la chambre de Madame de Sévigné, hors du circuit des visites jusqu'alors.

Toutes ces opérations permettent de montrer au public un château de Grignan métamorphosé. Vingt-cinq pièces et lieux richement meublés abritent les collections du musée de Grignan.

Des manifestations diverses sont organisées : cycle international de quatuor à cordes, spectacle historique, fêtes nocturnes. Effectif : 15 à 40 personnes en pleine saison.

Régis Neyret, Jean-Luc Chavent, *Cent Monuments reconvertis*,
Guide du patrimoine Rhônalpin n° 21, 1992.

1. La marquise de Sévigné (Paris, 1626-Grignan, 1696) : écrivain célèbre par ses *lettres*, qui constituent un témoignage sur son temps. La plupart de ces lettres étaient destinées à sa fille, Madame de Grignan.

POUR SE SITUER DANS LE PASSÉ

Vous le savez déjà...

❶ Identifiez les verbes et les temps utilisés pour :
1. décrire le cadre de l'action ;
2. renvoyer à un état (une situation qui a duré) ;
3. renvoyer à une action, un événement.

En 1993, seule une usine continuait de tourner. Quand le chantier a démarré, l'endroit sentait bon le cacao. D'immenses bâtiments étaient envahis d'arbres. Trois années de chantier ont permis de préserver un patrimoine industriel unique.

La bière a trouvé en Lorraine une terre d'élection. C'est à Champigneulles, en 641, que Saint-Arnould multiplia les chopes de bière et devint le patron des brasseurs. C'est à Tatonville, à la brasserie Tourtel, que Pasteur inventa la brasserie moderne.

❷ Récrivez cet article au passé.

Le festival est terminé…
Cette année encore La Rochelle fêtera le cinéma avec son festival international. Les journées, qui seront bien remplies, réuniront des réalisateurs venus des quatre coins du monde. Tandis que les adultes pourront choisir leurs films et leurs tables rondes, les enfants suivront les projections jeunesse. Et en clôture nous verrons… mais c'est un secret bien gardé.

• voir Passé p. 176.

EXPRIMER UNE DURÉE DANS LE PASSÉ

Les écrivains rendaient visite à Zola **il y a une centaine d'années**.
Depuis un an, le siège social est installé à Noisiel.
Le moulin est classé monument historique **depuis 1992**.
Le patrimoine de la famille Menier fit vivre **pendant** près de **cent ans** la région.

par rapport à *maintenant*	par rapport à un moment dans le temps
durée chiffrée	
il y a deux ans…	**pendant** trois ans/les vacances
il y a une semaine **que**…	**en** une heure
ça fait trois mois **que**…	**toute** la journée
… **depuis** un an et demi/longtemps	
date ou horaire précisés	
depuis le 1er septembre /Noël	**de** 5 à 7, **de** midi **à** 2 heures

❸ Complétez le texte à partir de la fiche. Mettez les verbes aux temps appropriés et ajoutez des expressions de temps.

P. Dourdan
date de naissance : 25.01.1975
Baccalauréat : S (Bien) juin 1993
Septembre 1993-juin 1996 : Licence d'histoire, université de Lyon 3
Juillet-août 1996 : stage d'entreprise
10.09.1996-15.08.1997 : Athènes
Septembre 1997-janvier 1998 : France Telecom
Février 1998-… : Téléphonie générale

P. Dourdan … le 25 janvier 1975. Il … (obtenir) son baccalauréat avec la mention Bien … juin 1993. … trois ans, il … (étudier) à l'université de Lyon 3 où il … (préparer) une licence d'histoire. Ensuite il … (suivre) un stage en entreprise … l'été 1996. Il … (passer) … en Grèce. À son retour, il … (avoir) un poste … quatre mois chez France Télecom. Il … (travailler) à la Téléphonie générale … février 1998.

GRAMMAIRE

SITUER UNE ACTION PAR RAPPORT À UNE AUTRE ACTION

• voir Tableaux de conjugaison p. 183.

Quand le chantier **a démarré**, l'endroit **sentait** bon le cacao.

Elle devint le symbole de la France libre quand le général de Gaulle **prit** la tête de la Résistance.

• Si les deux actions ont lieu en même temps, on peut utiliser : **pendant que…, alors que…, quand…, chaque fois que…**

À peine terminé, le pont a été emporté par la rivière.

Vous avez déjà vu quelqu'un jeter une pièce **avant de passer** le pont.

Quand il a eu terminé son repas, il est sorti.

• Si les deux actions ont lieu l'une après l'autre, on peut utiliser :

après + infinitif passé, **avant de** + infinitif, **à peine** + participe passé, **après que…, quand…, dès que…, aussitôt que…**

 Savoir reconnaître le passé antérieur

Dès qu'elle **eut délivré** Orléans, les Français reprirent confiance…

On forme le passé antérieur avec l'auxiliaire **avoir** ou **être** au passé simple et le participe passé du verbe :

Elle **eut** délivré. Elle **fut** capturée.

Le passé antérieur ne s'emploie qu'à l'écrit et surtout à la troisième personne, pour un événement qui s'est passé avant un autre, souvent exprimé au passé simple.

❹ **Le congrès est terminé. Vous rassurez l'organisateur : tout s'est bien passé. Construisez des phrases en utilisant le passé et en commençant par l'expression de temps donnée.**

Dès que – les congressistes arrivent – ils sont pris en charge.

➔ Dès que les congressistes sont arrivés, ils ont été pris en charge.

1. Quand – l'avion arrive – un autocar attend les congressistes.

2. Chaque fois que – ils ont trop chaud – je branche la climatisation.

3. Aussitôt que – ils sont tous installés – nous commençons.

4. Après – ils s'inscrivent – on leur sert un café.

 LE PASSIF

EMPLOI DU PASSIF

• voir Passif p. 177.

Les palans, énormes chaînes **fixées** aux plafonds… ont été conservées.

Le Moulin, un long et superbe bâtiment, **achevé** en 1872…

• Une construction passive peut être réduite au participe passé. Le verbe **être** est sous-entendu.

Un jour, **il a été décidé de construire** un pont.

C'est ainsi qu'**on a construit** un premier pont aux Bassiaux.

• Le passif peut être utilisé sans agent.

❺ **Trouvez d'autres exemples de constructions passives sans verbe *être* dans le texte sur la chocolaterie Menier p. 67 ou dans un journal français.**

❻ **Faites une phrase à partir des phrases *a* et *b*.**

a. Cent scooters électriques ont été prêtés.

b. Ils ont eu beaucoup de succès.

➔ Les cent scooters électriques prêtés ont eu beaucoup de succès.

1. a. Le centre-ville était interdit à la circulation depuis dix ans.

b. Le centre-ville est maintenant ouvert aux véhicules non polluants.

2. a. Dix kilomètres de couloirs d'autobus ont récemment été ouverts.

b. Les couloirs ont beaucoup amélioré les transports urbains.

❼ **Reformulez les phrases suivantes. Proposez une phrase pour l'oral et une phrase pour l'écrit. (L'agent n'est pas précisé.)**

La municipalité a décidé que le centre-ville serait interdit aux voitures.

➔ Il a été décidé que le centre-ville serait interdit aux voitures.

➔ On a décidé d'interdire le centre-ville aux voitures.

1. Le commandant a annoncé que le vol aurait 20 minutes de retard.

2. L'administration a rappelé au public que les bureaux seraient fermés pendant les travaux.

3. La direction a confirmé que tous les postes seront conservés.

❶ Regardez la fiche d'Astérix et présentez-le en quelques lignes.

Nom : Astérix

• Gaulois malin né en 1959 dans l'imagination du scénariste Goscinny et du dessinateur Uderzo pour devenir un héros de bande dessinée.

• Habite dans un village gaulois qui résiste victorieusement à l'occupation romaine.

• Voyage dans toute l'Europe en compagnie de son ami Obélix.

• Adore se battre contre les Romains.

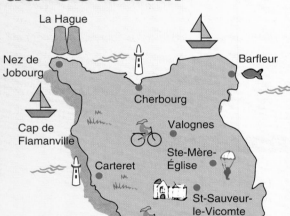

❷ Présentez des personnages célèbres de votre pays ou de votre région à des amis français.

1. Faites d'abord tous ensemble une liste des personnages historiques qui vous semblent intéressants.

2. Puis, par groupes de deux, choisissez un personnage et faites sa fiche.

3. Rédigez ensuite un petit article sur lui comme dans la page « En passant par la Lorraine… » Efforcez-vous d'employer le passé simple.

Le nez de Jobourg.

La presqu'île du Cotentin

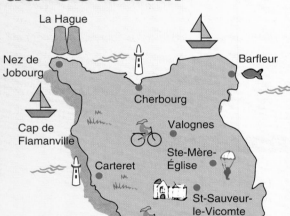

La Hague

Nez de Jobourg

Barfleur

Cherbourg

Cap de Flamanville

Valognes

Ste-Mère-Église

Carteret

St-Sauveur-le-Vicomte

Lessay

Saint-

Coutances

Villedieu-les-Poêles

Avranches

Quand ils visitent la Normandie, les touristes se rendent directement au Mont-Saint-Michel en ignorant cette région située à l'écart des grandes voies de communication. Ils ont tort. Le Cotentin, ce n'est pas seulement La Hague et son usine de retraitement de déchets nucléaires, c'est aussi et surtout une région fascinante qui associe dans un espace limité les charmes de la nature et des petites villes, un certain art de vivre…

Vitraux, 13ᵉ siècle, Coutances.

3 Lisez le texte et classez l'information.

villes et architecture	nature et paysage	routes, moyens de transport	gastronomie
cathédrale de Coutances…	*pays plat…*	…	…

4 Faites une fiche sur le Cotentin. Indiquez les illustrations que vous souhaiteriez garder.

5 À deux ou trois, choisissez un lieu de votre région que vous aimeriez recommander et faites une fiche pour ce lieu avec des propositions d'illustration.

6 Présentez ensuite ce lieu dans un petit texte pour inciter les touristes à le visiter.

Saint-Sauveur-le-Vicomte

Commencez par la visite de Coutances : c'est une excellente entrée en matière. De loin, on aperçoit sa cathédrale gothique qui semble avoir été placée là pour créer un sommet dans un paysage qui n'en a pas. On comprend alors que dans cette région l'architecture est partout : modeste quand il s'agit des petites églises de campagne, ou imposante avec l'abbaye de Lessay ou celle de Saint-Sauveur-le-Vicomte.

De Coutances, on part à la découverte du pays à vélo, le meilleur moyen de locomotion dans ce pays plat. Vaches paisibles dans les prés, routes sympathiques traversant la lande ou le marais, petites villes racontant leur passé (on retrouve un peu partout des traces du débarquement des troupes alliées en 1944) : on a l'impression que le temps s'est arrêté. Il faut aller jusqu'à la côte. Les hautes falaises dominent la mer comme au Nez de Jobourg et abritent souvent des réserves d'oiseaux.

Le Cotentin plaira aussi aux gastronomes : par exemple, au cap de Flamanville – pour être précis, au lieu-dit Le Sémaphore –, l'amateur de bonne cuisine fera un excellent dîner, pour un prix raisonnable. Et il pourra regarder le coucher du soleil en prenant le dessert sur la terrasse…

❶ Exposez rapidement la vie du peintre Georges de La Tour à partir de cette courte chronologie.

La Tour est né à Vic-sur-Seille…

GEORGES DE LA TOUR

1593 Naissance à Vic-sur-Seille (Moselle).

1617 Mariage avec une femme de la noblesse : Diane Le Nerf.

1620 Installation à Lunéville (Meurthe-et-Moselle).

1634 Prête serment de fidélité à Louis XIII.

1639 Séjour à Paris.

1645 Le gouverneur de Lorraine commence à se faire offrir, comme étrennes, des tableaux de La Tour.

1652 Mort du peintre à Lunéville.

❷ Réécoutez l'enregistrement du conte *Droit de passage* ou relisez sa transcription. À deux, choisissez un conte de votre pays pour le raconter aux autres étudiants de votre groupe.

Vous pouvez vous aider d'une fiche sur laquelle vous aurez noté les points les plus importants de l'histoire dans l'ordre chronologique.

Entraînez-vous à raconter l'histoire en vous corrigeant mutuellement avant de prendre la parole devant la classe.

Essayez ensuite de parler naturellement, sans lire vos notes.

❸ Regardez les trois photos ci-dessous et dites ce qui a changé dans cette rue de Courbevoie entre 1910 et aujourd'hui.

*En 1910,
il n'y avait aucun
grand immeuble.
Aujourd'hui, il y a des
grandes tours.
On a démoli…*

MIEUX CONNAÎTRE LA CIVILISATION

Unité 7

Autonomie

■ **Tous les textes de cette unité contiennent des informations de civilisation française :**

1. histoire ;

2. géographie ;

3. économie ;

4. politique ;

5. culture (littérature, architecture, photographie, BD).

Classez ces textes selon le type de renseignement qu'ils donnent (vous pouvez mettre un texte dans plusieurs catégories) et justifiez votre classement.

La presqu'île du Cotentin, (p. 72) par exemple peut se classer dans les catégories suivantes :

1. *Histoire (débarquement) ;*

2. *Géographie (Normandie à l'écart des voies de communication, les falaises) ;*

3. *Économie (Usine de la Hague) ;*

4. *Culture (cathédrale, abbaye, chapelle).*

Fixer ses connaissances

• Mieux vous connaissez le sujet d'un texte et plus il vous est facile de comprendre ce texte ; ce qui veut dire que les connaissances en civilisation facilitent l'approche des textes.

• Pour compléter ce que vous savez en civilisation française, il est utile de rassembler et de classer les informations concernant la France. Vous pouvez, comme pour le vocabulaire, travailler avec des fiches.

Par exemple :

– Si l'histoire de France vous intéresse : fiches sur Charles de Gaulle, Jeanne d'Arc…

– Si vous devez voyager en France pour votre travail : fiches sur la Lorraine, le Cotentin ou une autre région…

– Si vous êtes passionné(e) de littérature : fiches sur Émile Zola, Georges Perec…

Gérer sa documentation

• Ne faites des fiches que sur ce qui vous est utile ou ce qui vous intéresse.

• Complétez vos fiches au fur et à mesure avec les informations contenues dans les textes de *Café crème*.

– Reportez-vous aux parties Civilisation de *Café crème*.

• Vous trouverez des compléments d'information :

– en consultant un dictionnaire des noms propres ;

– en consultant un atlas ;

– en découpant ou en photocopiant des articles parus dans la presse ;

– en utilisant un réseau comme Internet ;

– en demandant de la documentation ou des renseignements auprès d'un office de tourisme ou d'un autre service français ;

– en conservant photographies et cartes postales ;

– en demandant conseil à votre professeur.

ET AUSSI… Si vous avez un intérêt commun avec un autre étudiant, travaillez à deux. Vous pouvez demander aux autres de vous montrer leurs fiches pour compléter les vôtres.

LA LORRAINE

Région administrative comptant 4 départements :
Meurthe-et-Moselle, Meuse, Moselle, Vosges
2, 3 millions d'habitants (Lorrain, Lorraine)

Capitale : Metz
Autre ville importante : Nancy
Pays voisins : la Belgique, le Luxembourg, l'Allemagne

OBJECTIFS

- Évaluer une capacité à exprimer une opinion, un sentiment.
- Donner son avis, argumenter.

Écrit : 45 minutes
- Repérage de points de vue.
- Expression d'une attitude.

A2 ÉCRIT 2 Exprimer son point de vue

POUR VOUS AIDER À

• **Porter une appréciation :**
– positive : Je trouve bien/normal/intéressant que, j'approuve totalement, je suis tout à fait d'accord/favorable à ce que ;
– négative : Je trouve tout à fait anormal/injustifié/ scandaleux/inadmissible que, je suis contre, hostile/opposé(e) à, je ne comprends pas que, je désapprouve.

• **Exposer/défendre une opinion, nuancer, donner des exemples**
En effet, ce que je crois…, c'est que, à mon avis, selon moi, non seulement… mais, toutefois, en réalité.

• **Marquer**
– L'enchaînement des arguments :
D'abord, puis, ensuite, d'autre part, d'ailleurs, par ailleurs, en effet, par exemple, enfin ;
– La cause :
C'est parce que, à cause de, grâce à ;
– la conséquence :
C'est pourquoi, alors, pour toutes ces raisons, donc ;

• **Critiquer, protester, se plaindre**
Je ne comprends pas que, il est absurde que, je ne vois pas pourquoi, on ne peut pas accepter que, il est injuste que…, même si…, malgré…

• **Approuver, conseiller**
Il faut, il faudrait, on pourrait, pourquoi ne pas…

CONSEIL
- Rédigez un texte simple suivi et bien construit.

❶ **Voici trois arguments contre le téléphone portable. Développez chacun de ces arguments.**
1. Il nous dérange : où ? pourquoi ? comment ?
2. Il nous pousse à la consommation : pourquoi ?
3. Il n'est pas très utile : pourquoi ?

Rédigez maintenant en 160 mots une argumentation contre le téléphone portable. Mettez l'argument qui vous semble le plus important en troisième position et développez-le davantage en donnant des exemples. N'oubliez pas d'utiliser les énoncés et les mots de liaison donnés ci-dessus.

❷ **Commentez ce tableau.**

Les mauvaises manières des Français

Ils avouent qu'il leur arrive ou qu'il leur est déjà arrivé :

	Hommes	Femmes
• au restaurant, en groupe, de payer uniquement ce qu'ils ont consommé	51 %	39 %
• de couper la parole aux autres au cours d'une discussion	42 %	46 %
• de ne pas rendre rapidement ce qu'ils ont emprunté (un livre, un disque…)	40 %	33 %
• de lire le journal par-dessus l'épaule de leur voisin dans les transports en commun	35 %	26 %
• de jeter dans la nature les détritus de leur pique-nique	12 %	6 %

D'après *L'Écho des savanes*, février 1993.

❸ **Répondez aux questions.**
1. Qu'est-ce qui vous surprend le plus ?
2. Quelles sont les mauvaises manières qui sont pour vous les plus désagréables ?
3. Notez-vous des différences avec les manières de votre pays ? Lesquelles ?

Rédigez un texte de 160 mots environ.

UNITÉ A4 EN 2e POSITION

OBJECTIF

• Faire fonctionner à un degré de correction satisfaisant le système linguistique du français à l'écrit et à l'oral.

Écrit : 60 minutes

• Contrôle de la maîtrise d'une grammaire minimale.

A4 Compléter ou transformer des phrases

❶ Choisissez le mot qui convient pour compléter le texte.

Attention, (la – une – cette) nuit, on change d'heure. Quand votre réveil marquera 2 heures, il sera (au contraire – en fait – d'ailleurs) trois heures du matin. Il vous faudra (malgré tout – enfin – donc) avancer (leurs – vos – ses) montres d'une heure et ne plus rien changer (jusqu'à – vers – à partir de) l'automne prochain.

L'heure d'été a été créée (de – à – en) 1976 (par – pour – de) réduire la consommation d'énergie. Elle est contestée mais (pas – aucun – rien) changement ne pourra avoir lieu avant 2001. En attendant, attention (si – quand – même si) vous avez un train à prendre ce soir. On précise (qui – que – où) les trains de nuit iront plus vite pour rattraper une partie de (son – leur – le) retard.

❷ Conjuguez les verbes entre parenthèses aux temps corrects.

Je (passer) le réveillon de l'année dernière chez des amis. Au début, je (être) un peu timide car je ne (connaître) personne et le dîner (devoir) durer plusieurs heures en compagnie de gens que je (ne jamais voir). En fait, tout (bien se passer). Les voisins (venir). Ils voulaient qu'on (faire) moins de bruit parce qu'on (chanter) trop fort mais finalement, ils (rester) toute la soirée avec nous.

❸ Posez la question portant sur les mots en italiques.

1. *François Mitterand* a fait construire la Bibliothèque National de France.

2. Elle a été inaugurée en *1996*.

3. Elle est située *dans le 13e arrondissement de Paris*.

4. Elle reçoit *800 visiteurs* par jour.

5. Elle représente *quatre grands livres autour du jardin de la connaissance*.

❹ Écrivez un mot pour inviter un(e) ami(e) à ces différentes activités. Vous devez le/la convaincre et lui donner rendez-vous.

1

Vendredi 13 mars 1998,
23 h 30

14e Nuit du cinéma

Institut supérieur du commerce
Petit déjeuner offert
Prix des places : 12 euros

2

Le soleil et la neige à un prix intéressant

Week-end du 28-29 mars

Les Deux-Alpes : 120 euros

Transport A/R en car
Une nuit sur place
Forfait de ski 2 jours

3

Restaurant *Le Brasier*

Formule à 10 euros
Ambiance musicale

Accueil de groupes
Entrée + fondue
Métro : Convention

4

Dansez
le rock and roll,
la salsa...

Premier cours gratuit
Cours collectif
à partir de 4,50 €/ heure

MESSIEURS LES ENFANTS

Crastaing avait pris une craie :

– Vos cahiers de textes, s'il vous plaît. Ce sera une rédaction.

Crastaing écrivait en dictant. Ses phrases zébraient le tableau. Il avait ce genre d'écriture électrique, orageuse, une succession d'éclairs, de la colère en biais, les accents et les points s'abattant en grêle sur les phrases formées.

SUJET :

VOUS VOUS RÉVEILLEZ UN MATIN ET VOUS CONSTATEZ QUE, DANS LA NUIT, VOUS AVEZ ÉTÉ TRANSFORMÉ EN ADULTE. COMPLÈTEMENT AFFOLÉ, VOUS VOUS PRÉCIPITEZ DANS LA CHAMBRE DE VOS PARENTS. ILS ONT ÉTÉ TRANSFORMÉS EN ENFANTS.

RACONTEZ LA SUITE.

Crastaing se retourna :

– Je dis bien *la suite* : ce qui se passe *après* !

Joseph Pritsky osa une question :

– Quel âge, les enfants, monsieur ?

Crastaing bouclait son cartable.

– Cinq à sept ans, pas plus.

NOURDINE : Et s'ils ont pas de parents, qui c'est qui se transforme en enfant ?

CRASTAING : L'adulte le plus proche.

Comme toujours dans les scènes cruciales, Crastaing se retourna sur le pas de la porte, regard aigu, doigt pointé :

– Et pas de solution de facilité, s'il vous plaît ; ce n'est ni un rêve, ni les Martiens, ni une facétie de fée, c'est la *réalité* : vous adultes, et vos parents tout petits. Compris ? Pour demain matin, huit heures. Et n'oubliez pas : l'imagination, ce n'est pas le mensonge !

Exit Crastaing, avec cette façon de sortir bien à lui, comme une disparition.

Les élèves sont rentrés chez eux. Le soir, vient pour chacun, le moment de faire la rédaction…

Le problème…, écrit Joseph vers la même heure, *c'est que mon pyjama d'enfant était tout explosé par mon corps d'adulte.* On peut dire ça : était tout explosé par mon corps ? *Le problème c'est que mon corps d'adulte avait tout explosé mon pyjama comme l'incroyable Hulk avec sa chemise…* L'incroyable Hulk… Joseph entend d'ici la feinte surprise de Crastaing : « L'incroyable Hulk, Pritsky ? Qui est-ce ? Seriez-vous assez aimable pour nous le présenter ? » Alors là, si je lui parle de la télé, c'est lui qui va m'exploser ! *Le problème… (…) Le problème c'était que j'étais quatre fois trop grand pour mon pyjama quand je me suis réveillé.* C'était que j'étais… c'était que je fus ? Ce fut que j'étais ? *Le problème, ce fut que j'étais quatre fois trop…* non… « Et pourquoi *quatre fois* trop grand, Pritsky ? Vous avez mesuré ? » C'est une image, monsieur… « Quand je vous dis que l'imagination ce n'est pas le mensonge, Pritsky, cela signifie, entre autres, qu'une image doit être juste pour représenter ou signifier quelque chose… »

Le problème…

Mais le problème bien réel qui mit fin à tous ces problèmes vint d'une douleur si soudaine et si violente que la tête de Joseph en fut comme broyée et que, sous la pression, son cœur fut instantanément jeté à ses lèvres, qu'entre l'envie de vomir et celle de s'évanouir, quelque chose en lui choisit la seconde, que Joseph vit sa chaise vaciller, qu'il tenta de se rattraper à sa table, que la table se renversa, que les feuilles, les stylos, les albums, les photos s'éparpillèrent, et que la dernière pensée de Joseph, sa dernière pensée à peu près consciente, fut pour Moune… « excuse-moi, Moune… excuse-moi… », quelque chose de ce genre… qui englobait son amour pour sa maman, l'idée que ce n'était pas sa faute, qu'il aurait voulu la faire, cette rédac, qu'il était en train, même, de toutes ses forces, juré ! mais que voilà, il s'évanouissait, il s'effondrait sur la corbeille pleine de brouillons ébauchés… « pardon, Moune, Pope, pardon… » Qu'il s'évanouissait ou qu'il mourait, il ne savait pas, mais qu'il ne pouvait plus se retenir à rien… tout s'effondrait…

Daniel Pennac, *Messieurs les enfants*, Gallimard, 1997.

STRATÉGIES DE LECTURE

▶ **1** Lisez rapidement le document en entier, même si vous ne comprenez pas certaines phrases.

1. Quelle est la nature de ce document ?

2. Justifiez votre réponse et comparez-la à celles des autres étudiants.

3. D'où est-il extrait ?

▶ **2** Relisez le texte puis répondez à deux. Ensuite, relisez le texte une troisième fois pour vérifier vos réponses.

1. Qui est qui ? (les personnages)

a. Crastaing

b. Pennac

c. Nourdine

d. Joseph Pritsky

e. Moune, Pope

f. un élève

g. le professeur

h. l'auteur du livre

i. les parents de Joseph

j. un autre élève

2. Où et quand ? (le lieu et le temps)

a. Où sommes-nous ?

b. À quelle époque sommes-nous : contemporaine, autre, ne sait pas ?

3. Quoi ? (l'action)

a. Dites ce que vous avez compris.

b. Qu'est-ce qui vous a aidé(e)s à comprendre ?

c. Trouvez un titre pour chaque extrait.

▶ **3** À deux, dites si vous auriez aimé traiter ce sujet. Pourquoi ?

Imaginez une suite à cette histoire.

TOP **CHRONO !**

Quelle est la première équipe qui trouvera, dans le texte, quatre mots qui se rapportent :

◆ **1** au vocabulaire de la classe ;

◆ **2** au vocabulaire de l'écriture ?

STRATÉGIES D'ÉCOUTE

▶ **1** Écoutez l'entretien radio jusqu'au bout, même s'il y a des passages que vous ne comprenez pas. De quoi s'agit-il ?

▶ **2** Quel est le point commun entre cet entretien et le texte que vous venez de lire ?

▶ **3** Réécoutez l'enregistrement et répondez aux questions suivantes :

1. Combien de personnes parlent ?

2. Qui sont-elles ?

3. Reconnaissez-vous un autre nom ? Lequel ?

▶ **4** Par groupe de deux, réécoutez l'enregistrement une troisième fois. Concentrez-vous sur les aspects du film qui sont mentionnés. Notez ce qui vous semble le plus important.
Comparez vos notes à celles des autres étudiants. Réécoutez une autre fois l'entretien et vérifiez ces notes.

▶ **5** À deux, dites pourquoi vous avez (ou vous n'avez pas) envie de voir le film.

 **LE COMPTE EST BON !**

◆ Combien de fois entendez-vous les mots *cinéma* et *film* ?

Les exceptions culturelles françaises

Culture et politique

Aujourd'hui, avec la culture de masse et la médiatisation, l'intérêt pour la culture est de plus en plus fort en France, comme partout ailleurs. Contrairement à la plupart des autres pays, la France a une politique culturelle globale : c'est une tradition datant des années trente poursuivie par le Front populaire, par le régime de Vichy et par la IVe république.

Mais c'est la Ve République qui va permettre au plus grand nombre d'accéder aux biens culturels : création d'un ministère de la Culture, multiplication de grands équipements comme le centre Georges-Pompidou, le Grand Louvre, le musée d'Orsay, le musée Picasso, la Bibliothèque nationale de France, etc. Les collectivités locales soutiennent ce mouvement, par exemple dans le domaine du patrimoine en ouvrant l'accès à certains monuments, à des sites sauvegardés. De nombreux festivals sont créés pour permettre à un nouveau public de découvrir musique, théâtre et cinéma non commercial. On invente également la Fête de la musique en 1982…

▲ *Paris, musée d'Orsay.*

◄ *Cimiez, les ruines romaines et le musée Matisse.*

Art

Depuis peu, l'art connaît un triomphe commercial, ou plutôt : les manifestations touchant l'art ont des retombées économiques intéressantes. Un musée organise une exposition sur un grand peintre, et parallèlement, vend livres et CD-Rom, affiches et vidéos, catalogues, agendas, parfois même des foulards ou des tee-shirts, voire des bijoux. Le tout est soutenu efficacement par des émissions de télévision, des interviews à la radio et des numéros spéciaux de revues. On reste perplexe devant un tel développement : peut-on accepter qu'un musée « fasse de l'argent » en exploitant totalement une exposition ? Que répondre si cela permet à l'État de diminuer ses subventions et de mieux aider un autre domaine ?

Boutiques dans la galerie du musée du Louvre.

Édition

La « culture de poche » représente un tiers des exemplaires achetés et un quart des titres publiés.

La vitalité de l'édition française est due en partie aux performances des livres en format de poche. Ils représentaient 23 % des titres et 26 % des exemplaires en 1994. Un peu moins de 10 000 titres ont été publiés, soit deux fois plus qu'en 1980. Comme dans les autres formes d'édition, le tirage moyen diminue, tout en restant élevé : il n'est plus que de 13 000 exemplaires, contre près de 18 000 exemplaires en 1988. Plus de la moitié des titres sont des réimpressions.

Le livre en format de poche est particulièrement présent dans les secteurs de la littérature (environ 60 % des titres publiés sont des romans, qui représentent près des trois quarts des exemplaires achetés), des livres de jeunesse et de sciences humaines. Depuis sa création en 1953, le Livre de poche, précurseur, a vendu plus de un milliard d'exemplaires.

Outre sa grande commodité (idéal pour les transports en commun), le livre au format de poche a permis à un grand nombre de Français d'accéder à peu de frais aux grandes œuvres de la littérature française et étrangère, à travers plus de 30 000 titres répartis dans plus de 300 collections. Les jeunes, les cadres moyens et les employés étant les plus gros consommateurs, principalement dans les grandes villes, de nouvelles collections à très bas prix sont apparues.

Francoscopie 1997, Larousse.

Cinéma

Les Français aiment toujours autant le cinéma et ils fréquentent plus les salles obscures que leurs voisins européens.

Même si on en parle à la radio ou dans les journaux, ce n'est pas le battage médiatique qui intéresse d'abord les Français, mais bien le film lui-même. Il ne s'agit pas de battre des records de recette ou de nombre d'entrées pour récupérer un investissement initial énorme, comme pour les superproductions. C'est ainsi que le public

français a très bien accueilli des films à petits budgets comme *En avoir (ou pas)*, *Western* ou *Marius et Jeannette* : des productions intelligentes et sensibles, pleines d'humour, permettant de rire de ses propres problèmes, avec des comédiens qui pourraient être nos voisins…

Les effets des problèmes économiques actuels ont également leurs répercussions sur le théâtre : comme pour le cinéma, les conséquences sont presque heureuses. De moins en moins de subventions, peu de grands spectacles, mais le retour du café théâtre, du one-man show, de l'humour sur scène, de la critique sociale, de l'enga-gement politique… ou encore des spectacles de rue de qualité.

▶ **1.** La volonté d'avoir une politique culturelle globale est-elle liée au type de gouvernement de la France ? Quelle(s) conclusion(s) en tirez-vous ?

▶ **2.** Les festivals sont financés par la ville et la région concernées, les entreprises locales. Pensez-vous que ce soit une bonne solution pour le festival lui-même ?

▶ **3.** Cherchez des exemples montrant la vitalité et la grande faculté d'adaptation de la vie culturelle française pendant une période économiquement difficile pour beaucoup.
Qu'en pensez-vous ?

Les visiteurs

VOTRE JOURNAL A ÉTÉ INVITÉ À PARTICIPER À UNE EXPÉRIMENTATION SCIENTIFIQUE SECRÈTE ET EXTRAORDINAIRE : MONTER DANS UNE MACHINE À REMONTER OU À DESCENDRE LE TEMPS. C'EST UNE GRANDE PREMIÈRE ET LE REPORTAGE QUE VOUS FEREZ À VOTRE RETOUR (SI VOUS REVENEZ !) RENDRA VOTRE JOURNAL MONDIALEMENT CONNU.

Tout le personnel du *Petit Café crème* peut choisir d'embarquer pour l'expédition ; mais un tiers du groupe peut choisir aussi de rester avec les scientifiques de la base restés à terre, ou bien encore de figurer (jouer) les personnages rencontrés dans les trois étapes.

DÉCISIONS

❶ À la suite d'un débat, par tirage au sort ou sur la base du volontariat, déterminez quelles seront les personnes partant en expédition et quelles seront celles qui resteront sur Terre ou deviendront plus tard les identités fictives rencontrées : personnages célèbre ou simples citoyens.

Donnez-leur une identité.

> **1.** Nom : …
> **2.** Prénom(s) : …
> **3.** Date de naissance : …
> **4.** Lieu de naissance : …
> **5.** Nationalité : …
> **6.** Adresse : …
> **7.** Situation de famille : …
> **8.** Signes particuliers : …

Faites leur portrait : aspect physique, visage, démarche, allure, vêtements, accessoires, habitudes, animaux domestiques, etc.

Vous pouvez également utiliser les fiches d'identité établies lors de la première simulation p. 44.

❷ Choisissez les trois lieux sur lesquels l'expédition va se rendre successivement. Précisez les trois dates.

Égypte ancienne, temps préhistoriques, Grèce ou Rome antiques, Paris au Moyen Âge, guerre de Trente Ans, Austerlitz, sacre de Napoléon Ier, inauguration de l'Exposition universelle de 1900, réveillon de l'an 2000, Provence de Giono ou de Pagnol, Lorraine d'avant-guerre…

❸ Faites les préparatifs avant le départ.
Liste de matériel à emporter, lettres, testaments, journaux intimes à écrire, coups de téléphone à donner, etc.

ÉCRITS ET JEUX DE RÔLES

❶ À chaque expédition, chacun d'entre vous se charge de rendre compte et d'envoyer à la base un reportage. Ce reportage pourra décrire un site extraordinaire, un événement ou un personnage hors du commun, un article relatant un aspect particulier de la vie économique, politique, sociale, culturelle, etc., un entretien avec un personnage célèbre ou « monsieur Tout-le-Monde », un journal de bord, un journal intime, des lettres…

❷ À chaque expédition, les personnes restées à la base peuvent entrer en contact avec les voyageurs, leur proposer des questionnaires ou leur commander des reportages sur un point précis.

❸ À chaque expédition, de nouvelles identités (s'il y en a !) entrent en jeu et jouent leurs rôles. Les jeux de rôles peuvent être :

1. des reprises de faits historiques dans lesquels les voyageurs tiendront un rôle plus ou moins important, voire, dans certains cas, déterminant et risquant de faire déraper le cours normal de l'Histoire.
Par exemple, le joaillier ayant fabriqué la couronne de l'empereur Napoléon Ier arrive en retard (pour une raison à déterminer) et le sacre manque de ne pas pouvoir se faire ;

2. des scènes de la vie quotidienne et ordinaire replacées dans leur contexte.

❹ À votre retour sur terre, vous vous réunissez pour décider de publier les résultats de votre expérience ou au contraire de cacher les mérites de cette merveilleuse machine. Vous envisagez les bénéfices potentiels pour l'humanité et/ou les conséquences désastreuses.

Débat, liste des avantages et des inconvénients, résolutions écrites.

Entretiens, articles de journaux.

Lettres, souvenirs.

Partie 3
VIVRE AVEC LES AUTRES

SOLIDARITÉ

L'engagement d'un retraité

Georges Tuloup est un retraité heureux. « J'ai réussi à rester actif et à garder le contact avec la vie profession-nelle, comme je le souhaitais. J'essaie d'aider ceux qui font confiance à l'avenir à créer leur propre entreprise – gratuitement, bien sûr, puisque j'ai une très bonne retraite sur laquelle je peux compter. »

Chacun doit faire ce qu'il peut

Les deux personnages qui parlent dans l'ex-trait suivant sont l'abbé Pierre, le fondateur d'Emmaüs, et Moustique, un chiffonnier. Dans cet extrait, on apprend comment la communauté d'Emmaüs a eu l'idée de récupérer les vieux papiers, les vieux vêtements et les vieux meubles pour les revendre. L'argent ainsi gagné sert à aider les pauvres et les sans-abri.

« Quand nous on s'en va mendier dans la rue pour boire un coup, vous nous engueulez, et vous... On n'accepte pas que vous mendiiez pour nous ! Vous dites que c'est indigne d'un homme. Et main-

5 tenant, c'est vous qui le faites ! Alors, on n'accep-te pas, non, on n'accepte pas !

– Je sais, mais il n'y avait plus rien à manger !

– Pourquoi vous l'avez pas dit ? Moi je sais où trou-ver de l'argent, dit Moustique.

10 – Et c'est pour ça que tu es allé en taule...

– Je sais voler, mais je sais faire autre chose. Quand je sortais de la prison ou de l'hôpital, j'ai été chiffonnier, « biffin » qu'on disait ! Ça peut rapporter !

– C'est une chose d'acheter un morceau de pain
15 ou un litre, et une autre de nourrir dix-huit hommes et d'achever le chantier des Coquelicots !

– Je vous assure, Père, ça rapporte ! Et puis écou-tez : en m'accueillant, vous m'avez sauvé. Ce que vous avez fait hier, c'est pour que nous mangions.
20 Permettez-moi de recommencer, plus seulement pour moi, pour nous tous.

– Chacun doit faire ce qu'il peut. On a oublié de m'apprendre ça au séminaire ! Si toi tu sais le faire, vas-y ! »
25 C'est ainsi que pour la première fois un homme sort d'Emmaüs avec un sac sur le dos et un cro-chet à la main pour aller fouiller les ordures. Le soir, Moustique revient avec son sac plein.

Pierre Lunel, *L'abbé Pierre, l'insurgé de Dieu*,
Édition n° 1, 1989.

❶ Lisez le texte (1). Georges Tuloup a au moins trois raisons d'être un retraité heureux. Lesquelles ?

❷ Lisez le texte (2) une première fois en entier. Relisez-le ensuite à deux en interprétant chacun un personnage, Moustique ou l'abbé Pierre.

❸ *On n'accepte pas que vous mendiiez pour nous !*
Qui est-ce que les formes *on* et *nous* désignent dans cette première réplique du texte ?

❹ Quelle activité ou quel métier va permettre de trouver l'argent nécessaire ? En vous aidant du dictionnaire, dites en quoi consiste ce métier.

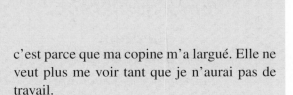

*J*ournal

En sortant de chez le médecin, je trouve sur les marches un jeune homme effondré, au gentil visage sympathique.

J'attends un taxi. Il ne bouge pas. Je le regarde.
5 Il me dit : « Je ne fais rien de mal, vous savez ? » Je lui demande ce qu'il a. Faim ? Froid ? Les deux. Je lui donne trente euros. Il dit : « Je n'en peux plus, je n'en peux plus… Je voudrais rentrer chez moi, dans
10 le Nord, mais il n'y a pas de travail non plus… Ici, j'étais intérimaire à La Poste, mais c'est fini. Vous connaissez le Nord ? Je suis de Dunkerque. Il n'y a plus rien là-bas… J'ai ma famille, mais elle ne veut pas de moi
15 sans travail… Je n'en peux plus, je n'en peux plus… »

J'essaie de le réconforter, de lui dire qu'il retrouvera un travail d'intérimaire. Les larmes lui viennent aux yeux : « Non. Je n'ai
20 plus de papiers. On me les a volés, ma carte d'identité, mon permis de conduire, tout !

– Une carte d'identité, ça se refait…

– Le timbre fiscal coûte vingt-trois euros. Je ne les ai pas. »
25 Je lui donne cent cinquante francs. Alors il fond et se confond en excuses : « Si je pleure,

c'est parce que ma copine m'a largué. Elle ne veut plus me voir tant que je n'aurai pas de travail.
30 – Et vous l'aimez, votre copine ?

– Oui, je l'aime. Elle a vingt ans de plus que moi, mais je l'aime plus que tout…

– Allez acheter votre timbre fiscal, c'est la première chose à faire pour retrouver un bou-
35 lot… »

Il se lève. « J'espère que je pourrai vous rendre… Si ma mère me voyait, elle aurait honte… » Et soudain : « Vous ne voulez pas me donner un baiser, pour me porter bon-
40 heur ? »

Il est sale, très sale, j'ai un mouvement de recul.

D'ailleurs, mon taxi est là. Je saute dedans. Et les remords commencent. Qu'est-ce que
45 ça veut dire, se débarrasser des gens avec de l'argent ? C'est trop facile. Tu ne pouvais pas lui donner ce baiser qu'il te demandait ? Faire ce petit geste ? Je n'ai pas pu. Et il m'en reste mauvaise conscience.

Françoise Giroud, *Chienne d'année,*
Journal d'une Parisienne 2, éd. du Seuil, 1996.

❶ **Lisez l'extrait du *Journal d'une Parisienne* en entier, même si vous ne comprenez pas tout.**

❷ **Françoise Giroud rencontre un jeune homme désespéré.**
À deux, décrivez en quelques phrases la situation du jeune homme.

❸ **Pourquoi Françoise Giroud a-t-elle mauvaise conscience après avoir quitté le jeune homme ?**

❹ **Le jeune homme exprime ses difficultés dans des phrases construites sur le modèle : *Je…* *mais…* Relevez ces phrases et dites *ce que mais* introduit : une opposition, une explication, une restriction, une excuse ou un complément d'information.**

❺ **À qui s'adresse Françoise Giroud quand elle dit *tu* à la fin du texte ? (*Tu ne pouvais pas lui donner ce baiser qu'il te demandait ?*)**

Le Festival du premier pas

1 Écoutez l'entretien une première fois en entier, même si vous ne comprenez pas certains mots. De quoi s'agit-il ?

2 Lisez les documents.
Réécoutez l'enregistrement.
Corrigez les erreurs des documents.

3 En groupes, expliquez pourquoi ce festival s'appelle le Festival du premier pas. Pensez à l'expression *faire le premier pas* et au proverbe *Il n'y a que le premier pas qui coûte*.

Venez nombreux !

Festival du premier pas

les 16, 24, 25 novembre
Université de Paris XIII
35 associations de solidarité

Quelques statistiques

- 7 Français sur 10 disent qu'ils sont prêts à aider une association humanitaire.

- Seul 1 Français sur 6 le fait.

- C'est entre le 15 et le 30 décembre que les Français sont le plus généreux.

Bénévole dans un restaurant du cœur

1 Écoutez l'enregistrement deux fois, puis expliquez les points suivants.

1. Le journaliste dit que *ça dépasse le cadre des restaurants du cœur*.
Comment comprenez-vous cette phrase ?

2. Expliquez ce que veut dire Arlette quand elle affirme : *En tout cas, on m'a plus donné que j'ai donné.*

C'est le comédien et auteur de nombreux sketchs, Coluche (1944-1986), qui a créé les restaurants du cœur en 1985 pour aider les plus pauvres.
En 1995-1996, 25 000 bénévoles ont distribué plus de 61 millions de repas dans 1 500 centres.

2 Êtes-vous d'accord avec le journaliste quand il dit : *C'est plus qu'un témoignage, c'est presque une déclaration d'amour*. Pourquoi ?

Les associations

1 Écoutez la présentation du tableau ci-dessous, puis présentez à votre tour les contenus à votre voisin.

Répartition des 750 000 associations françaises					
sport	21 %	santé, aide sociale	13,6 %	loisirs	12,4 %
emploi	12,3 %	consommation	12,3 %	formation	8,2 %
environnement	6,8 %	chasse, pêche	2,8 %	culture, tourisme	0,02 %

VOCABULAIRE

LA FORMATION DES MOTS

• Vous allez retrouver dans cette page différentes manières de former des mots.
Vous pouvez vous y reporter :
– pour mettre un mot nouveau en relation avec un mot que vous connaissez déjà ;
– pour faire vos propres classements de vocabulaire.

• On peut ajouter différents suffixes à la racine des verbes :
racine du verbe + suffixe **-tion**
                            -age
                            -ment

Attention :
parfois la racine du verbe subit des modifications.

❶ **Comparez les noms dérivés ci-dessous avec le verbe correspondant.**
1. Observez si la racine du verbe est modifiée et repérez les modifications.
2. Ajoutez les articles *la* **ou** *le* **devant les noms.**
a. Dévier, déviation.
b. Libérer, libération.
c. Marier, mariage.
d. Corriger, correction.
e. Changer, changement.
f. Déplacer, déplacement.
g. Organiser, organisation.
h. Renseigner, renseignement.
i. Protéger, protection.
j. Augmenter, augmentation.
k. Diminuer, diminution.
l. Déclarer, déclaration.
m. Témoigner, témoignage.

❷ **Lisez la liste suivante. Elle est composée de noms dérivés de verbes. Certains de ces noms désignent des êtres (catégorie des animés), les autres des événements ou des objets (catégorie des inanimés).**
1. Regroupez les mots qui désignent des êtres animés.
2. Ensuite, pour chaque mot, trouvez le verbe correspondant.
a. Acheteur.
b. Voleur.
c. Assassin.
d. Tueur.
e. Course.
f. Départ.
g. Transformation.
h. Changement.
i. Employeur.
j. Fondateur.
k. Administration.
l. Traducteur.

❸ **1. En vous aidant d'un dictionnaire, trouvez les noms dérivés des verbes suivants qui ne désignent pas des êtres animés.**
2. Ces noms ont-ils le même suffixe ?
a. Voler.
b. Arriver.
c. Partir.
d. Sortir.
e. Attendre.
f. Donner.
g. Appeler.
h. Accueillir.
i. Oublier.
j. Pleurer.
k. Rechercher.
l. Réconforter.
m. Aider.

❹ **Complétez ce tableau.**

voler	*vol*	*voleur*
1. acheter	…	acheteur
2. prendre	prise	…
3. …	…	assassin
4. …	tuerie	…
5. livrer	…	…
6. …	…	exposant
7. …	…	coureur
8. étudier	…	…
9. …	construction	…
10. chanter	…	…

❺ **Complétez les extraits de presse suivants à l'aide du mot qui convient. Ce mot reprend le contenu de la phrase qui précède.**
1. Il y vingt ans un jeune couple disparaissait sans laisser de traces dans un petit village d'Auvergne. Cette … était une affaire classée. Pour tout le monde, sauf pour le commissaire de police.
2. Le jeune commissaire s'est suicidé au début du mois d'août. Ce … intrigue le juge qui devait l'entendre cette semaine.
3. Notre concitoyenne Émilie Lejeune a été nommée à la tête de l'entreprise Cavitech. Sa … redonne de l'espoir aux salariés de l'entreprise qui craignent des licenciements.

❻ **Sur le modèle de l'exercice 5, composez deux entrefilets de presse.**
Vous pouvez choisir entre les noms suivants :
arrestation – assassinat – vol.

GRAMMAIRE

POUR AJOUTER UNE INFORMATION (3) : LE PRONOM RELATIF

vous le savez déjà...

❶ Faites une seule phrase à partir de a et b en remplaçant le mot souligné par un pronom.

1. a. Que faire pour lutter contre la solitude ?

b. La solitude touche les personnes âgées.

2. a. Nous répondons par des questions.

b. Il comprend ces questions. Il peut répondre à ces questions.

3. a. Pour eux, nous représentons un soutien.

b. Ils ont besoin de ce soutien.

4. a. J'ai une très bonne retraite.

b. Je peux compter sur cette retraite.

❷ 1. Reformulez en commençant par Voici.

... *la candidate – j'ai voté pour elle.*

➜ *Voici la candidate pour qui j'ai voté.*

➜ *Voici la candidate pour laquelle j'ai voté.*

a. ... le technicien – je travaille avec lui.

b. ... le musée – j'y ai passé trois heures.

c. ... l'employé – je me suis adressé(e) à lui.

d. ... le café – nous nous sommes rencontré(e)s à l'intérieur.

e. ... le chanteur – je te parle tout le temps de lui.

2. Comparez vos réponses avec celles d'un autre étudiant. Y a-t-il toujours deux solutions ?

• voir Pronoms relatifs p. 181.

DONT

• On utilise **dont** pour remplacer un complément introduit par **de**.

*C'est une histoire **dont** je me souviens.* (je me souviens de cette histoire)

• **Dont** peut être complément du verbe.

*Emmaüs est une communauté **dont** les membres récupèrent les vieux papiers, les chiffons.*
(les membres de la communauté)

• **Dont** peut être complément de nom.

• **Dont** vient immédiatement après le nom qu'il représente.

CE QUI, CE QUE, CE DONT, CE À QUOI

• Ces pronoms ne renvoient jamais à une personne.

	Fonction	Pronom relatif
*Tu sais **ce qui** s'est passé ?*	sujet	**ce qui**
*C'est **tout ce qu'**on souhaite.*	COD	**(tout) ce que**
*C'est **ce dont** je t'ai parlé.*	COI	**ce dont**
*C'est ce **à quoi** je pense.*	(**de/à**+ complément)	**ce à quoi**

• Le pronom relatif qui vient après **ce** dépend de la fonction du mot qu'il remplace.

---

❸ On ne vous croit pas ? Vous répétez et vous précisez.

– *Je connais tous les jeunes de ce village...*

– *Ce n'est pas possible !*

➜ *Si, c'est un village dont...*

1. – J'ai rencontré tous les membres de cette association. – Tu exagères.

2. – J'ai visité toutes les églises de cette ville.

– Ce n'est pas vrai !

3. – J'ai lu tous les romans de cet écrivain.

– Pas possible !

4. – Je ne connais pas les ingrédients de ce plat.

– Tu me racontes des histoires...

5. – Je ne comprends aucune des langues de ce pays. – N'exagère pas.

6. – J'ignorais l'existence de ce service.

– C'est toi qui m'en a parlé.

❹ Complétez avec *ce* suivi d'un pronom relatif.

1. … me plaît, c'est de voyager.

2. … je pense est très personnel.

3. J'ai oublié … il m'a parlé hier.

4. … tu dis n'est pas forcément vrai.

5. Tout … je fais est apprécié.

❺ À deux, pensez à un objet. Définissez-le en une ou deux phrases.
Dans chaque phrase il doit y avoir un pronom relatif : *c'est un objet qui… que… dont… avec lequel…* En cas d'hésitation, les autres participants peuvent poser des questions. À tour de rôle, vous présentez un objet. Expliquez ce qu'on fait avec, où on le trouve…

C'est un objet que je cherche souvent, dont j'ai besoin pour lire…

C'est un petit fruit jaune, vert ou rouge qui est délicieux sur les tartes ou qu'on utilise dans les confitures…

LES CONSTRUCTIONS VERBALES (1)

VERBES SUIVIS D'UN INFINITIF

• *voir Constructions verbales p. 186.*

• *voir Verbes suivis de que + proposition p. 99.*

*Je voudrais **rentrer** chez moi.*
*J'essaie **de le réconforter**.*
*Vous arrivez **à trouver** des logements.*

• Après certains verbes, l'infinitif est introduit par une préposition, généralement **à** ou **de**.

 Cet infinitif peut à son tour être suivi d'un infinitif.
*Il fallait continuer **à apporter** ce soutien.*
*On essaye de les aider **à trouver** des solutions.*

❻ Transformez les phrases comme dans l'exemple.

Donner un repas à tous. Vous y arrivez ?

➔ *Vous arrivez à donner un repas à tous ?*

1. Faire ce petit geste. Je n'ai pas pu.

2. Retrouver du travail. Il le voulait.

3. Travailler pendant le week-end. J'ai arrêté.

4. Faire de longues promenades. J'adore cela.

5. Trouver la solution. J'y suis arrivé.

6. Le réconforter. J'ai essayé.

7. Récupérer les vieux meubles. Ils en ont eu l'idée.

❼ Les formules suivantes sont tirées d'un programme pour les élections régionales. Expliquez en une phrase leur contenu. Si possible, utilisez des verbes ayant la même racine que les noms.

Ensemble pour le développement économique.

➔ *Ensemble, nous voulons développer économiquement notre région.*

1. Notre objectif fondamental : la création d'emplois.

2. Pour l'aide aux zones défavorisées.

3. La réduction des inégalités.

4. Contre l'exclusion.

5. Investissement dans la formation des jeunes.

6. Aménagement des villes.

7. Modernisation des transports.

8. Protection de la nature.

❶ **Une personne en difficulté écrit au service social de sa ville pour demander de l'aide. À deux, rédigez cette demande. Respectez le schéma suivant :**

1. Imaginez la situation de la personne et faites une fiche :

– situation de famille ;

– revenus, profession, chômage ;

– santé ;

– logement

…

2. Mettez-vous à la place de la personne et rédigez deux paragraphes de la demande :

– dans le premier paragraphe, vous décrivez vos difficultés et vous dites clairement ce que vous souhaitez comme aide ;

– dans le deuxième paragraphe vous vous présentez en donnant des détails utiles sur votre personne, votre formation, etc.

❷ **Comme réponse, le service social vous envoie un imprimé. À deux, complétez la réponse. Indiquez les buts de l'association, à qui elle s'adresse, comment elle fonctionne.**

Votre demande du : 15/11   date : le 19 novembre

    Madame, Monsieur,

    Notre service n'étant pas compétent dans votre cas, nous sommes désolés de ne pouvoir donner suite à votre demande.

    Nous vous recommandons de vous adresser à une association qui a l'expérience de ce type de problèmes.

    Nous pensons à ....
....
....
....

    Nous espérons que vous trouverez l'aide dont vous avez besoin et nous vous prions d'agréer, Madame, Monsieur, l'assurance de nos sentiments dévoués.

La transformation du square Jean-Jacques Rousseau a été décidée pour rendre la circulation automobile plus fluide à la hauteur du carrefour du boulevard Michelet et de la rue des Martyrs :
– élargissement de la rue des Martyrs ;
– création d'une surface gazonnée interdite au public à la place du square actuel après abattage des arbres pour garantir une bonne visibilité.

Durée des travaux : six semaines.

❸ Vous venez d'apprendre que le square Jean-Jacques Rousseau doit disparaître. Vous pensez aussitôt que les enfants n'auront plus de terrain de jeux ou que les personnes âgées vont perdre un endroit agréable où elles peuvent se retrouver.

1. À deux, vous préparez un petit texte dans lequel vous déclarez que vous êtes solidaire des enfants ou des personnes âgées.

2. Vous formez ensuite deux groupes, selon que vous avez pris la défense des enfants ou celle des personnes âgées. Dans chaque groupe, vous choisissez les meilleurs arguments.

3. Chaque groupe rédige ensuite un texte contre la transformation du square Jean-Jacques Rousseau pour la presse locale.

❶ L'association des parents d'élèves, dont vous faites partie, organise une tombola pour financer les classes de neige.
Vous vendez des billets dans votre quartier. Vous en proposez à vos voisins, aux commerçants, aux amis qui vous rendent visite... Préparez et jouez la scène à deux.

❷ Vous avez entendu dire que, dans les hôpitaux, de nombreux malades aimeraient qu'on leur fasse la lecture. Vous aimez lire à haute voix et vous décidez donc d'en faire profiter les patients.
Vous téléphonez à un hôpital pour proposer vos services. Préparez et jouez la scène à deux.

❸ Vous avez fait la lecture dans un hôpital. L'un de vos auditeurs, maintenant guéri, doit rentrer chez lui. Après votre dernière séance de lecture, il vous demande si vous seriez d'accord pour continuer à lui faire la lecture à domicile.
À deux, imaginez la scène, puis jouez-la.

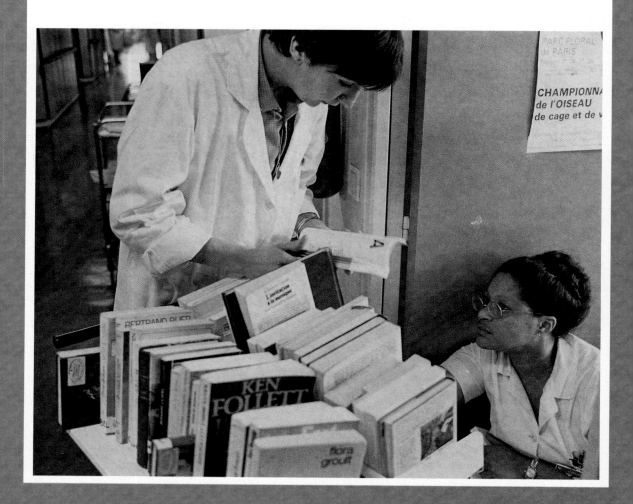

TRAVAILLER AVEC UN DICTIONNAIRE

AVANT D'UTILISER UN DICTIONNAIRE

• Dans *Café crème*, on vous recommande toujours de lire un texte que vous ne connaissez pas d'abord en entier, en une seule fois, même si vous ne comprenez pas un certain nombre de mots. Cette première lecture doit vous permettre de découvrir le type de texte dont il s'agit et son sujet. Le titre, une illustration éventuelle peuvent également vous aider.

• À la deuxième lecture, beaucoup de passages sont clairs grâce au contexte. Vous pouvez deviner le sens de certains mots parce que vous reconnaissez un nom ou un verbe de la même famille.

Vous êtes capable de distinguer les passages qu'il faut absolument comprendre et ceux qui sont moins importants ou pas importants du tout.

Pour bien comprendre le texte, il ne vous manque plus que le sens de quelques mots se trouvant dans les passages essentiels.

UTILISER UN DICTIONNAIRE

• Parcourez en entier l'article consacré au mot que vous cherchez. Ne prenez pas la première explication (dans un dictionnaire monolingue français) ou la première traduction (dans un dictionnaire bilingue). Choisissez en fonction du contexte.

Exemple : Dans le texte *Chacun doit faire ce qu'il peut* page 84, Moustique dit qu'il sait voler.

Vous connaissez le verbe *voler* : les oiseaux volent, un avion vole. Ça ne veut rien dire ici. Vous devez donc trouver un autre sens : « prendre quelque chose qui appartient à une autre personne ».

Pour vos fiches de vocabulaire, notez que *voler* a un complément d'objet dans le sens de *prendre*, et n'a pas de complément quand il signifie *se déplacer*. Dans les deux cas, le nom correspondant est *le vol*.

• Vous trouvez le mot que vous cherchez, mais l'explication que le dictionnaire vous donne ne correspond pas à votre texte.

Exemple : Dans le texte de Françoise Giroud, page 85, ligne 27 : *Si je pleure, c'est que ma copine m'a largué…* On largue les amarres d'un bateau, un avion largue des bombes.

Vous retenez l'idée de *lâcher*, *jeter* (le sens propre). Et avec la suite du texte, vous pouvez deviner le sens figuré : « ma copine m'a abandonné ».

• Certains mots marqués *pop.* (populaire), *fam.* (familier), *vulg.* (vulgaire), *arg.* (argotique) vous renvoient à des mots du français standard : *bagnole* vous renvoie à *automobile*, *taule* à *prison*, *resto* à *restaurant*, *engueuler* à *faire des reproches*… C'est la définition du mot en français standard que vous devez regarder.

• Vous ne trouvez pas le mot dans votre dictionnaire. Plusieurs cas peuvent se présenter :

– il s'agit d'une forme verbale : par exemple, *pu* est le participe passé de *pouvoir* et non une forme de *puer* ;

– essayez de retrouver un mot connu en retirant les suffixes et les préfixes éventuels : dans *désinformation* vous trouvez information et *dés-* qui signifie *le contraire de* ; dans *redécouverte* vous trouvez *découverte* et *re-* qui signifie *à nouveau* ; dans *redécoller*, vous trouvez *décoller* et *re* qui signifie *à nouveau* ; dans *décoller* vous trouvez *coller* et un *dé* qui signifie *le contraire de*…

– il s'agit d'un nom propre (par exemple *Internet*), d'un mot étranger ou d'un terme scientifique qu'on ne trouve pas dans les dictionnaires courants. Dans ce cas, vous n'avez pas besoin de connaître la signification exacte du mot pour comprendre le texte.

COMMENT VOUS ENTRAÎNER

Pour vous familiariser avec un dictionnaire, commencez par regarder des mots que vous connaissez : observez la construction des articles, apprenez à déchiffrer les indications de grammaire et d'utilisation, à comprendre les exemples, etc. Repérez les synonymes et les antonymes.

Vous découvrirez des emplois nouveaux pour des mots que vous connaissez déjà. Pensez à noter les plus utiles sur vos fiches de vocabulaire.

PAS D'ACCORD

Lettre à un voisin malheureux

Cher voisin,

J'ai bien reçu votre mot. Je reconnais que cette soirée était quelque peu bruyante et que j'aurais dû vous inviter, et je vous prie de m'en
5 excuser, mais j'avais cru comprendre que vous n'aimiez pas le rock'n roll. Quant à vos autres remarques, permettez-moi de vous trouver quelque peu, disons, pointilleux. Je reconnais bien volontiers qu'il est pénible d'être tiré de son premier sommeil par des bruits de pas. Néanmoins, comment pouvez-vous croire une seconde que je cherche délibérément à perturber votre repos ? À la suite de vos remarques précédentes, j'ai fait remplacer
10 tous les fers de mes semelles par des coussinets de caoutchouc. Vous me reprochez de ne pas utiliser de patins ou de charentaises, mais il faut quand même que je sois rentré dans mon appartement et que j'ai eu le temps de retirer mes chaussures. Ces temps-ci, les exigences de mon emploi du temps me conduisent à regagner le domicile vers 21 h 30-22 h, ce qui ne me semble pas une heure excessivement avancée, même si je conçois qu'elle corresponde au début de votre premier
15 sommeil. Mais encore une fois, ne voyez aucune intention malveillante dans mon attitude. J'ai étudié votre suggestion concernant la pose d'une moquette, bien que je sois allergique aux synthétiques. Malheureusement, le devis que j'ai fait établir dépasse mes moyens actuels, sauf à utiliser des matériaux bon marché qui risquent de redéclencher ma toux chronique. Je me permets de vous rappeler que cette toux vous avait également incommodé par le passé, et que la moquette nous ramè-
20 nerait donc à un problème ancien. Par ailleurs, j'ai fait placer un tapis sous ma table à tréteaux depuis que vous m'avez signalé que le bruit du clavier de ma machine à écrire retentissait de manière particulièrement sonore dans votre chambre à coucher. Cela dit, je confirme que je ne prends pas de bains pendant la nuit. Si vous êtes dérangé par des bruits de conduite d'eau, il faudrait peut-être vous adresser à la dame d'en face, vous savez, celle qui nous fait bénéficier des émanations de sa
25 friteuse tous les samedis que Dieu fait. De même, je décline toute responsabilité en ce qui concerne le vacarme que vous imputez au déplacement de meubles vers 2 heures du matin. Quelles que soient nos différences de choix de vie, j'ai l'habitude de déménager en plein jour. En conclusion, je comprends très bien que vous soyez agacé, après avoir fait poser deux faux plafonds en laine de verre, de ne toujours pas disposer d'un calme parfait. Sans vouloir me mêler de ce qui ne me regarde pas,
30 pourriez-vous admettre que la perfection n'est pas de ce monde ?

Avec mes meilleurs sentiments, votre voisin du dessus.

D'après M. de Pracontal, *Le Nouvel Observateur*, 11-17 déc. 1997.

❶ Lisez *la lettre à un voisin malheureux* **et faites la liste des remarques auxquelles répond son auteur.**

– *Vous avez organisé une soirée rock and roll très bruyante qui m'a empêché de dormir…*

❷ Relevez dans la lettre deux expressions qui indiquent que son auteur admet certaines remarques de son voisin et une expression qui montre qu'il n'accepte pas une critique.

❸ Comment faut-il comprendre la conclusion ?

L'autobus à frites,
un projet d'envergure nationale

J'ai fait des calculs ; j'avais déjà rêvé, quand j'étais avec Marise, de devenir le roi d'une chaîne de stands – pas seulement d'un autobus à frites sur le bord d'une route à l'île Perrot – mais d'avoir quinze, vingt autobus dans la province, un peu partout. C'est une question d'intelligence et d'organisation, j'étendrais mon royaume à pourcentage. Je veux dire : pourquoi est-ce que je ne serais pas capable de faire mar-
5 cher ça ? Je ne suis pas plus bête qu'un autre. J'ouvrirais une école, la première semaine, dans la cour, pour que tous mes concessionnaires sachent faire les mêmes bons hot dogs, les mêmes hamburgers juteux ; j'aurais des spéciaux, *Texas style*, avec des tomates et de la laitue, je n'aurais qu'à surveiller, circuler d'un stand à l'autre ; ça m'éviterait de penser à Marise, je ne verrais plus Jacques parce qu'il y a des limites à ne pas dépasser. Mais on s'écrirait. Je pourrais même engager des Français comme cuisiniers,
10 ils ont bonne réputation je pense. Jacques dit que les Français ne sont pas tellement vivables, parce qu'ils sont cartésiens. Ça n'est pas moi qui dis ça, c'est lui. Moi, je ne sais pas, j'en connais seulement *deux* Français de France, qui ont acheté des maisons ici, dans l'île, et quand ils viennent chercher au stand un « cornet » de frites, je leur vends un casseau de patates comme à tout le monde. C'est des drôles de gens, ils sont toujours pressés, faut que ça saute, ils sont faciles à insulter : il suffit de les regarder – du monde
15 nerveux ; ça doit être à cause de la guerre, nous autres on n'a pas connu ça, ce devait être terrible. (…) Ils sont difficiles, c'est vrai, mais ils parlent bien, il ont un accent qui *shine*[1] comme des salières de nickel. Ça se mettrait sur la table de Noël, un accent comme ça, entre deux chandeliers. Je pourrais avoir quatre ou cinq Français sur mes quinze locataires.

J'envisageais un projet d'envergure nationale, non mais, c'est vrai ! nous devons, nous Canadiens
20 français, reconquérir notre pays par l'économie ; c'est René Lévesque qui l'a dit. Alors pourquoi pas par le commerce des hot dogs ? *Business is business*. Il n'y a pas de sot métier, il n'y a que de sots clients. Je ne suis pas séparatiste, mais si je pouvais leur rentrer dans le corps aux Anglais, avec mes saucisses, ça me soulagerait d'autant.

D'après Jacques Godbout, *Salut Galarneau !*, Éd. du Seuil, 1967.

1. *Shine :* en anglais briller.

❶ **Lisez cet extrait de roman. Allez jusqu'au bout, même si vous ne comprenez pas certaines expressions.**

❸ **À deux, faites un rapide portrait des Français tels qu'on les décrit dans le texte. Qu'en pensez-vous ?**

❷ **En quelques phrases, dites quels sont les projets du personnage qui parle.**

Le télétravail

Travailler chez soi entre aspirateur et ordinateur

Mon entreprise ? Première porte à droite, après la cuisine. Secrétaire créatrice de logiciels ou attachée de presse, on travaille à domicile. Sur une autre planète. Où l'on peut se lever tard, jouer au tennis dans l'après-midi ou crever de solitude derrière ses dossiers. Et quand vie privée et professionnelle cohabitent dans 60 m^2 ? ça peut virer au vaudeville.

❶ Lisez le texte et relevez les expressions qui désignent le lieu de travail, les différentes professions.

❷ Répondez aux questions suivantes avant d'écouter l'enregistrement sur le télétravail.

1. Quels mots commençant par *télé-* connaissez-vous ?

2. Devinez ce que signifie le préfixe *télé-*.

3. Proposez un autre mot ou une définition pour *télétravail*.

❸ Écoutez l'enregistrement, puis dites quelle est la question posée.

❹ Réécoutez l'enregistrement et dites si les affirmations suivantes sont vraies ou fausses.

1. Il y a des gens à qui le télétravail convient.

2. Le télétravail est un atout pour les entreprises.

3. Le télétravail est une bonne chose partout.

4. Il suffit de remplacer les échanges professionnels par la téléconférence, le téléphone, le fax…

5. En informatique, le travail se dégrade toujours si on utilise le télétravail.

6. Il ne faut pas que plus de 20 % de l'équipe soit absente.

Une réclamation au téléphone

❶ Écoutez l'enregistrement une première fois en entier et répondez aux questions.

1. Quelle est la situation ?

2. Est-ce que la personne qui réclame obtient quelque chose ?

❷ Écoutez l'enregistrement une nouvelle fois et notez tout ce qui ne va pas dans la location de madame Cheverny.

❸ À deux, imaginez que l'agence Arc-en-ciel refuse de faire quelque chose pour aider madame Cheverny. Inventez une autre fin à la scène (à partir de : *Est-ce que je me suis bien fait comprendre ?*) et jouez-la. Pour vous aider, vous pouvez lire la transcription à la fin du livre.

LE FRANÇAIS OU LES FRANÇAIS ?

« **Pourquoi Belges et Suisses disent-ils septante au lieu de soixante-dix ?** »
Question posée par Liliane Gilles, de Montpellier.

Septante et soixante dix, nonante et quatre-vingt-dix sont apparus en France entre le XIIe et le XIIIe siècle. Mais le grammairien Claude Vaugelas (1585-1650), qui dirigeait les travaux de l'Académie française, condamne nonante et septante. Les élites suivent. Les francophones de Belgique, de Suisse et d'Acadie, et une partie de l'est de la France ont échappé à cette mode. D'ailleurs, en Belgique, l'expression « employer des mots à quatre-vingt-quinze » signifie « utiliser un vocabulaire prétentieux ».

D'après *Ça m'intéresse*, septembre 1997.

LE FRANÇAIS DU QUÉBEC

❶ **Dans le texte de la page 95, vous avez rencontré des mots du français parlé au Québec. Voici d'autres exemples. Comparez avec la définition que donne votre dictionnaire.**

1. Cabaret : plateau de service.
2. Charrue : chasse-neige.
3. Chavirer : se faire du souci.
4. Chaussette : pantoufle.

❷ **Si vous deviez formuler des conseils à votre baby-sitter au Québec, vous écririez dans un petit mot :**

1. Donner la bouteille au bébé.
2. Lui faire faire son rapport.
3. L'emmener se promener en carrosse.

Et en France ? Cherchez à deux, comparez ensuite avec la réponse ci-dessous.

3. L'emmener se promener dans son landau.
2. Lui faire faire son rot.
1. Donner le biberon au bébé.

LES EMPLOIS RÉGIONAUX

En France, selon la région, vous pouvez entendre des mots différents pour désigner la même chose : il y a des gens qui *touillent* la salade, d'autres qui la *brassent*, la *fatiguent* et d'autres qui tout simplement la *tournent*.
Observez la répartition de ces mots sur la carte de France.

La salade, la tournez-vous ou la touillez-vous ?

La carte ci-contre a été établie à partir d'une enquête auprès de personnes originaires des différentes régions.
Les mots en MAJUSCULES correspondent à un usage unique et constant de la personne interrogée, les mots en minuscules à un usage en concurrence avec d'autres mots.

Repérez les termes qui vous sont familiers .

Henriette Walter,
Le Français dans tous les sens,
Robert Laffont, 1988.

GRAMMAIRE

LE SUBJONCTIF (1)

❶ Complétez avec les verbes donnés entre parenthèses.

1. Il faut qu'ils (comprendre).

2. Je voudrais que tu (réussir).

3. J'aimerais que les réunions (être) plus courtes.

4. J'avais peur que tu (venir) en retard.

5. Nous souhaitons que vous (avoir) beau temps.

6. Nous proposons qu'on (aller) prendre un café.

7. Ils ont fait grève pour que le public (savoir) ce qu'il se passe.

8. Voilà 8 euros pour que tu (pouvoir) aller au cinéma.

POUR RÉCAPITULER

1. Comment se forme le subjonctif ?

2. Quand l'utilise-t-on ?

EMPLOI DU SUBJONCTIF

• voir *Emploi du subjonctif* p. 182.

On emploie le subjonctif au début d'une phrase :

• après **quel(le)(s) que**, **où que**, **qui que**, **quoi que**… :
Quelles que soient *nos différences de choix de vie, j'ai l'habitude de déménager en plein jour.*

• après **qu'** pour exprimer une alternative :
Qu'il fasse *beau, pas beau, il y a quand même des possibilités…*
Qu'il neige *ou* **qu'il vente**…

❷ Complétez avec un des mots suivants :
qui, quoi, quel, quelles, où, que.

1. … que soient vos opinions, nous devrons travailler ensemble.

2. … que vous soyez, n'oubliez pas de nous téléphoner tous les jours.

3. … ça vous plaise ou non, nous continuons.

4. … que vous rencontriez, ne vous attardez pas.

5. … que soit le résultat, il faudra continuer.

6. … que vous me disiez, je continuerai à faire comme avant.

CONJUGAISON : LE SUBJONCTIF PASSÉ

*Il faut quand même que je **sois entré** dans l'appartement et que **j'aie eu** le temps de retirer mes chaussures.*

• On utilise le subjonctif passé pour exprimer une action qui serait achevée avant une autre. En langue courante, on trouve aussi le subjonctif présent.

que j'**aie eu**	que je **sois entré(e)**
que tu **aies** oublié	que tu **sois** arrivé(e)
qu'il/elle **ait** téléphoné	qu'il/elle **soit** tombé(e)
que nous **ayons** fini	que nous **soyons** couché(e)s
que vous **ayez** perdu	que vous **soyez** venu(e)(s)
qu'ils/elles **aient** mangé	qu'ils/elles **soient** reçu(e)s

• On forme le subjonctif passé avec l'auxiliaire **avoir** ou **être** au subjonctif présent et le participe passé du verbe.

❸ Mettez les verbes entre parenthèses au subjonctif présent ou passé. Quand les deux temps sont possibles, dites s'il y a une différence.

1. Bien qu'ils (négocier), un accord n'a pas été signé.

2. Je voudrais qu'ils ne (faire) pas grève.

3. Ils partent avant que les négociations (commencer).

4. La réunion est terminée. Je crains qu'ils (ne pas réussir) à trouver un compromis.

5. Il fallait qu'ils (signer) avant 5 heures. Je me demande s'ils ont réussi.

LES CONSTRUCTIONS VERBALES (2)

VERBES SUIVIS DE QUE + PROPOSITION

*Je reconnais **que** cette soirée était bruyante et **que** j'aurais dû vous inviter.*
*Je confirme **que** je ne prends pas de bains pendant la nuit.*

• Certains verbes sont suivis d'une proposition à l'indicatif ou au conditionnel : **reconnaître, confirmer, expliquer, savoir, constater, espérer.**

*Je comprends très bien **que** vous **soyez** agacé…*

• D'autres verbes sont suivis d'une proposition au subjonctif : **aimer, attendre, comprendre, concevoir, regretter, vouloir, souhaiter.**

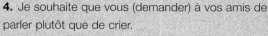

❹ Mettez les verbes entre parenthèses au subjonctif, au conditionnel ou à l'indicatif.

1. Je sais que vous n'(aimer) pas écrire mais je constate que vous ne (répondre toujours pas) à mes trois dernières lettres.

2. J'aimerais que vous (baisser) le son de la télévision après 22 heures.

3. Je ne comprends pas que vous (avoir) de la musique toute la nuit.

4. Je souhaite que vous (demander) à vos amis de parler plutôt que de crier.

5. Je regrette que vous (oublier) régulièrement d'arrêter l'eau de votre bain.

6. Je pense qu'avec un petit effort, nous (pouvoir) vivre mieux.

7. J'espère que vous (être) compréhensif.

LES PRONOMS (2)

IL(S), ELLE(S) OU CE ?

> • voir Pronoms personnels p. 180.

Ils sont faciles à comprendre.
Elle est attachée de presse.

• **il(s)/elle(s)** (personne) + verbe **être** + { adjectif
  nom de métier
  (sans article)

C'est le voisin du dessus. C'est Pierre.
Ce sont beaucoup de contraintes.

• **ce/c'** + verbe **être** + nom (avec article) ou nom propre

C'est très agréable.

• **ce/c'** (chose) + verbe **être** + adjectif

---

❺ Complétez avec les pronoms : *ce, c', ça, il(s), elle(s).*

… sont nos nouveaux voisins. … est un jeune couple très sympathique. … qui me dérange beaucoup, … est leur chien qui est très bruyant. Avant, … était une célibataire qui avait leur appartement. … était professeur de français au lycée. … était toujours prête à rendre un service. … est dommage qu'elle soit partie.

❻ Complétez par *ce, c'* ou *ça.*

1. Aujourd'hui, … est le début des soldes. … veut dire qu'il y a un monde fou dans les magasins.

2. Trouver le bon discours, … n'est pas facile. … m'a pris plusieurs semaines. … qu'il ne faut pas oublier, … est d'être drôle, … sert toujours.

CE, CELA OU ÇA ?

> • voir Pronom démonstratif p. 180.

Ça n'est pas moi qui dit *ça*, *c'est lui.*

• On utilise :
– ce ou c' (devant une voyelle) directement devant **est**, **sont** et **était** : *C'est vrai* ;
– **ce** devant un pronom relatif : *ce qui, ce que, ce dont…*

☞ On peut trouver **ce** ou **ça** :
– avec une autre forme du verbe **être** ou avec une négation :
Ce/ça serait bien. Ce/ça n'est pas mal.
– devant **devoir** suivi du verbe **être** :
Ce/ça doit être beau.

• On utilise **cela** ou **ça** (forme contractée) :
– devant une voyelle (mais pas devant **est** ou **était**) :
Ça a été difficile.
– devant les autres verbes :
Ça me soulagerait. Faut que ça saute !
Ça correspond à ce que j'aime.
Ça ne se raconte pas, ça se vit.
– comme complément :
Nous, on n'a pas connu ça. … un accent comme ça.
– comme pronom de mise en relief correspondant à **ce** :
Ça, c'est pour le travail en équipe.

> • voir Mise en relief p. 175.

3. J'ai vu ce film hier. Allez-y, … vaut le coup.

4. … fait cinq mois qu'il voyage. … est long.

5. … qui est le plus dur … est la solitude. Mais j'ai ma radio, … ne gêne personne. Le reste, … ne m'intéresse pas.

❶ Les articles sur les différentes formes de travail à domicile sont contradictoires. Vous souhaitez une meilleure information et vous préparez un questionnaire pour l'envoyer à la presse spécialisée et aux organismes compétents (agence pour l'emploi, chambres de commerce, etc.).

À deux, réfléchissez aux points vraiment importants (investissements, horaires, organisation…), puis rédigez un questionnaire d'une dizaine de questions.

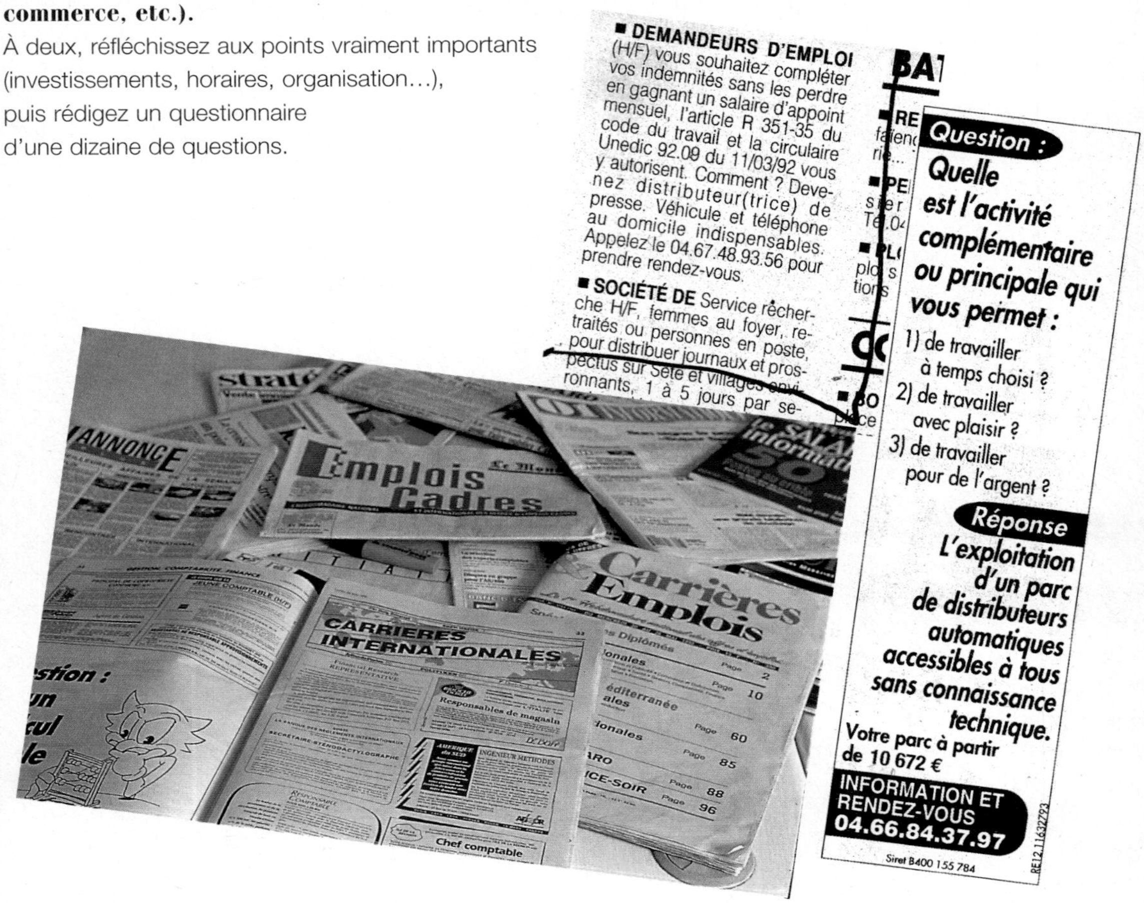

■ DEMANDEURS D'EMPLOI (H/F) vous souhaitez compléter vos indemnités sans les perdre en gagnant un salaire d'appoint mensuel, l'article R 351-35 du code du travail et la circulaire Unedic 92.09 du 11/03/92 vous y autorisent. Comment ? Devenez distributeur(trice) de presse. Véhicule et téléphone au domicile indispensables. Appelez le 04.67.48.93.56 pour prendre rendez-vous.
■ SOCIÉTÉ DE Service recherche H/F, femmes au foyer, retraités ou personnes en poste, pour distribuer journaux et prospectus sur Sète et villages environnants, 1 à 5 jours par se-
Question :
Quelle est l'activité complémentaire ou principale qui vous permet :
1) de travailler à temps choisi ?
2) de travailler avec plaisir ?
3) de travailler pour de l'argent ?
Réponse
L'exploitation d'un parc de distributeurs automatiques accessibles à tous sans connaissance technique.
Votre parc à partir de 10 672 €
INFORMATION ET RENDEZ-VOUS
04.66.84.37.97
Siret B400 155 784
RE12.11632723
Emplois Cadres
Carrières Emplois
CARRIERES INTERNATIONALES

❷ En découpant l'article ci-dessous dans un magazine, on a égaré sa partie centrale. Faites des hypothèses sur ce qui a été perdu. Essayez de le compléter avec deux ou trois phrases pour en faire un texte cohérent.

EMPLOI : *contacts en direct*

Rechercher un chef cuisinier, un ingénieur système ou un directeur commercial dans un journal d'annonces comme on cherche une voiture d'occasion, à priori, ça choque.

Neuf mois après le lancement, les sondages indiquent que 73 % des chercheurs ont été contactés en moyenne trois fois, surtout par des PME qui apprécient le côté pratique de la méthode. « Le prix de l'annonce n'est pas un problème, car l'envoi postal de CV est bien plus coûteux. C'est l'idée de se vendre qui continue d'être, semble-t-il, le plus gros obstacle », explique le fondateur du journal, Luis de Basquiat.

L'emploi en direct : 01 53 65 73 99

❸ **On a finalement retrouvé ces trois bouts d'article. Remettez-les dans le bon ordre.**

> Les candidats paient 55 euros pour une annonce qui passe trois mois.

> C'est pourtant en s'inspirant du style de *La Centrale des particuliers* que le mensuel *L'Emploi en direct* propose près de 5 000 CV de chercheurs d'emploi, regroupés en 315 métiers, qui permettent aux employeurs des contacts directs pour les entretiens d'embauche.

> Le journal est distribué gratuitement à 40 000 entreprises d'Ile-de-France.

❹ **Vous avez souvent demandé de la documentation en envoyant un coupon trouvé dans le journal ou écrit à différents organismes pour demander des renseignements. Malheureusement, de nombreuses fois on ne vous a pas répondu.**
Vous voulez vous plaindre de cette situation et atteindre le plus grand nombre de personnes possibles. Vous rédigez donc un message pour Internet.

À deux, rédigez le texte que vous voulez envoyer. Vous demandez également à ceux qui ont fait la même expérience de se mettre en rapport avec vous.

❶ Vous travaillez dans votre petit deux-pièces depuis six mois. Il y a des dossiers partout, même dans la cuisine et la salle de bains. Quand le téléphone sonne, vous ne savez jamais si c'est professionnel ou privé. Avant de tout abandonner, vous décidez de louer un bureau, assez grand mais pas trop cher. Vous téléphonez à une agence immobilière…

À deux, imaginez d'abord la situation. Préparez ensuite la conversation téléphonique avec l'agence, puis jouez la scène.

Pour organiser vos idées, vous pouvez faire deux fiches.

Sur la première vous notez les inconvénients de votre appartement pour votre travail, et sur la seconde les avantages que doit avoir votre futur bureau.

❷ On devait vous livrer votre nouveau fauteuil de bureau avant 15 heures. Il est 16 heures 30 et vous n'avez toujours rien reçu.
Vous téléphonez au service des réclamations du magasin de meubles :

1. vous rappelez la garantie de livraison sous 48 heures ;

2. vous expliquez que vous allez perdre de l'argent parce que vous ne pouvez pas travailler ;

3. vous demandez donc…

À deux, imaginez la scène et jouez-la.

❸ Vous venez de raccrocher. On sonne. C'est le livreur qui vous apporte le fauteuil de bureau que vous aviez commandé. Qu'allez-vous faire, l'accepter ou le refuser ? À deux, imaginez la scène et jouez-la.

MAÎTRISER SON VOCABULAIRE

RÉVISER ET ENRICHIR SON VOCABULAIRE

• Si vous travaillez avec un fichier de vocabulaire, vérifiez vos connaissances.

Mettez à part les fiches des mots que vous avez oubliés. Quelques semaines plus tard, testez le vocabulaire qui vous posait problème. Ne gardez à nouveau que les fiches des mots que vous n'arrivez toujours pas à retenir, et ainsi de suite, jusqu'à ce qu'il ne vous reste plus de fiches. Recommencez alors à zéro.

• Vous connaissez des règles de formation des mots. Prenez l'habitude d'apprendre les mots d'une même famille.

Pouvoir	→ possible	→ la possibilité.
Ne pas pouvoir	→ impossible	→ l'impossibilité.
Le pouvoir	→ le contre-pouvoir.	

■ Inventez des jeux à deux.

1. Trouvez la famille d'un mot en un temps donné. Par exemple :

verbes	adjectifs	noms
traduire	traduisible, intraduisible	la traduction, le traducteur, la traductrice
vendre	vendable, invendable	la vente, la mévente, le vendeur, la vendeuse

2. Choisissez un mot et faites un réseau d'au moins dix ou quinze mots en un temps donné, par exemple avec le mot *travail*.

3. Choisissez une situation (une réclamation, une demande d'information…) et trouvez dix expressions utiles en un temps donné.

S'ENTRAÎNER À UTILISER SON VOCABULAIRE

Apprendre la signification de mots et d'expressions n'est qu'une partie de l'apprentissage du vocabulaire. Il faut savoir l'utiliser correctement en situation.

Il suffit d'un peu d'imagination pour en faire un passe-temps agréable.

• Regardez les gens que vous rencontrez en allant à votre cours de français ou dans les transports en commun. Supposez qu'ils sont français et imaginez ce qu'ils se disent ou ce qu'ils pensent, inventez-leur une nouvelle personnalité. Vous vous dites mentalement :

Le monsieur qui est assis à côté de la fenêtre a l'air bien fatigué. Il a travaillé toute la nuit pour…

Ce jeune homme a l'air bien content. Il est sûrement amoureux ou bien il a gagné au loto ou il a trouvé un travail qui lui plaît…

• Vous pouvez également vous inventer une nouvelle vie :

Je suis en retard ce matin. Il faut que j'invente une bonne excuse pour mon chef. Qu'est-ce que je vais bien pouvoir lui raconter ? Ça y est, j'ai trouvé. Je…

• Vous pouvez aussi imaginer une scène de réclamation dont vous êtes l'acteur principal.

En inventant ces scènes et leurs dialogues ou en commentant votre propre vie, vous allez peut-être constater qu'il vous manque une expression ou que vous ne savez pas bien en utiliser une autre.

Consultez un dictionnaire ou votre manuel, demandez conseil à votre professeur de français.

ET AUSSI… Vous pouvez toujours travailler à deux et inventer des situations que vous jouerez ensemble. Analysez ensuite ce qui a bien marché et ce qui n'a pas bien fonctionné.

REVENDICATIONS

Nul ne doit être inquiété pour ses opinions, même religieuses, pourvu que leur manifestation ne trouble pas l'ordre public établi par la loi.

Article 10 de la Déclaration des droits de l'homme et du citoyen du 26 août 1789.

Tout homme peut défendre ses droits et ses intérêts par l'action syndicale et adhérer au syndicat de son choix.
Le droit de grève s'exerce dans le cadre des lois qui le réglementent.

Préambule de la Constitution du 27 octobre 1946.

Sont soumis à l'obligation d'une déclaration préalable tous cortèges, défilés et rassemblement de personnes et, d'une façon générale, toutes manifestations sur la voie publique.

Article 1 du décret-loi du 23 octobre 1935.

Pour sûr

Pour sûr j'en aurai
marre
sans même attendre
qu'elles prennent
les choses
l'allure
d'un camembert bien fait

Alors
je vous mettrai les pieds dans le plat
ou bien tout simplement
la main au collet
et tout ce qui m'emmerde en gros caractère
colonisation
civilisation
assimilation
et la suite

en attendant
vous m'entendrez souvent
claquer la porte.

Léon Gontran Damas, *Pigments*, Présence africaine,1972.

❶ Lisez les textes (1). De quel genre de textes s'agit-il ?

❷ Lisez les paraphrases suivantes et comparez avec le texte original.

1. Tout le monde peut exprimer librement ses opinions à condition de respecter la loi.

2. Toute personne peut devenir membre d'un syndicat pour défendre ses droits et ses intérêts. Quand on fait grève, il faut respecter certaines règles définies par la loi.

3. Il faut obligatoirement prévenir avant d'organiser une manifestation dans la rue.

❸ Lisez le poème de Léon Gontran Damas (2) et retrouvez l'expression familière qui signifie *j'en aurai assez.*

❹ Que signifient les expressions suivantes ?

1. *Mettre les pieds dans le plat* :

a. parler d'une question délicate sans précautions ;

b. tomber ; **c.** ne pas regarder où on marche.

2. *Mettre la main au collet* :

a. se faire prendre ; **b.** arrêter quelqu'un ;

c. toucher le col d'une chemise.

3. *Ce qui m'emmerde* :

a. ce que je ne comprends pas ; **b.** ce qui me salit ;

c. ce qui ne me plaît pas.

4. *Claquer la porte* :

a. faire du bruit ; **b.** ne pas faire attention ;

c. partir en montrant qu'on est mécontent.

❺ Contre qui ou contre quoi ce poème a-t-il été écrit ?

❶ **Lisez l'article de journal (3), puis répondez aux questions.**

1. Quelle est la situation au péage de l'autoroute A7, à Lyon ?

2. Qui pose la question entre guillemets (*L'année dernière…*) ?

3. À qui la question s'adresse-t-elle ?

❷ **Imaginez que vous travaillez en France : vous êtes bloqué au péage de l'autoroute A7 et vous téléphonez à vos collègues. Vous leur parlez de l'incident rapporté dans l'article (*Soudain, un camion…*).**
À deux, racontez ce qui s'est passé et donnez votre avis sur la situation.

DANS LA RUE …
POUR MANIFESTER

« *Si nous on ne passe pas, toi non plus !* »

Éric téléphone de Lyon…
On a bloqué
l'autoroute A7.
Ça fait une file de camions de 15 kilomètres…

Plus de 200 poids lourds sont maintenant au point mort des deux côtés du péage. Parmi eux, des Italiens, des Irlandais, des Néerlandais, des Flamands, des Allemands, des Espagnols. « L'année dernière, ce que vous aviez obtenu, les patrons vous l'ont finalement accordé ? » Réponses en majorité négatives… Soudain, un camion veut forcer le barrage… Des hommes se placent devant les roues. Les Italiens s'en mêlent. « Si nous on passe pas, toi non plus ! »

Libération, 4 novembre 1997.

monsieur,

❶ **Observez ces dessins. Décrivez les deux personnages en les comparant.**

❷ **Quel personnage exprime ses opinions avec le plus d'assurance ?**

❸ **Relevez comment chaque personnage reprend l'argument de l'autre pour s'y opposer.**

❹ **Est-ce que les personnages changent d'opinion au cours de leur discussion ?**

❺ **Quels sont, pour vous, les deux mots clés du texte ? Comparez avec les autres étudiants. Justifiez votre choix.**

JOUR FÉRIÉ

FAIT DE TRAVAIL

1 Le muguet

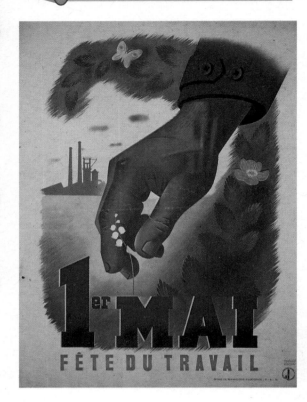

1er MAI
FÊTE DU TRAVAIL

LILLY OF THE VALLEY

❶ Écoutez l'enregistrement, puis répondez aux questions.

1. Comment Stefan fait-il pour voyager sans avoir beaucoup d'argent ?

2. Comment a-t-il gagné de l'argent en France ?

❷ Réécoutez l'enregistrement et dites si les affirmations suivantes sont vraies ou fausses.

1. Il faut payer un impôt sur la vente du muguet.

2. On ne paie rien à la ville pour avoir le droit de vendre du muguet.

3. Avant, les vendeurs de muguet le cueillaient dans les bois de Chaville ou de Meudon.

4. Aujourd'hui, ils le font pousser dans des serres.

5. Les horticulteurs font pousser le muguet, le cueillent, le trient, le préparent et le livrent pour le premier Mai.

LE MUGUET DANS LES SOUS-BOIS

UN BRIN DE MUGUET

2 Mai 1968 est loin

❶ Regardez les deux photographies, puis écoutez l'enregistrement. Quelle est la situation ?

❷ Écoutez l'enregistrement une deuxième fois en prenant des notes. À deux, répondez aux questions suivantes en comparant vos notes.

1. Comment les Français vivent-ils entre 1968 et la fin des années 80 ?

2. D'après le texte, est-ce que les Français vivent mieux ou moins bien aujourd'hui ?

3. Quelles professions descendent aujourd'hui dans la rue pour manifester ?

4. Qu'est-ce que la pression de la rue aide à obtenir ?

5. Quel enseignement peut-on aujourd'hui encore tirer de 1968 ?

VOCABULAIRE

FORMATION DES MOTS

• Adjectif + suffixe **-(i)té**
Utile ➜ *util**ité**.*
Facile ➜ *facil**ité**.*
Rapide ➜ *rapid**ité**.*
Simple ➜ *simplic**ité**.*
Divers ➜ *divers**ité**.*
Curieux, curieuse ➜ *curios**ité**.*

• Adjectif + suffixe **-able**
Admirer ➜ *admir**able***   (quelque chose qu'on
peut/doit admirer).
Critiquer ➜ *critiqu**able***   (quelque chose qu'on
peut/doit critiquer).
Les adjectifs en **-able** se forment généralement
sur la première personne du pluriel du présent.
*Faire, nous **fais**ons* ➜ *fais**able**.*
*Saisir, nous **saisiss**ons* ➜ *saisiss**able**.*
Les adjectifs en **-able** de sens négatif sont
également fréquents. Ils se forment avec les
préfixes **-in/im**.
*In**saisiss**able (qu'on ne peut pas saisir).*

❶ **Trouvez cinq autres noms qui se forment
avec le suffixe *-(i)té*.**

❷ **Trouvez les verbes correspondant aux
adjectifs suivants.**

1. Supportable.
2. Acceptable.
3. Discutable.
4. Utilisable.
5. Concevable.
6. Remarquable.
7. Louable.
8. Inoubliable.
9. Inqualifiable.

❸ **Le français populaire, familier ou relâché,
qu'est-ce que c'est ? À deux, faites la liste des
mots du français parlé que vous connaissez.**

LE FRANÇAIS POPULAIRE

Tout nouveau compagnon se doit d'« arroser ça » :
c'est à lui de rincer[1]. On lève le coude, on s'en jette
un derrière la cravate, on se rince la dalle, on écluse
une tasse, on s'humecte le gosier, on prend un pot,
on s'enfile un canon, on picole, on siffle, on tête[2].

F. Caradec, *N'ayons pas peur des mots*,
dictionnaire du français argotique et populaire,
Larousse, 1988.

À la bonne vôtre !

1. Offrir à boire.
2. Tous ces verbes et ces locutions sont synonymes de *boire*.

❹ **Quels mots populaires synonymes de *manger*
et *s'ennuyer* connaissez-vous ? Cherchez-les à
deux.**

❺ **Lisez le texte suivant. Cherchez ensuite dans
votre dictionnaire les mots populaires..**
1. Relevez comment ces mots sont classés.
2. Quels sont ceux que vous n'utiliseriez pas
dans un devoir écrit ?

Un peu de tenue, Charles-Henri !

« Vous ne direz pas : *Ce bouquin me fait roupiller*,
mais : *Ce livre m'endort*.
– Pourquoi ?
– Parce que ça fait plus chic.
– Pourquoi ?
– Parce que la bonne société a décidé que ça fait
plus distingué.
– Pourquoi ?
– Parce que *bouquin*, *roupiller*, ça fait vulgaire.
– La raison, selon vous ?…
– Parce que ce sont des mots populaires.
– Qu'est-ce qui les rend ainsi ?
– Le fait que le peuple les emploie. (…) On les
appelle des mots populaires.
– Ça ne peut pas être aussi bête !
– Eh si !
– Il doit bien y avoir d'autres raisons ?
– Eh non !… Dans les dictionnaires on met *Pop*
devant ces mots-là. Le mot *bouquin* par exemple
date du xvıᵉ siècle. Il vient du néerlandais *boeckijin*,
« petit livre », parce qu'à l'époque les imprimeries
flamandes étaient très actives. Il est de la même
famille que l'anglais *book* et l'allemand *Buch*.
– Tiens !
– *Roupiller* date de la même époque. Un certain
comte de Caylus a même écrit plus tard : « Je vais
chercher à roupiller un somme dans le jardin à la
belle étoile. »
– Mais alors ?
– Alors dans les rédactions et dans les examens il
faut continuer à écrire : « Ce livre m'endort. »
– Pourquoi ?
– Parce que les professeurs le veulent. »

C. Duneton, J.-P. Pagliano, *Antimanuel du français*,
Éd. du Seuil.

◆ ARTICLE DÉFINI OU INDÉFINI ?

❶ Retrouvez le singulier. Donnez l'article défini puis l'article indéfini.

1. Les yeux.
2. Les journaux.
3. Les problèmes. *un*
4. Les autoroutes. *une*
5. Les patrons.
6. Les patronnes.
7. Les hommes.
8. Les choses.
9. Les difficultés.
10. Les solutions. *la*
11. Les choses.
12. Les années.

• *voir Déterminants (articles) p. 170.*

EMPLOI DES ARTICLES DÉFINIS ET INDÉFINIS

Lire

• *voir les déterminants p. 169.*

• On utilise **le**, **la** ou **les** pour renvoyer à :
– une expérience qu'on partage :
le barrage, des deux côtés du péage ;
– une information qui n'est pas nouvelle :
devant les roues (= du camion),
les Italiens (= dont on a parlé) ;
– un nom spécifié par un adjectif, un complément de nom, une relative… :
la situation économique, l'année dernière, l'autoroute A7,
le muguet du 1er Mai, les jeunes qui manifestent ;
– quelque chose d'unique :
la France, le Premier ministre, la lune.

• On utilise aussi **le**, **la** ou **les** pour généraliser :
le progrès, l'économie, la femme, les médecins et les infirmières, les Français.

• On utilise **un**, **une** ou **des** pour introduire quelque chose de nouveau :
Un camion veut forcer le barrage.
(on n'en a pas encore parlé)

• On utilise aussi **un**, **une** ou **des** pour renvoyer à un ou plusieurs éléments d'un groupe :
des Italiens, des ouvriers, j'ouvrirai une école.

On met généralement l'article (et non l'adjectif possessif) devant un nom renvoyant à une partie du corps quand le possesseur est sujet de la phrase.
Je mettrai les pieds dans le plat.
Je ne mets pas le nez dehors.

• *voir Possession p. 178.*

---

❷ Retrouvez le maximum d'expressions à partir des groupes ci-dessous.

• *voir Accord du participe passé p. 127.*

1. *Elle s'est cassé*
2. J'ai
3. Il s'est coupé
4. Il se met
5. Elle se fait couper
6. Elle s'est fait mal
7. Elle s'est lavé
8. Il a
9. Tu as mal

a. les yeux bleus
b. au doigt
c. les mains dans les poches
d. *le bras*
e. les mains
f. les cheveux
g. le nez bouché
h. à la tête
i. un ongle

---

❸ Complétez ce bulletin météo avec des articles définis ou indéfinis.

La neige arrive. Couvrez-vous bien car *le* thermomètre va descendre au dessous de zéro. *Le* verglas est à craindre *le* matin sur *les* routes. *Un* vent très froid va s'abattre sur toute *la* partie nord-est de *la* France tandis que sur *la* côte Atlantique, il y aura encore *des* orages. On nous annonce *une* tempête sur *la* Manche et *la* mer du Nord pour demain.

GRAMMAIRE

LE SUBJONCTIF (2)

EMPLOI DU SUBJONCTIF DANS UNE RELATIVE

• voir *Subjonctif* p. 182.
• voir *Emploi du subjonctif* p. 182.

L*e seul* langage que *je connaisse*…
C'est **le meilleur** film que *j'aie* jamais **vu**.
Je ne connais **personne** qui **puisse** m'aider.

• Le subjonctif s'utilise dans une proposition relative généralement précédée de :
– **le seul, le dernier, le premier** ;
– un superlatif : **le plus/moins…** ;
– **personne, rien**.

 Après **quelqu'un, personne, rien** ou un nom précédé d'un article indéfini, on trouve :
– l'indicatif pour exprimer une certitude :
*Je cherche un garage qui n'**est** pas loin de la gare.* (= je sais qu'il y en a un)
– le conditionnel pour exprimer une incertitude :
*Je cherche un garage qui ne **serait** pas loin de la gare.* (= il y en a peut-être un)
– le subjonctif pour exprimer le doute ou l'improbable :
*Je cherche un garage qui ne **soit** pas loin de la gare.* (= je doute qu'il y en ait un)

4 **Répondez aux questions. Pour cela, complétez les phrases.**
Ils n'ont pas d'autre explication à proposer ?
→ *C'est la seule explication qu'ils aient à proposer.*

1. Il n'y a pas d'autres personnes pour nous recevoir ?
C'est … qui (pouvoir)… *LE SEUL QUI PUISSE*
2. Il n'y a pas d'autres trains, plus tard ?
C'est le dernier train qui (aller)… *AILLE*
3. Il n'y a pas d'autres rendez-vous, plus tôt ?
C'est le … rendez-vous qui (être possible)… *SEUL* *SOIT*
4. Il n'y a pas d'autres modèles, moins chers ?
C'est le modèle le… qu'il y (avoir)… *AIT*
5. Il n'y a pas de tailles plus grandes ?
C'est… que j' (avoir dans cette couleur). *LE SEUL AIS*

5 **Lisez chaque phrase et déterminez le degré de certitude de la personne qui parle :**
sûr – pas très sûr – pas sûr du tout.
1. Il n'y a rien qui pouvait me faire plus plaisir. *2*
2. Y a-t-il quelque chose qui te ferait plaisir ? *2*
3. Y a-t-il quelqu'un qui puisse prendre ta place ? *3*
4. Il n'y a personne qui pourrait m'aider ? *2*
5. Y a-t-il une personne qui soit volontaire ? *3*
6. Est-ce qu'il y a quelqu'un qui a l'heure ? *1*
7. Est-ce qu'il y a quelqu'un qui aurait l'heure exacte ? *2*

EXPRIMER LA CONDITION

CONJONCTIONS

• voir *Conjonction* p. 169.
• voir *Concordance* p.168.

*Nul ne doit être inquiété pour ses opinions, **pourvu que** leur manifestation ne trouble pas l'ordre public.*
(= si leur manifestation ne trouble pas l'ordre public)
*Tout le monde peut exprimer librement ses opinions **à condition de** respecter l'ordre public.*
(= à condition qu'on respecte l'ordre public)

• Pour exprimer une condition on peut utiliser :
– **pourvu que** + subjonctif ;
– **si** (ou **s'** devant **il**) + indicatif (présent, imparfait ou plus-que-parfait) ;
– **à condition de** + infinitif ;
– **à condition que** + subjonctif.

6 **Vous cherchez un travail en France pour l'été. On vous fait des suggestions.**
Vous êtes difficile ou plus assez jeune et vous posez des conditions…
Vous pourriez faire les vendanges – à condition que…
→ *Oui, c'est une idée mais à condition que ça ne soit pas mal payé.*

1. Tu pourrais partir comme au pair dans une famille – si…
2. J'ai un ami hôtelier qui cherche un aide cuisinier. Ça t'intéresserait ? – pourvu que…
3. Tu pourrais faire un stage à l'office du tourisme et accueillir les touristes étrangers – à condition de…
4. Vous pourriez organiser un atelier pour les enfants – si…

❶ L'ascenseur de votre immeuble tombe souvent en panne, pourtant vous devez payer des charges importantes pour son entretien. Vous écrivez au syndic de l'immeuble que vous ne payerez plus vos charges tant que l'ascenseur ne fonctionnera pas normalement.

❷ Vos voisins d'à côté font trop de bruit, ceux du dessus jouent du piano au milieu de la nuit, la concierge n'est pas aimable, etc. Vous écrivez à des amis pour leur expliquer, avec humour, votre situation et leur demander de vous aider à trouver un nouvel appartement. Écrivez ce petit texte à deux, puis lisez-le aux autres étudiants.

J'en ai marre : toutes les nuits, c'est la même chose...

❸ Remettez les différents points de cette pétition dans le bon ordre.

PÉTITION

CONTRE LA FERMETURE
DU CENTRE SPORTS ET LOISIRS
DE SAINT-PIERRE

En effet, c'est le seul lieu de rencontre dans un rayon de dix kilomètres.

Le centre fermé, les jeunes se retrouveront à la rue. Que feront-ils livrés à eux-mêmes ? N'est-ce pas encourager la délinquance ?

Le club des anciens n'est pas assez riche pour financer des réunions dans une salle de conférence. Fermer le centre, c'est condamner les plus démunis à la solitude !

Il permet aux jeunes de se retrouver pour faire du sport, de la photo ou tout simplement pour discuter.

Les anciens peuvent également s'y rencontrer deux fois par semaine pour jouer aux cartes, regarder des vidéos ou préparer leurs sorties.

Les soussignés, habitants de Saint-Pierre et des communes voisines demandent que le conseil municipal revienne sur sa décision de fermer le centre Sports et Loisirs à la fin de l'année.

C'est pourquoi il faut conserver le centre Sports et Loisirs, le seul lieu de rencontre accessible à tous, pour que notre région reste bien vivante !

nom, prénom	adresse	commune	signature

❹ Vous avez des amis à Saint-Pierre. Vous écrivez au conseil municipal pour soutenir la pétition. Vous savez qu'on veut fermer le centre parce qu'il coûte trop cher : gardien, électricité, eau, chauffage, entretien…

Vous pensez que non seulement la fermeture est une très mauvaise mesure sociale, mais vous pensez aussi que c'est un mauvais calcul : le centre, même fermé, continue à coûter de l'argent, les jeunes dans la rue et les personnes âgées isolées coûtent aussi cher à la communauté…

De plus, on pourrait peut-être demander une participation aux frais…

À deux, rédigez l'argumentation que vous voulez envoyer au conseil municipal.

1. Faites d'abord une liste des arguments.

2. Réfléchissez à la meilleure manière de les présenter pour convaincre :

J'ai entendu dire que/On dit que…

Je sais que…mais…

J'ai la conviction que/Je suis convaincu que…

Il est certain que/Il est vrai que… cependant…

Il serait préférable…

Dans l'intérêt de…

Je ne sais pas si…

❺ Dans l'entreprise où vous travaillez, la direction a fait retirer la machine à café qui se trouvait dans le couloir parce que l'endroit était devenu trop bruyant. Vous n'êtes pas d'accord avec cette décision et vous décidez de rédiger une pétition que vous ferez signer à vos collègues. À deux, rédigez le texte de la pétition pour demander que l'on remette la machine à café dans le couloir.

❶ SOS-covoiturage est un service d'entraide qui met des voyageurs et des automobilistes en relation pour un trajet défini.
Aujourd'hui, à cause d'une très forte pollution atmosphérique, seules les voitures ayant un numéro impair peuvent circuler.

1. Votre voiture a un numéro impair.

Vous téléphonez à SOS-covoiturage pour proposer vos services. Vous habitez à Chambourcy, dans la banlieue ouest, et vous travaillez dans le centre de Paris, à côté de la tour Montparnasse. Vous partez de chez vous à 7 heures.

À deux, imaginez la conversation téléphonique puis jouez-la

2. Votre voiture a un numéro pair et vous habitez Saint-Germain, à côté du château.

SOS-covoiturage vous a donné le numéro de téléphone de l'automobiliste habitant Chambourcy. Vous l'appelez pour vous mettre d'accord sur l'heure, le lieu de rendez-vous, le trajet du soir, etc. À deux, imaginez la scène, puis jouez-la.

❷ Vous voyagez en France en voiture de location. À 150 kilomètres de votre but, vous tombez sur un barrage routier. Vous vous adressez à l'un des responsables du barrage pour lui demander de vous laisser passer.
À deux, imaginez la situation. Cherchez des arguments convaincants, formulez-les, puis jouez la scène.

1. Faites deux listes d'arguments :

a. Le voyageur

– étranger/grève française ;
– droit de circuler librement ;
– rendez-vous d'affaires ;
– parent malade ;
– aller à l'aéroport pour rentrer dans son pays ;
– donner de l'argent pour soutenir les grévistes…

b. Les routiers

– seul moyen de se faire entendre ;
– encore plus efficace si des étrangers se plaignent ;
– ne pas vouloir gêner les étrangers qui n'y sont pour rien ;
– difficile de faire des exceptions…

2. Choisissez votre type de formulation.

Demande polie :
Pourriez-vous … ? Est-ce qu'il est/Serait-il possible de…?

Explications :
Il faut absolument que…;
il est impossible de/que…
Exigences fermes :
Laissez-moi… ; je vous ordonne de…

3. Avant de jouer la scène, pensez aux gestes qui peuvent vous aider à vous exprimer.

DIFFÉRENCIER LES REGISTRES DE LANGUE

RECONNAÎTRE LES DIFFÉRENTS REGISTRES

Le texte de Claude Duneton p. 107 vous a montré qu'il fallait se méfier de certaines expressions.

• En fait, il faut distinguer différents registres de langue :

– le style soutenu ou français littéraire (les dictionnaires indiquent *litt.*), qui est avant tout une langue écrite. Le vocabulaire y est plus recherché, plus nuancé qu'en français standard. Les phrases sont plus longues et plus complexes. On trouve aussi des formes grammaticales que la langue de tous les jours n'emploie plus : le passé simple, l'imparfait du subjonctif, etc. Quand on entend parler dans ce registre (dans un discours, par exemple), on a souvent l'impression que la langue manque de naturel.

– la langue courante (c'est-à-dire le français standard que vous apprenez essentiellement sous sa forme écrite),

– le français familier : la langue courante se trouve plus ou moins modifiée quand elle est parlée. C'est très sensible au niveau du vocabulaire et les dictionnaires indiquent normalement le registre : *fam.* (familier), *pop.* (populaire), *vulg.* (vulgaire) et *arg.* (argotique). Mais les différences ne s'arrêtent pas là : par exemple, dans la langue familière, le *ne* de la négation, le *il* dans *il y a* et *il faut* ne sont souvent pas prononcés. À l'inverse, certains mots comme *que* et *y* peuvent faire leur apparition.

Companer :

Faut qu'on te trouve une piaule pour c'te nuit. Y a qu'à demander au syndicat d'initiative !

Il faut qu'on vous trouve une chambre pour la nuit. Il n'y a qu'à demander au syndicat d'initiative !

• Sauf exception, il est recommandé aux non-francophones de se limiter au français standard, qui est toujours correct et que tout le monde comprend. On tombe facilement dans le ridicule en employant une langue littéraire et les expressions vulgaires peuvent choquer.

Cependant, il faut pouvoir comprendre ces différents registres, surtout celui du français familier qu'on entend de plus en plus à la radio et à la télévision.

• Pensez à mentionner le registre sur vos fiches quand vous notez des mots ou des expressions n'appartenant pas au français standard.

UTILISER LES DIFFÉRENTS REGISTRES

• Si un étranger doit se méfier des registres extrêmes, il faut cependant qu'il sache adapter son français et son comportement aux différentes situations qu'il rencontre.

Vous devrez par exemple savoir choisir :

– entre *tu* et *vous* pour vous adresser à quelqu'un ;

– entre *bonjour* et *salut* pour saluer quelqu'un ;

– entre *Madame/Monsieur*, le nom de famille ou le prénom pour vous adresser à quelqu'un ;

– le ton à adopter pour vous adresser à une personne âgée ou à une personne plus jeune.

– le ton à adopter pour s'adresser à une femme ou à un homme.

• Il est difficile de s'exercer à ce genre de distinction, mais vous pouvez observer ce qui se passe autour de vous :

– Comment est-ce que votre professeur s'adresse à vous ?

– Est-ce qu'il s'adresse de la même manière à tous les étudiants ? etc…

– Comment est-ce que les francophones que vous connaissez communiquent entre eux ? avec vous ? avec les autres étudiants ? etc.

• Habituez-vous à faire la différence entre des expressions signifiant la même chose mais appartenant à des registres différents.

Essayez de les tester avec des gens que vous connaissez bien, avant de les utiliser en situation.

DELF *Unité 12*

OBJECTIF

• Évaluer une capacité à lire des textes simples et à écrire des lettres de la vie courante.

Oral : 15 minutes (30 minutes de préparation)
• Présenter et commenter un document écrit.

Écrit : deux fois 45 minutes
• Commentaire d'un document écrit simple.
• Rédaction d'une lettre formelle.

A3 ORAL Commenter un document écrit

CONSEIL

Préparez la présentation de ces documents et de leur contenu à l'aide du questionnaire suivant :
– De quel genre de document s'agit-il ?
– À qui s'adresse-t-il ?
– Où peut-on le lire ?
– Quel est son sujet principal ? Reformulez les informations essentielles.
– Donnez votre opinion personnelle sur le sujet.

Texte 1

Il vit pour l'art

« Je n'agis pas pour l'argent, alors les gens ne me comprennent pas. » Alain, 38 ans, est chauffeur de taxi depuis vingt ans. Toutes les nuits, il parcourt les rues de Paris mais, le jour, il expose de jeunes artistes de banlieue dans sa galerie, une boutique sur la nationale 20 où, il y a de nombreuses années, il était vendeur. « Je rêvais d'un commerce où il y ait de la vie. J'ai vu des tableaux très chers dormir dans les galeries. Je me suis dit que j'allais aider les jeunes peintres. Il faut bien qu'ils puissent commencer un jour ou l'autre, non ! »
Il arpente les cités, le Marché de l'art contemporain à la Bastille, découvre et fait connaître de jeunes artistes en accueillant leurs travaux dans sa boutique. « Je les aide pour le plaisir. Et je me retrouve dans leurs œuvres pleines d'émotions. Vous savez, les gens ont besoin de vérité. On ne laisse pas assez parler les jeunes. À Bagneux, les gens hésitent à pousser la porte de la galerie Arts des cités. Ils ont l'impression que l'art n'est pas pour eux. Quel dommage ! S'ils entraient, ils seraient touchés », soupire Alain. Ce mois-ci, une galerie parisienne ouvre ses portes aux peintres d'Alain.

D'après La Vie.

Texte 2

Les jardins, paradis de culture

Le jardin est une image idéalisée du monde, qui porte le témoignage d'une culture, d'un style, et d'une époque. L'art des jardins est universel. Le jardinage impose à la nature imprévisible un certain ordre. C'est le point commun entre le parc du château de Versailles et un jardin japonais. Il est un miroir révélateur de la société qui l'a imaginé.
En Grèce, le climat chaud et le manque d'eau ne sont guère favorables au jardinage mais c'est un lieu sauvage, naturel qui est le refuge des divinités. En Égypte, les jardins mêlent l'agrément et l'utilitaire (vin, fruits, légumes …). En Espagne, on aménage des jardins d'agrément à partir du VIIIe siècle. En Italie, le jardin est un lieu de fête, de réunions d'amis. Les artistes italiens fournissent l'inspiration des futurs « jardins à la française » où l'architecture prime sur la nature. Jugé trop artificiel, le style français cède la place vers la fin du XVIIIe siècle au parc paysager dit « à l'anglaise ». Les amoureux de la poésie et de la peinture abandonnent la ligne droite.

D'après Le Courrier de l'Unesco, 1997.

A3 ÉCRIT 1 Analyser des contenus

❶ Lisez ces huit textes et dites dans quelle rubrique ils s'inscrivent :
Théâtre – Cinéma – Photo – Télévision
– Essai – Exposition – Jeux – Guide – Disques

1. Il y a vingt ans, en 1978, un pétrolier déversait 200 000 tonnes de pétrole brut sur les côtes bretonnes. Qui est responsable ? Le journaliste Patrick Benquet, coauteur du livre *Pétroliers de la honte, la loi du silence*, nous livre un reportage sur la Cinquième : images de monstres de 300 mètres de long transportant jusqu'à 300 000 tonnes de pétrole et interviews de professionnels déclinant leur responsabilité.

2. Devenir un pro des échecs à huit ans, c'est possible. Grâce à un manuel concocté par le grand Anatoli Karpov, six fois champion du monde. Dans cet ouvrage d'apprentissage simple, on trouve un énoncé des règles.

3. Les vaches de France se souviendront longtemps de lui. Thierry les a observées pendant trois ans, pour les photographier. Images de chemins et prés, à l'heure du laitier, quand la campagne doucement s'éveille. Il y a des regards furieux, des faces réjouies, et des postures mystérieuses.

4. Un chef d'orchestre roumain avait autorisé qu'on enregistre ses concerts à condition qu'on n'en fasse rien. Après sa mort, son fils a décidé de passer outre et d'autoriser leur publication.

5. Du mime, de la chorégraphie et du… rire. Tout est visuel et bâti sur la gestuelle. On dénonce les mesquineries de notre quotidien étriqué. Tout cela est très drôle, malgré quelques gags un peu longs. Les quatre comédiens sont épatants.

6. Cent cinquante pièces sélectionnées pour évoquer les correspondances existant entre les arts de la mode et le thème des jardins

7. Tels deux explorateurs à l'œil aiguisé, deux jeunes auteurs se sont volontairement perdus dans les recoins méconnus de la capitale. Ils vous feront plonger dans le charme d'un Paris inattendu.

8. Un très joli petit livre fait des mille et un instants du quotidien. L'émerveillement d'un monde ordinaire.

❷ **1. Soulignez les mots ou expressions qui vous ont permis de répondre à l'exercice 1.**
2. Cherchez la signification de ces mots et expressions s'ils vous sont inconnus.

❸ **Parmi les huit textes cités, relevez les numéros de :**
1. ceux qui présentent des ouvrages pratiques ;
2. ceux qui font une critique.

❹ **Notez les critiques positives et les critiques négatives.**

❺ **Quels ouvrages achèteriez-vous ou quels spectacles voudriez-vous voir ?**
Dites pourquoi en 60 mots.

A3 ÉCRIT 2 Rédiger une lettre formelle

POUR VOUS AIDER

J'ai lu votre annonce à propos d'une offre de…
J'ai vu affiche au sujet de l'inscription à…
J'ai reçu votre lettre concernant
         – la proposition de…
         – un nouveau métier….
Je désire obtenir quelques précisions supplémentaires sur…
Je voudrais vous demander des informations sur les points suivants…
Auriez-vous l'amabilité de me donner des renseignements concernant…

Texte 1

INFOS MÉTIERS

Un nouveau métier :
cadre du tourisme ou forfaitiste !
Le forfaitiste conçoit des produits touristiques pour un tour-opérateur. Il peut aussi gérer le planning d'un grand hôtel.
Adressez-vous à la mairie de votre ville.

❶ **Vous êtes intéressé(e) par cette nouvelle profession et vous écrivez à la mairie de votre ville pour demander des informations sur les points suivants :**
niveau d'études ; formation ; salaire ; produits touristiques ; congé annuel ; qualités demandées.
Vous ajoutez une question de votre choix.
(160 mots.)

Texte 2

Réalisez votre rêve

Vous aimez rêver, vous avez beaucoup d'idées, mais faute de moyens financiers vous ne pouvez pas les réaliser.
Vous êtes un petit groupe d'amis, vous avez un projet que vous voulez absolument réaliser ? Envoyez-le vite !
Nous offrons dix bourses aux dix projets sélectionnés.
Aventures de rêve, 25, rue de Madrid.

❷ **Vous avez lu cette annonce dans un magazine. Vous écrivez pour :**
demander de préciser l'âge, les conditions particulières, les thèmes des projets, le montant de la bourse, la date limite pour la réponse.
Vous ajouterez une question de votre choix.
(160 mots minimum.)

MILOU EN MAI

PIERRE-ALAIN : Je vous présente Gilbert Grimaldi qui a eu la gentillesse de faire un détour pour me déposer. On meurt de faim.

CAMILLE : Je m'en occupe.

Milou entraîne Pierre-Alain vers la biblio-thèque.

MILOU : Viens voir maman…

Lily s'approche de Grimaldi.

LILY : Vous arrivez de Paris ?

GRIMALDI : M'en parlez pas, les Halles[1] sont fermées. Je portais des tomates d'Espagne, j'ai dû faire demi-tour. Après, je me suis trouvé coincé dans une manif place Denfert[2]. Ils voulaient mettre le feu à mon camion. (…) Je me suis tiré vite fait. (…)

LILY : Vous ne faites pas grève, monsieur ?

GRIMALDI : Manquerait plus que ça. (…)

Serrés autour de la table de la cuisine, tous mangent les écrevisses pêchées par Milou, à la lueur des bougies, écoutant Pierre-Alain qui parle avec flamme.

PIERRE-ALAIN : Mais c'est ça qui est bien ! Justement ! Le fait qu'ils ne réclament rien ! Rien de précis !

GEORGES : Ce n'est pas le cas des ouvriers !

PIERRE-ALAIN : Mais, papa, je te parle des étudiants ! Tout est parti d'eux ! Et qu'est-ce qu'ils disent ? C'est très simple. Ils disent : on en a assez du fric, assez du profit, assez du pouvoir des pays riches, assez de la consommation, assez d'épuiser la Terre, et ils disent : Arrêtons-nous ! Ça ne mène à rien, c'est absurde ! On est comme les rats qu'on entraîne vers la rivière au son de la flûte ! Et on va se noyer ! C'est sûr ! Alors arrêtons-nous !

GEORGES : Mais arrêtons-nous pour quoi faire ?

PIERRE-ALAIN : Pour parler ! Pour réfléchir ! Pour essayer d'imaginer autre chose !

CLAIRE : Pas la peine de dresser des barricades pour ça ! Ni de peinturlurer les statues !

PIERRE-ALAIN : Vous êtes loin de Paris, tout vous paraît forcément grossi, déformé, vous ne vous rendez absolument pas compte de ce qui se passe, justement parce que ça ne ressemble à rien ! À rien ! C'est entièrement nouveau ! Les gens parlent ! Comme ça, sans concertation, c'est complètement spontané !

GEORGES : Spontané, mais avec des comités partout, des bureaux, des groupuscules, des maoïstes, des situa-tionnistes, des qui veulent ceci, des…

PIERRE-ALAIN : Mais c'est normal qu'on s'organise ! Et c'est normal que la bourgeoisie résiste ! Il faut toujours faire le bonheur des gens malgré eux, c'est bien connu !

CAMILLE : Excuse-moi, mais le mois dernier, je ne me sentais pas malheureuse !

Elle suce une patte d'écrevisse avec délectation, ajoutant pour Pierre-Alain :

CAMILLE : Et les plaisirs de la terre, ça se mérite.

PIERRE-ALAIN : Si vous voyiez Paris en ce moment ! On ne travaille plus, il n'y a plus de voitures, il fait un temps magnifique, tout le monde s'embrasse, les gens partagent ce qu'ils ont, on sent le désir, la joie, c'est comme une grande fête…

GRIMALDI : Et les tas d'ordures dans les rues ? Qui va les enlever ?

PIERRE-ALAIN : Mais c'est rien, ça ! C'est un détail ! Ce qui compte, c'est que les gens sont ensemble, pour une fois ! Ensemble !

LILY : Vous êtes gaulliste, monsieur Grimaldi ?

GRIMALDI : Moi ? Non, mais ça va pas ?… Moi, je suis grimaldiste ! Je l'ai toujours été !

PIERRE-ALAIN : Vous êtes comme la plupart des gens, vous êtes aveugles ! Vous aimez l'idée que le monde est bien fait, mais c'est faux ! Il est injuste, le monde, il est brutal, il est dégueulasse, et à cause de gens comme vous !

Louis Malle, Jean-Claude Carrière, *Milou en mai*, Gallimard, 1990.

1. Les Halles : grand marché qui était au centre de Paris. Il a maintenant été remplacé par Rungis, dans la banlieue nord de Paris.
2. Place Denfert : Denfert-Rochereau, dans le sud de Paris.

MILOU EN MAI

Réalisateur : Louis Malle, 1990

Acteurs principaux : Michel Piccoli, Miou-Miou…

Genre : comédie dramatique

L'action se passe en mai 1968, dans une maison, à la campagne.

Scénario : Milou habite à la campagne avec sa mère. Celle-ci meurt d'une crise cardiaque au début du film. Ses enfants et petits-enfants se retrouvent comme ils avaient l'habitude de le faire tous les étés mais, cette fois-ci, pendant trois jours pour l'enterrement. Le film se termine avec leur départ. Nous observons leur comportement les uns par rapport aux autres, leurs sentiments par rapport à la morte, leurs réactions aux événements de Mai 1968, présents tout au long du film. Nous assistons aussi au partage des biens entre les héritiers.

Personnages :

Madame Vieuzac, la mère de Milou qui meurt au début du film.

Milou, le personnage principal très attaché à sa mère et à son cadre de vie.

Camille, la fille de Milou, son mari et leurs enfants.

Georges, l'autre fils, journaliste et sa femme *Lily*.

Pierre-Alain, le fils de Georges, les rejoint avec un routier, *Grimaldi*, qui l'a pris en auto-stop dans son poids-lourd. Pierre-Alain participe aux manifestations d'étudiants à Paris.

Claire, la petite-fille de la morte. Ses parents sont morts dans un accident de voiture quand elle avait huit ans. Elle est antiquaire.

STRATÉGIES DE LECTURE

▶ **1** Lisez rapidement les documents écrits. Allez jusqu'au bout sans vous arrêter, même s'il y a quelque chose que vous ne comprenez pas. De quels types de textes s'agit-il ?

▶ **2** Relisez le dialogue en vous reportant à la filmographie si c'est nécessaire. Répondez à deux :

1. a. Dans quels lieux se déroule la scène ?

b. À quel moment de la journée ?

2. a. En quelle année ? **b.** En quel mois ?

c. Que se passe-t-il à cette époque en France ?

3. a. Quels personnages s'opposent ?

b. Quels groupes d'individus ? **c.** À quel sujet ?

▶ **3** Lisez le dialogue une troisième fois. Puis à deux, dites quel personnage vous préférez. Justifiez votre réponse.

TOP ⏱ **CHRONO !**

Quelle est la première équipe qui trouvera, dans le dialogue, les mots ou expressions de langue familière ou populaire qui correspondent aux mots suivants ?

◆ **1.** Bloqué.

◆ **2.** Je suis parti.

◆ **3.** Il n'en est pas question.

◆ **4.** De l'argent.

◆ **5.** Peindre.

◆ **6.** Il est épouvantable.

STRATÉGIES D'ÉCOUTE 📼

▶ **1** Écoutez l'enregistrement en entier, même s'il y a des mots que vous ne comprenez pas.

a. Qui parle ? **b.** Où ? **c.** De quoi s'agit-il ? **d.** À quelle époque sommes-nous ?

▶ **2** Réécoutez l'enregistrement et répondez à deux. Que se passe-t-il partout en France ?

▶ **3** Réécoutez l'enregistrement et, à deux, notez toutes les informations que vous avez entendues. Comparez vos notes à celles des autres étudiants.

▶ **4** Dites ce que les Français attendent.

◆ Quels chiffres avez-vous entendus ?

◆ Combien d'hommes politiques sont nommés ?

Institutions

La France, un État fortement centralisé...

On entend souvent dire que la France est l'un des pays les plus centralisés d'Europe, sinon du monde. En effet, depuis Philippe Auguste (roi de France de 1180 à 1223), qui renforce considérablement le pouvoir monarchique, la France a connu un pouvoir et une administration de plus en plus centralisés. Il convient de retenir le nom de Jean-Baptiste Colbert (1619-1683), l'un des plus grands ministres de Louis XIV, qui uniformise et rationalise la législation française selon les principes de la centralisation monarchique. Il crée des manufactures d'État et favorise le commerce et l'industrie en prenant des mesures protectionnistes.

En créant les départements, la Révolution de 1789 met en place le découpage administratif que nous connaissons aujourd'hui. Plus que jamais c'est dans la capitale que tous les

Colbert présente à Louis XIV les membres de l'Académie Royale des Sciences en 1667 (carton de tapisserie pour la manufacture des Gobelins).

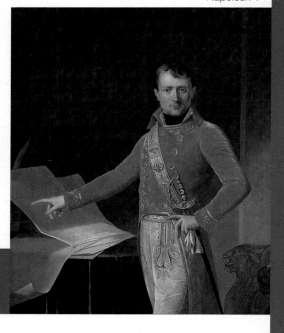

Napoléon 1er

pouvoirs se concentrent, c'est dans le sens d'une centralisation encore plus forte que Napoléon Ier réorganise l'administration française. Pendant tout le XIXe siècle et la plus grande partie du XXe siècle, la situation reste pratiquement inchangée à cause de réformes décentralisatrices trop peu ambitieuses.

...qui a trouvé un nouvel équilibre grâce à la régionalisation

Le partage inégal des pouvoirs en France a été souvent ressenti comme quelque chose d'antidémocratique. De plus, le poids de Paris pour toutes les décisions importantes était un frein pour le développement du pays. La loi du 5 juillet 1972 crée les régions, puis la loi du 2 mars 1982 sur la décentralisation règle « les droits et libertés et répartition des compétences des communes, des départements et des régions » en leur donnant une large autonomie.

La région est désormais une collectivité territoriale, avec son propre budget , compétente pour le développement économique, social et culturel, la formation professionnelle et l'apprentissage, l'enseignement secondaire (lycées), l'aménagement du territoire et l'environnement.

Le conseil régional, élu pour six ans, élit son président qui est l'organe exécutif de la région. Le conseil régional consulte le conseil économique et social régional, qui compte des représentants des domaines économique, social, familial, professionnel, culturel, sportif, etc.

Le département (compétent pour le développement rural, l'aide sociale, l'enseignement en collèges) et la commune (collectivité de proximité compétente pour l'urbanisme, le logement, la circulation, l'enseignement primaire, l'état civil…) fonctionnent selon des principes comparables à ceux de la région.

Les institutions de la Ve république

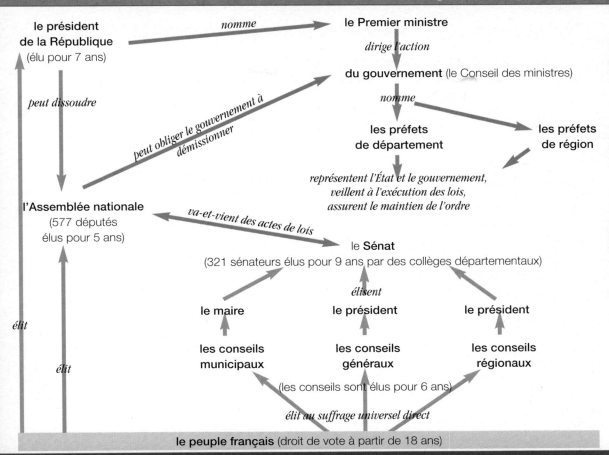

le président
de la République
(élu pour 7 ans)

nomme → le Premier ministre

dirige l'action

du gouvernement (le Conseil des ministres)

nomme

les préfets
de département

les préfets
de région

*représentent l'État et le gouvernement,
veillent à l'exécution des lois,
assurent le maintien de l'ordre*

peut dissoudre

peut obliger le gouvernement à démissionner

l'Assemblée nationale
(577 députés
élus pour 5 ans)

va-et-vient des actes de lois

le Sénat
(321 sénateurs élus pour 9 ans par des collèges départementaux)

élisent

le maire

le président

le président

les conseils
municipaux

les conseils
généraux

les conseils
régionaux

(les conseils sont élus pour 6 ans)

élit au suffrage universel direct

élit

élit

le peuple français (droit de vote à partir de 18 ans)

Quelques particularités françaises

● Le « présidentialisme »
à la française. Une
comparaison des
démocraties occidentales montre
que le président français a le mandat le plus long
(sept ans renouvelables) et qu'il est l'un de ceux à
avoir le plus de pouvoirs. Il peut dissoudre
l'Assemblée nationale et, dans certaines conditions,
consulter le peuple directement par référendum. En
cas de crise grave (guerre, révolution, menace
terroriste, etc.) mettant l'État en danger, il prend la
place des autres pouvoirs publics pour assurer le
retour à la vie normale de l'État.

● Le mode d'élection des députés. Les députés ne
sont pas élus au scrutin proportionnel, mais selon le
scrutin uninominal à deux tours. Au premier tour,
pour être élu, il faut qu'un candidat obtienne la
majorité absolue. Sinon, il y a un second tour, une
semaine plus tard : c'est alors le candidat qui a le
plus de voix qui est élu.

● La cohabitation. Comme le président de la
République et les députés ne sont pas élus pour le
même nombre d'années, il est possible que
l'opposition gagne les élections et qu'elle soit alors
majoritaire à l'Assemblée nationale. Dans ce cas, le
président de la République doit nommer un Premier
ministre appartenant à la nouvelle majorité (c'est-à-
dire l'ancienne opposition) et « cohabiter » avec lui.

▶ **1. *a.*** À quand remonte la centralisation de
l'administration en France ?
b. Cette centralisation dépend-elle de la forme
de gouvernement ?

▶ **2.** Pourquoi peut-on dire que la régionalisation est
une bonne chose pour la France d'aujourd'hui ?

▶ **3.** On parle souvent de *régime présidentiel* pour la
France. Dans quelle mesure est-ce justifié ?

▶ **4.** Expliquez ce qu'on entend par *cohabitation*.
Dans quelle mesure une cohabitation affaiblit-elle
le pouvoir du président de la République ?

▶ **5.** Observez le schéma représentant les principales
institutions de la Ve République.
a. Trouvez-vous que le système est équilibré ?
b. Que pensez-vous du fait que le président de la
République soit élu au suffrage universel ?

Élections municipales

VOTRE JOURNAL VA DEVOIR RENDRE COMPTE DE LA CAMPAGNE FAITE PAR TROIS CANDIDATS À LA FONCTION DE MAIRE DE VOTRE COMMUNE.

L'enjeu est important et des débats contradictoires seront organisés sur la chaîne de télévision régionale.

DÉCISIONS

❶ À la suite d'un débat, par tirage au sort ou sur la base du volontariat, déterminez quelles seront les personnes intervenant dans la simulation comme :

1. journalistes du *Petit Café crème* ;

2. journalistes de la télévision ;

3. lecteurs et téléspectateurs ;

4. candidats et suppléants.

Donnez-leur une identité et faites leur portrait.

Vous pouvez également utiliser les fiches d'identité établies lors de la première simulation p. 44.

❷ Choisissez trois candidats et constituez un groupe de suppléants autour de chacun. Établissez une plate-forme politique à partir d'une liste de propositions que vous aurez élaborées.

Il faut… dire, dénoncer, faire, agir, remédier, changer, interdire, produire, empêcher, améliorer, supprimer…

Le maire sortant aura été tiré au sort parmi les trois candidats.

Vous pouvez vous aider de cette matrice.

Citoyennes, citoyens

1. Vous connaissez tous (ma/mon/mes/sa/son/ses)
   a. programme, convictions, idées
   b. caractère, tempérament
   c. passé, mes actes
2. Vous savez tous à quel point je tiens, je suis…
3. Si je suis élu, je prends l'engagement, ici-même, ce soir devant l'assemblée présente de tout faire pour que désormais… Si je suis élu, vous…
4. Ne vous laissez pas abuser par les candidats Pères Noël…
5. Il ne faut pas… il faut (3 fois)
6. Quand vous voterez, quand vous glisserez votre bulletin dans l'urne, en votre âme et conscience pensez, n'oubliez pas SVP…
7. Slogan

ÉCRITS ET JEUX DE RÔLES

❶ Chaque groupe se donne un nom de parti, confectionne des affiches avec des slogans, compose un programme, des tracts, des discours, des chansons.

❷ Chaque candidat, assisté ou non de son suppléant, se rend à des débats télévisés, prend la parole dans les meetings, répond à des questions, etc.

Pensez à la manière dont la vie se passe dans la commune sur le plan économique, culturel (et de la communication), commercial, social, technique, individuel et psychologique, contextuel (conditions de l'environnement naturel, géographique, etc.). Dans son discours, chaque candidat mettra en opposition l'état actuel des choses dans la commune et les propositions faites : avantages, inconvénients – causes, conséquences, objectifs, moyens – forces, faiblesses.

❸ Les journalistes du *Petit Café crème* rendent compte de la campagne par des reportages sur des aspects particuliers de la vie dans la commune, rédigent des questionnaires, enquêtes, entretiens, chroniques, billets.

❹ Les journalistes de la télévision préparent l'animation des débats, rédigent des questions, des fiches synthétisant des données, etc.

❺ Les lecteurs écrivent des lettres, les téléspectateurs interviennent en direct sur le plateau par téléphone.

❻ On peut organiser une série de trois meetings, un vote à deux tours, puis la simulation de la tenue d'un premier conseil municipal avec le discours d'investiture du nouveau maire et les premières mesures annoncées.

Partie 4
VIVRE SA VIE

POUR OU CONTRE

INTERVIEW SÉBASTIEN DARBON *
Rugby-football : les deux France

LE POINT : *Pourquoi le rugby est-il davantage implanté dans le Sud-Ouest que partout ailleurs en France ?*

Sébastien Darbon : C'est un véritable mystère !
5   Cela étant, on peut avancer quelques hypothèses. Comme le football, le rugby est venu de Grande-Bretagne, il est arrivé au Havre en 1871.
10 On l'a pratiqué à Paris, à Bordeaux, et dans toute la France. Mais, au bout d'une quinzaine d'années, il a commencé à régresser
15 dans le Nord et a continué de se développer dans le sud du pays, surtout autour de Bordeaux et de Pau, une région où les
20 Anglais séjournaient fré-quemment, soit pour leurs affaires (commerce du vin), soit en villégiature, dans le Béarn ou à Biarritz.
    La présence de ces Anglais, c'est la première rai-
25 son. Ensuite, on peut avancer – prudemment – une raison religieuse. À cette époque, le rugby n'a pas les faveurs de l'Église, qui voit là un sport de voyous, charnel et dangereux, et qui essaie plutôt d'encourager le football. Mais, dans un Midi déchris-
30 tianisé, son influence est moindre que dans le nord et l'ouest de la France.

Le rugby dans un midi déchristianisé.

LE POINT : *Est-ce que le rugby s'accorde mieux que le football au caractère méridional ?*

S. Darbon : C'est probable. Si 90 % des clubs de rugby se trouvent sous une ligne Limoges/Grenoble, 35 c'est qu'il y a là une forme de sociabilité faite de promenades en plein air, de visites chez les uns et chez les autres… Le rugby est un sport violent, mais 40 c'est un sport vraiment collectif où le comporte-ment de chacun se doit d'être solidaire. (…) En cela, le football est 45 complètement différent, c'est un sport d'individus qui jouent collectivement.

LE POINT : *En dehors du Sud-Ouest, y a-t-il en 50 France d'autres régions passionnées de rugby ?*

S. Darbon : Le Languedoc, le pays catalan ou encore Toulon, Nice et Grenoble, qui font figure de bastions isolés. Il y a aussi beaucoup de clubs en Ile-de- 55 France, animés par des gens originaires du Sud-Ouest et aussi – c'est une bizarrerie intéressante – en Alsace. Seule similitude avec le Sud-Ouest : là-bas aussi, on cuisine à la graisse d'oie ! ■

PROPOS RECUEILLIS PAR MYLÈNE SULTAN
Le Point, 9 août 1997, n° 1299.
* *Sébastien Darbon a publié un essai sur le rugby.*

❶ **Lisez l'interview. Dites de quoi il s'agit en une seule phrase.**

❷ **Retrouvez dans le texte trois hypothèses qui expliquent pourquoi on joue plus au rugby dans certaines régions de France que dans d'autres.**

❸ **Relevez dans quels termes le rugby est jugé :**
1. par l'Église, au XIXe siècle ;
2. aujourd'hui.

❹ **Comment considérez-vous le rugby ? Formulez votre appréciation à deux.**

❺ **L'article traite-t-il le rugby et le football de la même manière ?**
Permet-il de considérer qu'il y a une France du rugby et une France du football ?
Proposez un nouveau titre correspondant mieux au contenu de l'article.

LES FILLES, ON N'ATTEND PLUS QUE VOUS !

« J'ai fait ma campagne toute seule. »

JOCELYNE GERMOND

45 ANS. SURVEILLANTE-CHEF À L'HÔPITAL DE RAMBOUILLET. ÉLUE CONSEILLÈRE MUNICIPALE DE GAS (EURE-ET-LOIR) EN 1977, MAIRE ADJOINT DEPUIS 1983.
ELLE S'EST FAIT CONNAÎTRE EN FAISANT DU PORTE-À-PORTE ET N'HÉSITE PAS À METTRE LES PIEDS DANS LE PLAT QUAND IL LE FAUT.

« Quand je suis arrivée dans ma petite commune de Gas, mes amis m'ont lancé : "Ce serait bien qu'il y ait une femme au conseil." Je me suit dit, tiens, c'est vrai, pourquoi pas !
5 J'étais jeune, j'avais du tempérament – j'en ai toujours –, j'ai décidé de faire ma campagne toute seule. J'ai acheté le guide des communes, je l'ai potassé. Et j'ai écrit une lettre ouverte à la population. Plutôt que de la mettre dans les boîtes aux
10 lettres, je l'ai distribuée moi-même, en plein jour, en frappant aux portes. J'avais beau être mariée à un enfant du pays, personne ne me connaissait. C'était une bonne occasion pour me présenter. J'ai eu droit à tout, aux gens très contents qu'une
15 femme se présente, aux autres qui m'ont dit "Foutez le camp ou je lâche mon chien", aux femmes en retrait qui baissaient la tête et ne disaient rien. Le jour des élections arrive, je n'y croyais pas, surtout que plusieurs listes étaient en
20 compétition. Je me suis retrouvée en ballottage avec le maire et un conseiller sortant. Le maire est venu me voir entre les deux tours et m'a dit : "Si c'est un pari, il faut arrêter tout de suite, ne continuez pas." Je ne me suis pas laissée intimider, au
25 contraire, je lui ai répondu : "Écoutez, je suis désolée, mais puisque la population m'a fait autant confiance qu'à vous, je continue…" J'ai été élue avec le maire sortant et avec le plus grand nombre de voix. (…) Pour mon premier mandat, comme
30 j'étais mère de famille et que je travaillais dans le social, j'ai accepté ce secteur-là. (…) Mais à mon deuxième mandat, je suis devenue maire adjointe. En plus de l'école, des fêtes et de l'aide sociale, je suis entrée au syndicat des eaux et à celui des
35 rivières et maintenant je fais aussi partie de la commission des travaux. Alors depuis, j'ai plusieurs vies, mon mari, mes enfants, ma maison, mon travail, au début je travaillais la nuit… Cela ne m'a pas empêché de progresser dans ma
40 carrière puisque je suis devenue surveillante-chef à l'hôpital. (…)
À cette époque, il m'était arrivé un jour aux oreilles qu'un de mes collègues du conseil m'avait traitée de gamine. À la réunion d'après, je me suis
45 permis de lui faire remarquer que j'avais autant le droit que lui de m'exprimer (…). Vous savez, je ne suis pas une tendre et j'ai l'habitude de dire ce que j'ai sur le cœur. Il ne faut pas avoir peur de s'identifier comme un être à part entière. Mais pour ça, il
50 faut avoir vraiment envie d'y aller, de faire des choses. Chez nous, par exemple, notre village était coupé en deux : le vieux village d'un côté, avec les anciens, et le nouveau, sorti de terre avec une soixantaine de maisons et une population venant
55 de la région parisienne, pas intégrée. On a travaillé à l'unification de ces deux populations et j'ai souvent fait figure de médiateur entre les différentes instances politiques du conseil. Ma fille cadette me reproche de ne pas être assez présente, (…) de ne
60 pas être là quand elle rentre et de repartir quand elle est là… C'est vrai que ma vie familiale est un peu réduite mais je crois qu'il faut le faire qu'il faut y aller. Elle me fait des reproches mais, au fond, elle est fière et elle a attrapé le virus. En
65 sixième, elle a voulu se présenter déléguée de classe… Je l'ai mise en garde : "Il faudra que tu aies la force de caractère de défendre tes camarades devant les professeurs…" Elle a (…) été élue. Depuis quatre ans maintenant, elle est déléguée de
70 classe. »

Élisabeth Weissman,
Les filles, on n'attend plus que vous !,
Textuel, 1995.

❶ **Dans ce texte, Jocelyne Germond dit d'elle-même qu'elle a du tempérament.**
Trouvez trois événements qui le montrent.

❷ **Retrouvez les moments clés de l'activité de Jocelyne Germond.**
À deux, racontez ensuite son parcours.

❸ **Dites, en quelques phrases, quelles sont les relations de Jocelyne Germond et de sa fille.**

❹ **Pensez-vous que Jocelyne Germond mène une vie équilibrée ? Justifiez votre réponse en vous appuyant sur le texte. Comparez votre point de vue avec celui des autres étudiants.**

❺ **Le livre dont est tiré le texte s'appelle** *« Les filles, on n'attend plus que vous ! »*

1. Que suggère ce titre ?

Quel est le public visé par un tel ouvrage ?

À votre avis, quels sont les auteurs des textes rassemblés dans ce livre ?

2. Le texte que vous venez de lire correspond-il à ce que le titre suggère ?

Justifiez votre réponse.

3. Que pensez-vous de ce genre de livre ?

Discutez-en.

1 Le Guinness des records 📼

❶ Écoutez l'interview deux fois, puis répondez aux questions suivantes.

1. Pourquoi Patricia Bésier est-elle dans le *Guinness des records* ?

2. À qui se compare-t-elle ?

3. Y a-t-il des différences ? Si oui, lesquelles ?

❷ Essayez d'écrire une phrase sans utiliser la lettre e. Qu'est-ce que vous pensez du record de Patricia Bésier ?

Georges Pérec.

2 Le vrai sport, c'est le rugby 📼

❶ Écoutez l'enregistrement une première fois et dites si Olivier et Jean-Michel parlent de football ou de rugby quand ils déclarent :

1. *J'aime le sport d'équipe… où chaque joueur pense d'abord à son équipe…*

2. *C'est un sport de sauvages.*

3. *Chacun joue pour soi, c'est-à-dire contre tous.*

4. *Ils veulent gagner à tout prix, par tous les moyens, sans aucun souci de fair-play.*

5. *Il est moins spectaculaire et donc plus difficile à montrer à la télé.*

6. *C'est l'équipe, la bonne entente à l'intérieur de l'équipe, qui donne la victoire, et non pas tel ou tel joueur.*

❷ Réécoutez l'enregistrement et répondez aux questions suivantes. Vous pouvez prendre des notes.

1. Qu'est-ce qui oppose Olivier et Jean-Michel ?

2. Pourquoi est-ce que Jean-Michel n'aime pas le football ?

3. Quels sont les arguments de Jean-Michel en faveur du rugby ?

4. Êtes-vous d'accord avec ce que Jean-Michel dit du football ?

❸ Trouvez d'autres arguments pour ou contre le football. Comparez-les avec ceux des autres étudiants.

❹ Préférez-vous un sport d'équipe ou un sport plus individuel ? À deux, cherchez des arguments, puis défendez votre position.

VOCABULAIRE

LES ORGANES D'EXPRESSION DES COLLECTIVITÉS TERRITORIALES

Depuis la loi de décentralisation de 1982, les collectivités territoriales s'administrent librement. Elles sont dotées à cette fin d'organes spécifiques.

• La région
Organe délibérant : le conseil régional formé des conseillers régionaux.
Élection : les conseillers régionaux sont élus au suffrage universel direct, pour six ans, au scrutin de liste, à la représentation proportionnelle.
Fonction : vote le budget de la région. Se réunit en session ordinaire une fois par trimestre.

Organe exécutif : le président du conseil régional.
Élection : élu pour six ans par les conseillers régionaux et parmi eux.
Fonction : chef des services propres à la région, dirige l'administration de la région et en gère le patrimoine.

• Le département
Organe délibérant : le conseil général formé des conseillers généraux.
Élection : les conseillers généraux sont élus au suffrage universel direct, pour six ans.
Fonction : vote le budget du département. Se réunit en assemblée plénière une fois par trimestre, mais aussi parfois en sessions extraordinaires.

Organe exécutif : le président du conseil général.
Élection : élu pour trois ans par les conseillers généraux et parmi eux.
Fonction : prépare le budget du département. Gère le domaine départemental et exerce le pouvoir de police sur celui-ci. Dirige les services administratifs départementaux.

• La commune
Organe délibérant : le conseil municipal formé des conseillers municipaux.
Élection : les conseillers municipaux sont élus au suffrage universel direct, pour six ans, au scrutin de liste à deux tours.
Fonction : vote le budget de la commune. Règle les affaires relevant de la compétence de la commune. Se réunit en sessions ordinaires, au moins une fois par trimestre, mais peut parfois se réunir en session extraordinaire.

Organe exécutif : le maire.
Élection : élu par les conseils municipaux et parmi eux.
Fonction : prépare le budget communal. Exécute les délibérations du conseil municipal. Signe les arrêtés municipaux (maintien de l'ordre et de la sécurité dans la commune). Représente l'État dans la commune.

❶ Relevez dans le texte ci-dessus les mots ou expressions désignant :

1. le mode d'élection ;

2. les personnes élues.

**Recherchez la définition de ces mots dans un dictionnaire.
En vous aidant des informations données dans le texte et d'un dictionnaire, faites une fiche sur les mots qui vous semblent importants à retenir.**

❷ À deux, comparez les pouvoirs des collectivités territoriales françaises avec celles de votre pays.

❸ Formez des mots en -isme à partir des expressions données. Trouvez-en d'autres en vous aidant du dictionnaire.

L'esprit libéral ➜ *le libéralisme.*
Le mouvement socialiste ➜ *le socialisme.*

1. L'esprit civique.

2. La religion catholique.

3. La religion protestante.

❹ Retrouvez les noms des hommes politiques qui sont à l'origine des mots en -isme suivants.

1. Mitterrandisme.   **4.** Gaullisme.

2. Chiraquisme.   **5.** Kennedisme.

3. Pompidolisme.

◀ POUR COMPARER

vous le savez déjà...

❶ Comparez en donnant plusieurs formes si vous le pouvez.

1. Le rugby est ... implanté dans le Sud-Ouest ... partout ailleurs.

2. Est-ce que le rugby s'accorde ... ... le football au caractère méridional ?

3. Nous avons le même nombre de voix, la population m'a fait ... confiance ... à vous.

POUR RÉCAPITULER

Notez les structures qui sont à votre disposition quand la comparaison porte sur :
1. un adjectif ; **2.** un nom ; **3.** un verbe.

COMPARATIFS ET SUPERLATIFS : FORMES IRRÉGULIÈRES

	comparatifs	superlatifs
bon	➔ meilleur	➔ le meilleur
petit	➔ plus petit/moindre	➔ le plus petit/le moindre
mauvais	➔ plus mauvais/pire	➔ le plus mauvais, le pire
bien	➔ mieux	➔ le mieux

*Dans le Midi, l'influence du football est **moindre** que dans le Nord.*

***Plus** on est de fous, **plus** on rit.*

***Plus** vous serez nombreux, **moins** vous paierez.*

La conjonction **comme** peut exprimer une comparaison.
***Comme** le football, le rugby est venu de Grande-Bretagne.*

❷ Retrouvez les proverbes en ajoutant des formes comparatives irrégulières.

1. Entre deux maux, il faut choisir le ... .

2. Il n'est ... eau que l'eau qui dort.

3. Les plaisanteries les plus courtes sont les ... .

4. ... vaut tard que jamais.

5. Ils sont unis pour le ... et pour le ... .

❸ *Comme* est utilisé dans un grand nombre d'expressions populaires.

1. Retrouvez-lez en associant adjectifs et noms.

1. Heureux comme

2. Bête comme

3. Beau comme

4. Serré comme

a. un Dieu

b. un poisson dans l'eau

c. des sardines en boite

d. ses pieds.

2. En connaissez-vous d'autres ?

❹ Observez le graphique et faites au moins cinq phrases pour décrire l'évolution démographique en France au cours des cinquante dernières années. Utilisez des structures différentes.

Seniors contre juniors

Evolution de la part des moins de 20 ans et des 60 ans et plus dans la population (en %) :

34,3 30,1 32,3

Moins de 20 ans
26,0 24,2 26,8
22,7

22,8
20,1
16,7
14,2
12,7

60 ans et plus

1900   1930   1960   1996   2010 2020

Francoscopie 1997, Larousse.

126

◤ L'ACCORD DU PARTICIPE PASSÉ

AUXILIAIRES AVOIR ET ÊTRE

• *voir Auxiliaire avoir ou être p. 168*
*Je l'ai **mise** en garde.* (l' = COD : ma fille)
*Il m'avait **traitée** de gamine.* (m' = COD : Jocelyne)
*Je les ai **distribuées**.* (les = COD : les lettres)
• Avec l'auxiliaire **avoir**, l'accord se fait avec le complément d'objet direct (COD), s'il est placé avant l'auxiliaire.

*Quand Jocelyne est **arrivée** dans sa petite commune…*
• Avec l'auxiliaire **être**, l'accord se fait avec le sujet :
– aux temps composés :
*Elle est **devenue** maire adjointe. Le rugby est **venu** de Grand-Bretagne ;*
– à la forme passive : *Elle a été **élue**.*
– avec les verbes pronominaux.
*Je me suis **retrouvée** en ballotage.*

 Si le verbe pronominal a deux compléments (un COD et un COI), le participe passé ne s'accorde pas avec le sujet mais avec le COD s'il est placé avant le verbe.
    *Julie s'est lav**ée**.* (un seul complément
       COD   → accord avec le sujet)
    *Julie s'est lav**é** les mains. Elle se les ai lav**ées**.*
     COI   COD   COI COD

 Il n'y a pas d'accord si le verbe est impersonnel.
    *Il m'était **arrivé** aux oreilles que…*

❺ Complétez les phrases. Attention aux accords.
On attend plus de 10 millions de personnes ce week-end dans les monuments historiques.
→ *Plus de dix millions de personnes sont attendues ce week-end …*

1. On attend quinze millions de personnes sur les routes ce week-end. *Quinze millions de personnes…*
2. Un automobiliste a blessé cinq randonneurs sur une route de montagne. *Cinq randonneurs…*
3. Les services municipaux ont interdit trois plages à la baignade. *Trois plages…*
4. Le maire a reçu les mères de familles nombreuses.

❻ Ajoutez les terminaisons des participes passés.
Nous nous sommes toutes retrouv… chez Paul. Il nous a emmen… faire un tour en voiture dans la ville. Il nous a propos… de nous montrer la nouvelle galerie de peinture. Nous aurions bien voul… mais nous avons pass… plus d'une heure dans les embouteillages. Nous avions beau être décid… à nous garer assez loin, nous n'avons pas trouv… la moindre place. Nous devenions absolument désespér… . Quand cette place, nous l'avons enfin trouv…, la galerie était ferm… . Tant pis ! nous avons continu… à pied, nous sommes all… voir quelques magasins puis nous avons décid… d'aller voir un film. Notre soirée s'est termin… dans une pizzeria.

◤ L'INFINITIF

L'INFINITIF PASSÉ

Vous figurez dans l'édition 1998 pour avoir écrit le roman le plus long…
• On forme l'infinitif passé avec l'auxiliaire **avoir** ou **être** à l'infinitif et le participe passé du verbe.
• Il est utilisé pour exprimer : – l'antériorité ;
                            – une action achevée.

❼ Transformez avec un infinitif passé comme dans l'exemple.
Vous êtes venues. **→** *Merci d'être venues.*

1. Vous nous avez aidé(e)s.
2. Vous vous êtes proposé(e)s comme volontaires.
3. Vous êtes resté(e)(s) avec nous.
4. Vous m'avez sauvé la vie.
5. Vous nous avez raccompagné(e)s.

❽ Trouvez une autre façon de le dire. Introduisez, comme dans les exemples, l'un des deux verbes par *pour* ou *après* selon le sens.
Il a déposé le courrier puis il est parti.
→ *Après avoir déposé le courrier, il est parti.*
Il a été récompensé parce qu'il avait retrouvé le chat.
→ *Il a été récompensé pour avoir retrouvé le chat.*

1. Ils ont mangé puis ils sont allés au théâtre.
2. Il est resté éveillé toute la nuit parce qu'il avait pris un café.
3. Elle a passé ses examens puis elle a pris deux mois de vacances.
4. Il a été condamné parce qu'il avait dépassé la limitation de vitesse.

❶ **Vous voulez participer au Forum *Café Crème*.**

1. Faites une liste des points dont vous voulez parler.
Aidez-vous du sondage suivant paru dans la presse.

Forum *Café Crème* : enquête sur le travail
Travailler toujours moins : utopie ou nécessité ?
votre témoignage, votre point de vue…
http :\\www.cafecreme@educ.fr

Question : *Vous personnellement, aujourd'hui, si vous aviez le choix, que préféreriez-vous ?*

	ensemble	selon la catégorie professionnelle			selon les revenus mensuels			
		secteur public	secteur privé	indépendants/ employeurs	– de 990 €	990 € à 2 290 €	2 290 € à 3 810 €	+ de 3 810 €
Une augmentation de votre salaire de base sans baisse de votre durée de travail	43 %	42 %	39 %	49 %	58 %	42 %	38 %	38 %
Une baisse de votre durée de travail et un maintien de votre salaire	54 %	56 %	58 %	41 %	37 %	56 %	60 %	54 %
Ne se prononcent pas	3 %	2 %	3 %	10 %	5 %	2 %	2 %	8 %

Libération, 10 décembre 1997.

2. Rédigez quelques lignes pour témoigner et présenter votre point de vue.
On parle beaucoup de réduire les horaires de travail à 35 heures par semaine…

❷ **Lisez les deux extraits de témoignage suivants.**

Nous n'avons pas une baby-sitter, mais un baby-sitter. Certaines de mes amies ont essayé de me faire peur, mais je ne regrette pas, ça ne pourrait pas être mieux pour nos deux fils. C'est un peu comme s'ils avaient un grand frère. Plutôt que de les promener le mercredi après-midi, il les aide à faire des maquettes, il…

Notre fille est conductrice de travaux publics. Au début, ça nous inquiétait un peu parce que c'est un milieu vraiment masculin, mais de ce côté-là elle n'a pas eu de problème. En revanche, c'est douze à treize heures de travail par jour et jamais au même endroit. Ce sera plus difficile quand elle aura des enfants. Ce n'est peut-être pas le meilleur choix, mais ça lui plaît et elle pourra se payer une garde d'enfants…

❸ **À deux, réfléchissez au cas d'une femme ou d'un homme faisant un métier exercé traditionnellement par une personne de l'autre sexe.**
Pensez aux problèmes que pose une telle situation et opposez dans un tableau ce qui se passe réellement et ce qu'on attendait ou craignait.

ce qui se passe	ce qu'on attendait
…	…

4 Écrivez chacun un paragraphe pour parler de ce cas. Comparez vos deux productions, puis rédigez ensemble la version définitive du paragraphe.

5 Le magazine que vous lisez habituellement fait une enquête sur le thème : *Métiers d'homme, métiers de femme, préjugés.*
Vous avez lu l'histoire de Jocelyne Germond, vous savez qu'il y a des hommes sages-femmes…
Vous décidez d'envoyer votre témoignage pour rapporter une expérience personnelle ou l'expérience d'un proche.

1. Lisez d'abord le témoignage d'un secrétaire de direction, Claude. Notez d'une part ce qui surprend ses interlocuteurs, et d'autre part les avantages qu'il tire de sa qualité d'homme dans l'exercice de ce métier féminin. Quels préjugés expliquent ces réactions ?

> Je suis secrétaire de direction. Quand quelqu'un demande à parler à la secré-taire de Monsieur X, et qu'ils entendent une voix d'homme, il y a souvent un moment de surprise… mais quand l'interlocuteur comprend, il devient plus aimable. C'est sûr, quand je suis arrivé pour faire un diplôme de secrétariat, on m'a demandé si je ne m'étais pas trompé de porte, j'étais le seul garçon dans une classe de trente. Contrairement aux cadres, je ne porte pas de cravate. Au travail, j'apporte le café aux visiteurs, cela fait partie de ma fonction. En revanche, le patron ne m'a jamais demandé de faire ses courses personnelles, ce qui est souvent le cas pour les secrétaires.
>
> D'après *Marie-France.*

2. Rassemblez ensuite les informations sur l'expérience dont vous voulez parler.

attentes	ce qui s'est passé	aspects positifs	aspects négatifs	rôle joué par les préjugés
…	…	…	…	…

3. Rédigez votre texte. Comparez votre production avec celle des autres étudiants.

❶ **Répondez aux questions suivantes pour connaître les habitudes sportives de votre classe.**

1. Pratiquez-vous (ou aimeriez-vous pratiquer) un sport régulièrement ?

a. oui ;

b. non.

2. Si oui, s'agit-il :

a. d'un sport individuel (marche, natation, jogging, tennis…) ;

b. d'un sport collectif (handball, football, basket, rugby…).

3. Qu'est-ce qui est le plus important pour vous ?

a. le plaisir de jouer ;

b. le plaisir de gagner.

4. Qu'est-ce qui compte le plus pour vous dans une équipe ?

a. quelques joueurs égoïstes mais excellents qui mènent à la victoire ;

b. une harmonie et une entente parfaites entre les joueurs.

❷ **Formez des groupes de deux en choisissant un interlocuteur qui ne partage pas du tout votre opinion. Discutez. Essayez de trouver les bons arguments pour convaincre votre partenaire.**

❸ **Dans le cadre d'une discussion sur le travail, vous commentez différents tableaux pour soutenir votre point de vue. Vous êtes convaincu que la baisse du temps de travail est inévitable.**

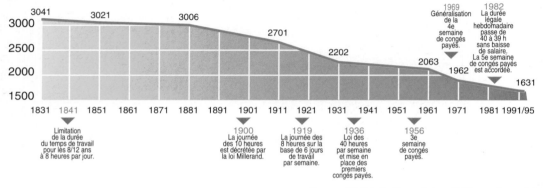

1

Source INSEE. *Eurêka*, octobre 1997, numéro spécial.

1. À deux ou trois, commentez le tableau (1) en utilisant les expressions suivantes :

– En 150 ans, la durée annuelle…

– … grâce à l'introduction de mesures comme/telles que les congés payés…

– … nous travaillons deux fois moins qu'il y a…

2. Le tableau (2) vous permet de comparer la situation dans différents pays. Utilisez ces exemples pour renforcer votre point de vue.

Si on compare… on remarque que…

République de Corée	47,5
Royaume-Uni	43,9
Japon	43,5
Suisse	42,5
Luxembourg	41,1
Pays-Bas	40,1
France	38,9
Allemagne	38,3
Suède	36,4
Espagne	36,3
Australie	35,4
États-unis	34,7
Belgique	33,7
Canada	30,1

2   *Eurêka*, octobre 1997, numéro spécial.

3. Servez-vous du tableau (3) pour conclure et exprimer votre opinion.

La tendance actuelle est donc une baisse continue du temps de travail. Mais que peut-on dire des salaires et de la solidarité des employés ?

Les salaires…

Quant à la solidarité, un récent sondage montre que deux employés sur trois…

Personnellement, je pense que…

3   Accepteriez-vous de réduire votre temps de travail avec réduction correspondante de salaire pour éviter un licenciement dans votre entreprise ?

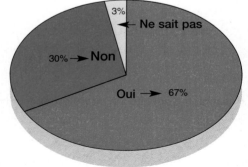

Le Monde, 2 juillet 1997.

DÉPASSER LES STÉRÉOTYPES

DÉCOUVRIR LES STÉRÉOTYPES

De bonnes connaissances linguistiques ne suffisent pas toujours pour comprendre les nuances d'un texte. En effet, en plus de leur signification qu'on trouve dans les dictionnaires, certains mots et certaines expressions ont le pouvoir d'évoquer des images, de suggérer des idées chez les membres d'une communauté.

Par exemple, pour pleinement comprendre l'interview de Sébastien Darbon sur les deux France unité 13, il faut savoir que les Français pensent tout de suite à un certain art de vivre, à une cuisine excellente, au foie gras, au rugby, à un certain accent, etc. quand on prononce devant eux le mot *Sud-Ouest*. Ceci explique la fin du texte dans laquelle on parle de l'Alsace qui cuisine à la graisse d'oie : en effet, dans l'esprit de beaucoup de Français, l'Alsace, c'est la grande cuisine, le foie gras, un certain art de vivre.

■ Bien que cela ne soit évidemment pas vérifiable dans les faits, on prête des défauts spécifiques aux habitants de certaines régions. Essayez d'associer préjugés et noms d'habitants.

1. Les Bretons.
2. Les Marseillais.
3. Les Auvergnats.
4. Les Corses.

a. La paresse.
b. Un caractère buté.
c. Le manque de sérieux.
d. L'avarice.

■ Savez-vous ce qu'on appelle une réponse de Normand ?

1. une réponse franche ;
2. un mensonge ;
3. le refus de dire clairement oui ou non.

■ Cherchez des exemples de préjugés dans votre propre pays. Ils ne correspondent pas à la réalité, mais on peut les expliquer. Pourquoi faut-il les connaître pour bien comprendre ceux qui les utilisent quand ils parlent ou quand ils écrivent ?

■ Savez-vous quelle image les Français se font de votre pays et de ses habitants ?

SE SERVIR DES STÉRÉOTYPES

Dans la conversation, à la radio ou à la télévision, dans la presse, les Français donnent souvent l'impression qu'ils pensent eux-mêmes avoir le sens de l'humour et l'esprit logique, et qu'ils se trouvent intelligents, cartésiens mais aussi indisciplinés, rouspéteurs et vantards. Dans l'unité 15, des francophones parlent également des préjugés dont ils souffrent à l'étranger.

■ À deux ou en petits groupes, faites une liste de stéréotypes sur les Français ou faites le portrait caricatural *du* Français tel qu'on l'imagine dans votre pays.

Comparez ensuite avec l'image que *Café crème* et votre professeur donnent des Français. Discutez.

1. Dans quelle mesure une caricature permet-elle de mieux comprendre certaines choses ?
2. Quels sont les dangers des préjugés et des stéréotypes ?
3. Quelles conséquences en tirez-vous personnellement pour votre apprentissage du français ?

ET AUSSI... Si vous travaillez avec des fiches, notez sur les fiches de vocabulaire ce que suggèrent certains mots et expressions en plus de leur sens habituel donné dans le dictionnaire. Notez également le contexte dans lequel vous avez trouvé ces expressions pour éviter de faire des erreurs d'interprétation dans d'autres situations.

Vous pouvez aussi compléter vos fiches de civilisation par des remarques sur les préjugés, les stéréotypes, ou par des proverbes.

Les caricatures sont souvent de bons documents pour découvrir cet aspect de la culture. Conservez les plus intéressantes.

EN CHANSON

POUR / CONTRE

UN QUOTA DE CHANSONS FRANÇAISES À LA RADIO

PATRICK BOIRON	**ÉRIC BAPTISTE**
Directeur adjoint de la Sacem (Société des auteurs, compositeurs et éditeurs de musique)	Président délégué de l'association Musique France Plus, qui regroupe radios, maisons de disques et artistes

« La chanson est un des rares produits qu'il faut avoir consommé avant d'acheter. Si vous n'avez
5 pas entendu un disque, vous n'avez pas envie de l'acheter. Et où écoute-t-on de la musique ? Principalement à la radio.
10 Or, nous avons constaté que la programmation de nombreuses stations, comme NRJ, avait tendance (…) à s'appuyer sur les quarante
15 meilleures ventes du moment. Résultat, une quasi impossibilité pour les jeunes productions françaises d'être program-
20 mées. (…) Ajoutez à cela que la production discographique mondiale est entre les mains de cinq sociétés (…). Une produc-
25 tion déjà amortie sur le marché américain a donc plus de chance de pénétrer sur notre territoire. (…) Voilà pourquoi il fallait
30 imposer des quotas de musique francophone sur nos radios. Au Québec, la barre a été fixée à 65 %, et non pas à 40 %, comme
35 chez nous, et cela n'a pas tué les radios pour autant. Les producteurs eux-mêmes reconnaissent aujourd'hui que la politique des quotas
40 a pour effet de stimuler la production française. Pourquoi adoptent-ils aujourd'hui cette position ? Parce que la chanson fran-
45 çaise est une bonne chose pour eux, c'est-à-dire pour leur compte d'exploitation. Si les productions françaises étaient si mau-
50 vaises, il n'en feraient pas la promotion ! Un producteur (…) a fait réaliser un sondage auprès du public qui montre que 83 % des
55 personnes sont favorables aux quotas, et que les 15-24 ans le sont à 66 %. (…) »

« À titre personnel, je
35 pense que le système des quotas n'est pas une bonne chose. (…) Mais, depuis le
5 1er janvier, la loi s'applique. C'est pourquoi les principaux partenaires concernés – radios, maisons de disques et artistes
10 – se sont regroupés au sein de Musique France Plus. Tous ont intérêt à ce que la filière musicale se porte bien. Les auditeurs, eux,
15 doivent pouvoir avoir le choix d'écouter le plus de talents possible (…). Je demande donc au Conseil supérieur de l'au-
20 diovisuel (CSA) d'appliquer le texte avec une certaine souplesse. Ainsi, le calcul des 40 % pourrait s'effectuer sur un trimestre
25 au lieu d'un mois. (…) De même, on pourrait étendre la plage durant laquelle les radios doivent diffuser ces
30 fameux 40 % ; elle s'étale actuellement de 6 h 30 à 22 h 30. Nous pensons qu'il existe des radios et des formats différents, les
35 heures d'audience importantes ne sont pas toujours les mêmes. On pourrait peut-être, en échange d'une réduction (…) de la
40 part consacrée aux disques français, demander aux radios de diffuser un fort pourcentage de nouveaux talents francophones (20 à
45 25 %). Je ne dis pas que la production française est de mauvaise qualité. En revanche, (…) je ne suis pas sûr que toutes les sta-
50 tions puissent (…) arriver aux fameux 40 %. Enfin, j'ai proposé que les artistes des pays de la sphère francophone, comme Cesaria
55 Evora, Khaled, Ismaël Lo ou Youssou N'Dour puissent être intégrés dans le quota des 40 % pendant au moins un an.
60 Malheureusement, je n'ai pas été suivi. (…) »

60 Millions de consommateurs
n° 293, mars 1996.

---

❶ **Lisez les deux prises de position, puis complétez la phrase suivante pour expliquer le système des quotas de chansons françaises.**

Les radios doivent diffuser au moins … de chansons françaises entre … heure(s) … et … heure(s) … .

❷ **Dans l'argumentation de Patrick Boiron, trouvez :**

1. deux arguments qui justifient l'introduction des quotas ;

2. deux exemples qui montrent que l'effet des quotas est positif. Comparez vos réponses.

❸ **Dans sa prise de position, Éric Baptiste s'oriente vers un compromis. Retrouvez les trois propositions de mesures permettant d'appliquer le système des quotas avec plus de souplesse.**

❹ **À votre avis, y a-t-il dans votre pays une production culturelle (cinéma, théâtre, musique…) qui devrait être protégée par des quotas ?**

Foule sentimentale

Alain Souchon

oh la la la vie en rose
le rose qu'on nous propose
d'avoir les quantités d'choses
qui donnent envie d'autre chose
aïe on nous fait croire
que le bonheur c'est d'avoir
de l'avoir plein nos armoires
dérisions de nous dérisoires, car...

foule sentimentale
on a soif d'idéal
attirée par les étoiles, les voiles
que des choses pas commerciales
foule sentimentale
il faut voir comme on nous parle
comme on nous parle

il se dégage
de ces cartons d'emballage
des gens lavés hors d'usage
et tristes et sans aucun avantage
on nous inflige
des désirs qui nous affligent
on nous prend faut pas déconner
dès qu'on est né
pour des cons alors qu'on est
des

foule sentimentale
avec soif d'idéal
attirée par les étoiles, les voiles
que des choses pas commerciales
foule sentimentale
il faut voir comme on nous parle
comme on nous parle

on nous claudia schieffer
on nous paul-loup sulitzer
oh le mal qu'on peut nous faire
et qui ravagea la moukère

du ciel dévale
un désir qui nous emballe
pour demain nos enfants pâles
un mieux, un rêve, un cheval

foule sentimentale...

BMG Music Publishing France.

❶ 📼 Écoutez *Foule sentimentale*, puis lisez le texte. Classez les éléments qui vous semblent les plus significatifs en deux catégories :

1. ce qu'on nous propose ;

2. ce que nous voudrions.

❷ Retrouvez dans le texte de la chanson deux façons de dire : on se moque de nous.

❸ À votre avis, qui est-ce qu'on désigne dans la phrase *ce qu'on nous propose* ?

❹ *La vie en rose*, pour vous, qu'est-ce que c'est ?

❺ Cette chanson vous plaît-elle ? Pourquoi ?

➊ Témoignages d'auditeurs sur le quota de chansons françaises à la radio

Nom : Martine
Âge : 22 ans
Profession : étudiante
Pour ❑   contre ❑

❶ Écoutez les réactions de six auditeurs à l'établissement d'un quota de chansons françaises à la radio.
Notez leur nom, leur âge et leur profession.

❷ Réécoutez l'enregistrement et complétez vos notes en indiquant si la personne est pour ou contre le quota. Est-ce qu'en connaissant l'âge et la profession de l'auditeur, on peut deviner s'il est pour ou contre le quota ?

❸ Trouvez pour chacune des personnes l'argument qui vous semble le plus significatif. Comparez avec les autres étudiants.

❹ Que pensez-vous du quota de chansons françaises à la radio ?

➋ La réduction du temps de travail

Dans certaines entreprises, un accord d'annua-lisation entre les employés et la direction a permis de baisser le temps de travail de 70 heures par an environ. Au lieu de 39 heures de travail chaque semaine, les employés ne travaillent plus que 37 heures 30 en moyenne : certaines semaines, ils travaillent plus de 40 heures, d'autres semaines, ils travaillent moins de 20 heures ou même pas du tout, mais la moyenne doit être de 37 heures 30. En échange de cette souplesse, ils ont gardé leur ancien salaire : ils sont payés comme avant, c'est-à-dire comme s'ils travaillaient 39 heures. Il y a des avantages pour tout le monde : les employés ont plus de temps libre, de nouveaux emplois sont créés et l'entreprise n'est plus obligée de payer des heures supplémentaires, toujours très chères.
Comment les employés jugent-ils ce système ? Nadine Levert a interviewé Monique (42 ans) et son mari Hervé (38 ans).

❶ Lisez l'introduction suivante avant d'écouter l'enregistrement.

❷ Écoutez l'interview. Dites qui sont Monique et Hervé.

❸ Quels changements l'annualisation a-t-elle entraîné pour le personnel ?
Ces changements sont-ils positifs ?

❹ Quels avantages l'annualisation présente-t-elle pour l'entreprise ?

❺ Pensez-vous qu'on devrait étendre l'annualisation du temps de travail à toutes les entreprises ? Pourquoi ?

Négociations entre la ministre du Travail et le patronat.

VOCABULAIRE

❶ En groupe de quatre ou cinq, choisissez un fait de société que vous connaissez, concernant le travail ou la vie culturelle de votre région. Utilisez les expressions données.

DES MOTS POUR DONNER SON AVIS

Dans une discussion publique, vous prenez la parole pour donner votre avis sur un événement, un fait de société. Vous avez une minute ou deux pour vous exprimer. Pour être facile à comprendre et efficace, votre intervention doit être organisée.

Je pense que…
Même si… il vaut mieux…
Je sais que…
Par exemple…

Je suis absolument contre…
Pour moi, il n'y a que…
D'abord, il est nécessaire de…
Ensuite, il faudrait…

Moi, cette histoire me rend malade…
Ce n'est pas…
Au contraire…
En effet…

Bon, moi je préfère… parce que…
De plus…
Alors, pour moi…

Personnellement, je suppose que…
Si c'est vrai, il faudrait…
En fait, je ne comprends vraiment pas…
Quand on pense que…, on croit rêver…

Ce n'est pas vrai que…
Il s'agit plutôt de…
On ne peut pas…
C'est le bon sens même qui…

❷ 1. Répartissez les adverbes suivants en deux groupes :
intensité faible et moyenne – intensité forte.
2. Ajoutez trois autres adverbes à chaque liste.

a. Faiblement.
b. Presque.
c. Excessivement.
d. Médiocrement.
e. Absolument.
f. Peu.
g. Extrêmement.
h. Quasi.
i. Trop.
j. Légèrement.
k. Modérément
l. Complètement.
m. Plutôt.

**❸ 1. Répartissez les adjectifs suivants en deux groupes : *appréciation positive – appréciation négative.*
2. Ajoutez ensuite trois autres adjectifs à chacun des deux groupes.
3. Relevez les préfixes utilisés.**

a. Sous-employé.
b. Sous-estimé.
c. Extrafort.
d. Archifaux.
e. Hyperintelligent.
f. Surdoué.
g. Ultramoderne.
h. Sous-évalué.
i. Supergrand.
j. Ultraléger.
k. Hyperpuissant.
l. Archiconnu.
m. Sous-payé.

POUR SOULIGNER UNE ARGUMENTATION

vous le savez déjà...

❶ Complétez avec les mots suivants :
parce que, par exemple, mais, et puis, enfin, donc, d'abord, ensuite.

Les temps changent. On a ... travaillé sept jours par semaine, ... on a obtenu le dimanche. ... il y a de moins en moins de travail et ... on parle maintenant de la semaine de quatre jours. Pourquoi ? ... en travaillant moins on permettra peut-être à d'autres de travailler. ..., avec du temps libre, on peut ... faire tout ce qu'on a jamais le temps de faire comme ... faire de la gymnastique, apprendre une langue, lire, aller au cinéma.

POUR RÉCAPITULER

En petits groupes :
1. Expliquez le sens des huit conjonctions ci-dessus.
2. Laquelle exprime une conséquence ? une cause ? une opposition ? une conclusion ?
3. Lesquelles permettent de mettre dans un certain ordre ?
4. Ajoutez des mots dans les catégories définies par les questions 2 et 3.

• *voir Conjonctions p. 169.*

DES ARTICULATEURS

• **Pour établir une chronologie**
d'abord, ensuite, et puis, finalement, enfin

• **Pour expliquer**
en effet, c'est-à-dire, comme ça, ainsi

• **Pour exprimer la cause**
pourquoi ? parce que, car, puisque, grâce à (+ nom), à cause de (+ nom), en (+ participe présent)

• **Pour exprimer la conséquence**
donc, par conséquent, et alors, c'est pourquoi, résultat (surtout à l'oral)

• **Pour ajouter une idée**
et, et puis, ou, en plus, en outre, de plus, aussi, de même, d'ailleurs

• **Pour donner un exemple**
par exemple, ainsi

• **Pour souligner une opposition**
mais, pourtant, en fait, au contraire, en revanche, au lieu de, plutôt, malgré (+ nom), cependant, néanmoins, alors que, tandis que, bien sûr, certes, bien que, même si, du moins, avoir beau

• **Pour conclure**
voilà, c'est pourquoi, enfin, finalement, conclusion

CAUSE

❷ Complétez avec *à cause de, grâce à* ou *parce que.*

1. Certaines villes veulent limiter l'usage de la voiture ... il y a trop de pollution.
2. Le centre ville est interdit à la circulation ... la pollution.
3. ... ton plan, nous n'avons eu aucun mal à trouver votre appartement.
4. Il y a une déviation ... des travaux.
5. Nous avons été retardés ... il y avait de gros embouteillages.

POUR RÉCAPITULER

1. Quel mot utilisez-vous pour indiquer une cause positive ?
2. Quel mot utilisez-vous pour indiquer une cause négative ?
3. Lesquels sont suivis d'un nom ?
4. Lequel est suivi d'une phrase ?

❸ Complétez avec *parce que* ou *puisque*.

1. J'irai en métro ... tu ne veux pas m'y conduire en voiture.
2. Il est venu en métro ... sa voiture n'a pas voulu démarrer.
3. Il a annulé le rendez-vous ... il a eu un empêchement.
4. Il a annulé le rendez-vous ... vous n'aviez pas confirmé la date.
5. Elle a un répondeur ... elle ne veut pas être dérangée à n'importe quelle heure.

POUR RÉCAPITULER

Quel mot utilisez-vous :
1. pour introduire une cause connue ou évidente ?
2. pour répondre à une question commençant par *pourquoi* ?

CONCESSION ET OPPOSITION

• voir Subjonctif p. 19.

• On exprime généralement la concession en deux parties :

1. On concède (on accepte) un point :

il est vrai que, il est exact que, bien sûr…

*Son mari **a beau être** un fils du pays, personne ne la connaît.*

= ***Bien que** son mari soit un fils du pays, personne ne la connaît.*

On peut commencer par :

– **bien que (quoique)** + subjonctif

– **même si, avoir beau** + infinitif

2. Puis on exprime son désaccord :

mais, cependant, pourtant, malgré tout…

• On peut exprimer l'opposition entre deux éléments en utilisant **mais, tandis que, en revanche, au contraire, au lieu de**.

❹ **Les choses ne sont plus ce qu'elles étaient…**
Vous répondez avec une expression montrant :

a. que vous partagez en partie l'opinion de votre interlocuteur ;

b. que nous n'êtes pas entièrement d'accord.

Les jeunes lisent moins. Ils regardent beaucoup de films.

➜ *Bien sûr les jeunes lisent moins mais…*

1. La voiture pollue. Elle donne une grande autonomie.

2. Les prix ont augmenté. Les salaires aussi.

3. Les petits commerces disparaissent. Il y a des plus en plus d'hypermarchés.

4. Il y a de plus en plus de circulation…

5. Ce n'est pas facile d'apprendre une langue…

❺ **Reliez *a* et *b* avec un des mots de liaison suivants : *pourtant, mais, malgré, au contraire, en revanche.***
Proposez une phrase ou deux phrases selon le mot de liaison.

1. *a.* Les Françaises sont peu nombreuses dans la vie politique.

b. Cela n'est pas perçu comme un scandale.

2. *a.* Il faut introduire plus de femmes à des postes clés.

b. Il faut aussi changer les mentalités.

3. *a.* Les efforts de certains.

b. La situation n'a pratiquement pas changé depuis 50 ans.

4. *a.* Ne vous laissez pas intimider.

b. Battez-vous !

5 *a.* Les pays scandinaves et les Pays-Bas ont plus de 30 % de femmes parlementaires.

b. Plus de la moitié des autres pays européens n'ont en moyenne que 10 % d'élues.

❻ **Complétez avec *en effet* ou *en fait*.**

1. – Tu lui as demandé si elle voulait venir.

– … elle partait à l'aéroport quand je l'ai rencontrée, elle ne sera pas là.

2. – Tu lui as demandé si elle voulait venir.

– …, et elle était ravie.

3. – Vous avez demandé une augmentation ?

– … nous n'avons pas eu le temps d'aborder ce sujet.

4. – Vous avez demandé une augmentation ?

– … je sors de son bureau, elle me donne une réponse demain.

5. Pour eux, le confort est important ; … ils ont toutes les machines imaginables.

6. – Il est bien installé tout de même ?

– … en dehors de ses livres, rien ne l'intéresse.

POUR RÉCAPITULER

1. Quelle expression utilisez-vous pour renforcer ce qui vient d'être dit

(= oui, c'est vrai) ?

2. Quelle expression utilisez-vous pour vous opposer à ce qui vient d'être dit

(= non, ce n'est pas vrai) ?

3. Quelle est celle qui est synonyme de *en réalité* ?

❼ **1. Complétez avec *tout de même, pourtant, même si, mais*.**

J'ai trouvé un équilibre avec mes enfants, … parfois, c'est difficile. Entre les sessions à l'Assemblée nationale et mes séjours dans les Deux-Sèvres, il reste peu de temps pour eux. J'arrive … à m'organiser. J'ai décidé, par exemple, de refuser les dîners professionnels, … bien utiles en politique. Je réserve les week-ends aux enfants. Le reste de la semaine, ils sont bien entourés, par leur grand-mère ou leur baby-sitter, … cela n'est pas suffisant.

Ségolène Royale, ministre, quatre enfants.

2. Faites deux phrases pour exprimer comment vous conciliez vie personnelle et vie professionnelle. Soulignez l'opposition ou la concession avec des mots de liaison.

❶ **Vous êtes de passage en France et un ami vous demande de l'aider à préparer un article sur la voiture électrique pour son journal de quartier. L'article doit informer sur le pour et sur le contre. À deux, rédigez cet article. (Dans la mesure du possible, travaillez avec un étudiant qui n'est pas du même avis que vous.)**

1. Vous faites chacun une liste d'arguments pour ou contre.

Comme point de départ, voici les notes d'un collaborateur du journal :

> a. C'est avant tout un véhicule d'appoint.
> b. Elle a une autonomie limitée.
> c. Elle consomme peu.
> d. Elle demande peu d'entretien : pas de vidange.
> e. Elle est surtout adaptée aux déplacements en ville.
> f. Elle coûte cher.
> g. Elle est propre et ne pollue pas.
> h. Elle est silencieuse pour les citadins comme pour les passagers.
> i. Elle favorise le transport individuel.
> j. Elle met longtemps à recharger ses batteries.
> k. Elle ne résout pas les problèmes d'embouteillages.
> l. Elle se prête à un usage en libre-service.
> m. Elle utilise l'énergie électrique qui provient de centrales polluantes...

2. Ensuite, vous complétez vos listes ensemble, en cherchant un contre-argument pour chacun des arguments proposés par l'autre.

3. À deux, vous rédigez l'article. Vous vous partagez le travail : chacun reprend sa liste d'arguments pour ou contre et défend son point de vue.

Que devons-nous penser de la voiture électrique ?

Pour	Contre
– La voiture électrique est idéale pour...	*– La voiture électrique n'est pas la solution à tous nos problèmes.*
– En effet... (avantages)	*– En effet... (inconvénients)*
– Conclusion : ...	*– Conclusion : ...*

❷ Vos partenaires français doivent se décider pour ou contre la semaine de quatre jours. Comme vous connaissez très bien les avantages de ce système, vos partenaires vous ont demandé de les aider. Vous avez promis de leur envoyer une note pour leur exposer les avantages de la semaine de quatre jours.

1. À deux, faites d'abord la liste des arguments pour et contre la semaine de quatre jours dans un remue-méninges.

2. Classez ensuite les arguments dans un ordre logique. Organisez-les : pour les arguments positifs, cherchez des exemples pour les rendre plus convaincants encore. Pour les arguments négatifs, essayez de trouver un contre-argument ou un contre-exemple.

3. Faites une liste de mots et d'expressions pour articuler le texte.

classer	ajouter une idée	expliquer	conclure	comparer	donner un exemple
d'abord…	*en revanche, mais…*	*parce que…*	*donc…*	*de même…*	*ainsi, supposons que…*

4. À deux, rédigez la note sur la semaine de quatre jours.

5. Avant de l'envoyer à vos collègues français, relisez votre texte. Est-ce que tout est clair ?

❶ **Certains partis politiques français souhaiteraient introduire des quotas pour que les femmes soient mieux représentées. Vous êtes partisan ou adversaire d'un quota de femmes en politique et vous êtes invité(e) à participer à une discussion sur ce sujet.**

Selon que vous êtes pour ou contre un quota de femmes, divisez votre classe de français en deux groupes.

1. Dans un remue-méninges, vous faites une liste d'arguments et d'exemples en faveur de votre opinion.

2. Vous désignez un ou deux rapporteurs qui prendront des notes et qui présenteront le travail de votre groupe à l'ensemble de la classe.

3. À deux, vous choisissez un argument, un exemple que vous présenterez ensemble au reste du groupe.

4. Après vous être préparés, vous exposez à deux vos arguments et vos exemples.

5. Si vous êtes rapporteur, vous présentez le bilan de votre groupe à l'ensemble de la classe en vous appuyant sur vos notes.

*Notre groupe est pour/contre...
Nous avons développé/Nous nous appuyons sur les arguments suivants...*

Sortie du Conseil des ministres.

❷ **Votre employeur français organise une consultation du personnel sur l'étalement des vacances. Il s'agit soit de fermer l'entreprise pour trois semaines en été (en août) et deux fois une semaine en hiver (entre Noël et le jour de l'an et pendant les vacances scolaires de février), soit de ne pas fermer du tout et d'accorder six semaines de vacances à condition que les employés prennent leurs congés en plusieurs fois et à tour de rôle pour que l'entreprise puisse fonctionner normalement.**

Selon la proposition qui a votre préférence, vous vous divisez en deux groupes.

1. Dans un remue-méninges, vous faites une liste d'arguments et d'exemples correspondant à votre choix.

2. Vous désignez un ou deux rapporteurs qui prendront des notes et qui présenteront le travail de votre groupe à l'ensemble de la classe.

3. À deux, vous choisissez un argument, un exemple que vous présenterez ensemble au reste du groupe.

4. Après vous être préparés, vous exposez à deux vos arguments et vos exemples. Pour tester la qualité des arguments, les autres étudiants de votre groupe peuvent poser des questions ou vous proposer des contre-arguments. Vous ne retiendrez que les arguments convaincants.

5. Si vous êtes rapporteurs vous présentez le point de vue de votre groupe à l'ensemble de la classe en vous appuyant sur vos notes.

6. Si vous voulez poser une question sur un argument, ou demander une précision, adressez-vous aux deux étudiants qui l'ont présenté.

7. Les arguments étaient-ils convaincants ?

Combien d'étudiants ont-ils changé d'opinion après avoir entendu les deux points de vue ?

DES EXPRESSIONS UTILES

Quand on participe à une discussion en langue étrangère, il faut réduire les problèmes de langue pour pouvoir se concentrer sur le contenu. Il est utile d'avoir à sa disposition des expressions pour intervenir et se donner le temps de réfléchir.

Les pages 135 et 145 vous donnent des expressions pour exprimer votre avis sur une question, votre accord ou votre désaccord avec le point de vue de quelqu'un. Voici quelques expressions complémentaires pour répondre aux arguments des autres.

• **Demander une explication, un complément d'information** (éventuellement gagner du temps pour réfléchir et préparer sa réponse) :

– Je n'ai pas compris pourquoi/comment…

– Pourriez-vous préciser ce dernier point/donner un exemple ?

– Sur quoi est-ce que vous vous appuyez ?

– Je suis désolé(e), mais ce n'est toujours pas clair…

– Je ne vous ai pas suivi(e) jusqu'au bout, et je crois que je ne suis pas le/la seul(e)…

– Je ne comprends pas comment vous pouvez en tirer une telle conclusion…

• **Répondre à un argument que l'on ne veut pas accepter** (et éventuellement chercher à déstabiliser le parti adverse) :

– Vous rêvez… Tout le monde ici sait que cet argument ne mène à rien…

– Vous avez le sens de la plaisanterie, mais cette discussion est sérieuse. Pouvez-vous nous donner un véritable argument ?

– Vos sentiments/Votre engagement/Votre candeur vous honore(nt), mais malheureusement nous ne croyons plus aux contes de fées…

– Cette fois je suis d'accord avec vous, mais pensons cette idée jusqu'au bout… Dans ce cas… Merci de nous donner raison.

– Quand vous avancez cela, vous n'avez pas tort, mais vous n'en tirez pas toutes les conséquences !…

AVANT LA DISCUSSION

• En petits groupes, dès que vous connaissez le sujet de la discussion, rassemblez le plus d'arguments possible dans un remue-méninges. Classez-les, éliminez les plus faibles, cherchez des exemples ou des compléments d'information quand vous n'êtes pas sûr(e) de vous.

• Essayez de faire la liste des arguments du parti opposé et cherchez des contre-arguments pour y répondre.

• Faites des fiches avec les points les plus importants (sans formuler de phrases), notez les chiffres…

• Entraînez-vous à deux ou en petits groupes à exposer vos arguments en vous aidant de vos fiches. Tenez compte des critiques des autres. N'hésitez pas à faire des gestes, à changer d'intonation… Parlez le plus librement possible, ne lisez pas vos fiches !

• Jouez la discussion en petits groupes pour apprendre à prévoir vos réactions et développer une stratégie.

LA DISCUSSION

• Avant de commencer, il faut que les rôles soient clairement définis : animateur, rapporteur, participants. Il faut aussi que chacun sache de combien de temps il dispose et que la durée totale de la discussion soit connue. Il convient de suivre les conseils de l'animateur.

• Pour éviter les malentendus, vous pouvez reprendre rapidement l'argument de la personne qui vient de parler avant de prendre position ; ainsi la discussion se poursuit avec des bases communes pour tous les participants. Cela vous permet ainsi de prendre un peu d'assurance avant d'exprimer vos propres idées.

TOUT CHANGE

Des tunnels pour sortir de la crise ?

La spectaculaire réalisation du tunnel sous la Manche, la construction de Météor (métro est-ouest rapide) à Paris, le projet du Somport dans les Pyrénées et, à l'étranger, les nombreux exemples japonais montrent que nous sommes techniquement en mesure de répondre efficacement aux nouveaux besoins des transports. De plus, de tels projets ont une incidence bénéfique sur l'emploi et l'économie du pays concerné. En effet :

– la construction de tunnels et, plus tard, leur exploitation sont génératrices d'emplois ;

– des tunnels permettent des relations rapides directes là où elles étaient difficiles ou inexistantes (par exemple, en désenclavant certaines vallées de montagne, les tunnels permettent la création d'emplois liés au tourisme et à l'établissement de PME) ;

– les tunnels ne détruisent pas le paysage ;

– les problèmes qu'ils posent écologiquement sont maîtrisables : grâce au pot catalytique et à l'essence sans plomb, l'augmentation de la circulation routière n'est plus suivie d'une forte augmentation de la pollution atmosphérique.

❶ Lisez le texte. Est-ce que l'auteur de l'article donne les preuves de ce qu'il affirme ?

❷ Dites dans quel but cet article a été écrit :

1. pour convaincre les lecteurs que la construction de tunnels est une bonne chose ;

2. pour informer objectivement les lecteurs sur les avantages et les inconvénients des tunnels ;

3. pour montrer que progrès technique, économie et emploi sont étroitement liés.

L'AVENIR DU MONDE NOIR

N'DOUBA   FILS D'ANOUGBA
N'DA   VIEUX NOTABLE
ANOH   NOTABLE

(Place du village. Dans la pénombre, le tam-tam a sonné et les habitants arrivent un à un par petits groupes, et s'asseyent sous l'arbre à palabres. Quand tout le monde est en place, la lumière devient plus intense. C'est le matin.)

N'DOUBA

Je voudrais ce matin vous parler – vous vous en doutez bien – du barrage et du problème que sa construction crée dans le village. Chacun de vous
5 sait de quoi il s'agit.

ANOH

Sakpa. *(C'est vrai.)*

N'DOUBA

La chose se résume ainsi. Pour faire démarrer
10 notre industrie qui, à la longue, permettra de libérer notre économie, le gouvernement a décidé de construire un barrage près de notre village. Or l'on sait que les eaux du lac de retenue engloutiront le village…

15 N'DA

Et nous avons dit que nous ne pouvons pas quitter notre village, qu'à aucun prix nous ne laisserons les eaux violer la retraite des morts qui veillent sur nous (…).

20 N'DOUBA

Le problème actuel est trop grave pour que nous le réduisions simplement à une banale querelle de générations. Il s'agit de l'avenir du monde noir. Il s'agit de voir comment il faut résoudre nos contra-
25 dictions internes pour faire face à l'extérieur.

En vérité, notre combat est le même. Seules les méthodes sont différentes.

N'DA

Penses-tu que notre intérêt à nous soit de quit-
30 ter ce village où reposent les ancêtres qui veillent sur nous ? Penses-tu que quitter ce village où nous avons toujours vécu heureux soit dans notre intérêt ?

N'DOUBA

Moi aussi je connais la peine que j'aurais à
35 quitter ces lieux, je sais le grave choc que notre

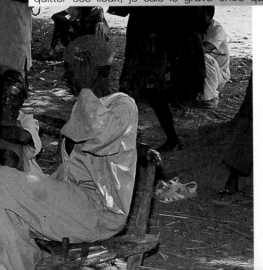

40 départ implique. Je pressens le vide qui va nous habiter les premiers temps du départ. Je sais les bouleversements que cela va provoquer dans notre vie quotidienne.

Pourtant, quand je regarde l'avenir qui nous est réservé, je réponds sans hésiter que notre intérêt se trouve dans le départ.

Oui, il faut partir. Vous voyez vous-mêmes que notre village ne peut plus vivre comme autrefois. Nos
45 habitudes les plus naturelles ont été faussées. Pour vivre maintenant, on ne peut plus se contenter des simples poissons du fleuve, des bananes et des tubercules des champs. Il faut acheter du riz, du sucre, il faut du pétrole pour nos lampes ; il nous faut
50 de bonnes machettes pour travailler nos champs, des filets résistants pour la pêche. Regardez donc les pagnes que vous portez : ils sont faits par des machines.

(Mesures d'approbation dans l'assemblée.)
55 Malgré nous, nous sommes embarqués dans ce monde où il faut tout acheter. Au prix qu'on nous impose. Voilà par où l'on nous tient encore.

Voilà donc, Anoh, ce monde ne nous permet plus de vivre isolés. Nous ne pouvons pas nous suf-
60 fire tout comme les autres ne peuvent pas se suffire eux non plus. Il nous faut donc apprendre avec ardeur ce qu'ils savent de plus que nous.

Et il faut partir avec conviction et enthousiasme. Dis cela à l'assemblée, Anoh.

65 ANOH

Telles sont les paroles de N'Douba. Elles ne sont peut-être pas la vérité mais elles devraient nous pousser à penser plus loin les problèmes.

Amadou Koné, *Le Respect des morts*, Hatier, 1980.

❶ 📼 **Écoutez l'extrait de la pièce de théâtre** *Le Respect des morts* **de l'Ivoirien Amadou Koné. Lisez le texte en même temps.**

❷ **Relisez le texte et prenez des notes pour préciser les points suivants :**

1. le projet dont il s'agit (en un mot) ;

2. les objectifs de ce projet ;

3. le problème que cela pose au village ;

4. les deux points de vue qui se forment chez les gens du village.

❸ **Retrouvez dans la dernière réplique de N'Douba (***Moi aussi je connais la peine… Dis cela à l'assemblée, Anoh***) :**

1. comment il montre à ceux qui ne veulent pas partir qu'il les comprend ;

2. comment il annonce son propre point de vue ;

3. comment il explique qu'il faut suivre la tendance générale.

❹ **Est-ce que sa conclusion** *Et il faut partir avec conviction et enthousiasme* **vous surprend ? Pourquoi ?**

Table ronde

❶ Dans le cadre d'une enquête sur l'intégration des francophones en milieu non francophone, Alain organise une petite table ronde. Regardez la fiche de chacune des quatre personnes. Écoutez ensuite l'enregistrement une première fois en identifiant bien les personnes qui parlent.

❷ À deux, réécoutez l'enregistrement en prenant des notes. L'un se concentre sur Bernadette et Sylvie, l'autre sur Claude. Pour les trois personnages, dites comment est l'atmosphère au travail et comment ils sont considérés par leurs collègues.

❸ Répondez à la question posée par Alain : *Comment vous êtes-vous intégrés dans le cadre de votre travail ?* en reprenant les explications de Bernadette, Sylvie et Claude.

❹ Vous voulez savoir si les étrangers qui séjournent dans votre pays se sentent bien intégrés.
Quelles questions allez-vous leur poser ?

Alain Y. (24 ans), Français,
étudiant en sociologie à Paris,
fait une enquête sur l'intégration des francophones
dans les pays germaniques.

Claude V. (35 ans), Togolais,
ingénieur en aéronautique,
travaille dans un aéroport allemand
au service clientèle.

Sylvie A. (29 ans), Belge,
ingénieur informaticienne,
participe à un projet européen concernant
la télévision numérique.

Bernadette D. (38 ans), Française,
travaille dans une société de communication,
son domaine est la promotion des produits et des
savoir-faire français dans les pays germanophones.

EDF

❶ Il y a trois personnages dans cette petite scène : le commissaire, l'inculpé et monsieur EDF. En groupes de trois, choisissez chacun un personnage, puis écoutez l'enregistrement en prenant des notes sur ce que dit votre personnage.

❷ Essayez de reconstituer le texte à trois.

❸ Réécoutez le texte, puis jouez la scène.

VOCABULAIRE

S'OPPOSER À UN INTERVENANT DANS UN DÉBAT

• Pour exprimer une opposition modérée
Je suis d'accord avec vous, mais…
Je partage votre avis, sauf sur un point…
C'est vrai ce que vous dites, mais moi j'ai pu constater que…
Si vous permettez, je pense que ce n'est pas tout à fait exact…
Excusez-moi de vous interrompre, mais je ne pense pas que…
Si j'ai bien compris, d'après vous il faudrait… mais à mon avis…

• Pour exprimer une opposition tranchée
Je considère que ce qui vient d'être dit est inacceptable…
Je ne suis pas du tout d'accord…
Je me vois obligé(e) d'intervenir…
Je ne peux pas laisser dire des choses pareilles…
Vous n'avez pas le droit de dire cela…
C'est inadmissible que quelqu'un fasse de telles affirmations aujourd'hui…

• Pour soutenir le point de vue de quelqu'un d'autre
Je suis entièrement de votre avis…
Si vous permettez, je voudrais citer un exemple qui confirme ce que vous venez de dire…
Je partage votre opinion et je souligne que…

ANIMER UNE TABLE RONDE

Vous voulez inviter les intervenants :
• à préciser leurs propos
Est-ce que vous pourriez préciser…
Peut-être pourriez-vous préciser pour ceux qui ne connaissent pas les événements…

• à ne pas s'écarter du sujet
Je vous invite à ne pas trop vous éloigner de notre sujet de ce soir…
Il faudrait peut-être revenir à notre sujet principal…
Si nous revenions à notre sujet…

• à respecter le temps de parole
Je vous rappelle qu'il ne nous reste que quelques minutes…
Je vous invite à ne pas dépasser le temps…
Je vous demanderai de respecter le temps…
Vous n'avez plus que… minutes.

---

❶ **En vous reportant aux dernières unités, choisissez un sujet qui vous intéresse pour faire une table ronde.**
Partagez-vous ensuite en groupes de cinq étudiants : quatre sont les intervenants et le cinquième est l'animateur/trice de la table ronde. Présentez la table ronde à l'ensemble de la classe, qui va évaluer :
1. l'efficacité de l'animateur/trice ;
2. l'efficacité des intervenants.

❷ **1. Classez les adjectifs et les expressions suivantes en deux groupes :** *appréciation favorable – appréciation défavorable.*

a. Un travail excellent.
b. Une information essentielle.
c. Un rapport affreux.
d. Un projet immense.
e. Des résultats infimes.
f. Une réalisation parfaite.
g. Un travail indispensable.
h. Une idée extraordinaire.
i. Un avantage minime.

2. Recherchez ensuite d'autres expressions à ajouter à chacun des groupes.

GRAMMAIRE

POUR SE DISTANCIER

vous le savez déjà...

❶ **1. Dites ces phrases de façon plus impersonnelle.**

a. Pierre a téléphoné pour toi.

b. Elle a réservé une chambre.

c. Un homme de quarante ans environ a volé les bijoux.

d. J'ai réglé l'addition.

2. Comparez vos solutions à celles des autres étudiants de votre groupe.

LES CONSTRUCTIONS IMPERSONNELLES

• *voir Constructions verbales p. 186.*
• *voir Accord du participe passé p. 127.*

Il est difficile de savoir si...
Il est plus simple pour eux d'utiliser...

• **Il** (impersonnel) + verbe **être** + adjectif se construit de plusieurs façons :

– avec **de** + infinitif :
Il serait bien de..., il est difficile de..., il est facile de..., il serait possible de..., il est normal de...

• *voir Subjonctif p. 182.*

– avec **que** + subjonctif :
Il est ennuyeux que..., il est fréquent que..., il est important que..., il est possible que..., il est normal que..., il/ça serait bien que...

– avec **que** + indicatif :
Il est certain que..., il est probable que..., il est sûr que..., il est évident que..., il est clair que...

❷ **Complétez avec *de* ou *que* puis avec le verbe entre parenthèses à l'infinitif ou au temps approprié.**

On vous a proposé d'aller travailler et vivre à la campagne. Considérez les arguments pour ou contre :

1. Il est plus facile ... (oublier) le stress et les embouteillages en province.

2. Il est possible ... nous (trouver) les contacts humains beaucoup plus faciles.

3. Il est important ... nous (être bien informé) avant de prendre une décision.

4. Il est ennuyeux ... notre enfant (devoir) changer d'école.

5. Il se peut ... nous (avoir) du mal à nous habituer à notre nouveau cadre.

6. Il serait bien ... (rencontrer) certains de nos futurs collègues.

❸ **Récrivez ces phrases comme dans l'exemple.**

Avoir un pavillon de cinq pièces avec jardin pour le prix d'un trois pièces parisien, en province, c'est possible.

➜ *En province, il est possible d'avoir un pavillon de cinq pièces avec jardin pour le prix d'un trois pièces parisien.*

1. Déjeuner avec son banquier, en province, c'est fréquent.

2. Jouer au tennis avec ses fournisseurs, en province, c'est normal.

3. Obtenir une augmentation parce qu'on s'installe en province, c'est possible.

LE PASSIF, LA NOMINALISATION

• *voir Passif p. 177.*

• Pour éviter de donner l'agent, on peut utiliser :

– un verbe au passif : *Un pont **sera construit**...*

– une nominalisation : ***La construction du pont de Millau** permettra...*

❹ **Complétez le tableau quand c'est possible.**

On...	Passif	Nominalisation
On va construire un barrage.	*Un barrage sera construit.*	*La construction du barrage...*
	Le village est bouleversé.	
On a		L'arrestation d'un suspect...
On réduit le temps de travail		
		Vol de bijoux dans un grand magasin...

◄ POUR EXPRIMER SON INTENTION

SUBJONCTIF OU INDICATIF APRÈS UN VERBE D'OPINION ?

• *voir Subjonctif p. 109.*

Je pense que le système des quotas n'est pas une bonne chose.
• Indicatif : les choses sont sûres.

Penses-tu que notre intérêt à nous soit de quitter ce village ?
• Subjonctif : les choses sont nécessaires, souhaitables, incertaines, peu probables…

Je ne doute pas qu'ils ont été bien reçus.
Je doute que nous acceptions de partager.
• La négation ou l'interrogation peut transformer une certitude en doute ou un doute en certitude.

	forme affirmative	forme négative/ interrogative
penser, croire, être sûr	indicatif	subjonctif
douter	subjonctif	indicatif

❺ Répondez aux questions suivantes soit par l'affirmative, soit par la négative.
– *Les petites stations peuvent diffuser 40 % de chansons françaises ? – Vous en êtes sûr(e) ?*
➜ *Je suis sûr(e) que les petites stations peuvent diffuser 40 % de chansons françaises.*
➜ *Je ne suis pas sûr(e) que les petites stations puissent diffuser 40 % de chansons françaises.*

1. – Il faut faire le même horaire tous les jours ?
– C'est vrai ?
2. – Nous pouvons travailler seulement quatre jours par semaine.– Vous croyez ?
3. – Avec la mensualisation des horaires, la direction doit créer de nouveaux postes. – Vous en doutez ?
4. – Il va y avoir des problèmes. – Vous en êtes sûr(e) ?
5. – Nous travaillons moins qu'avant.
– En êtes-vous certain(e) ?

Comparez vos réponses à celles des autres étudiants de votre groupe.
Faites la liste des verbes qui s'utilisent comme *penser*, et de ceux qui s'utilisent comme *douter*.

DEVOIR, FALLOIR, VOULOIR

• *voir Constructions verbales p. 50.*

• **Devoir**
– nécessité, obligation :
Je dois aider les passagers qui sont en difficulté.
– probabilité : *Vous devez avoir de nombreux amis.*
– prévision : *Il doit passer ce soir.*
– conseil (conditionnel présent) :
Vous devriez écrire. (à votre place, j'écrirais)
– reproche ou regret (conditionnel passé) :
Tu aurais dû nous écrire. Je n'aurais pas dû…

• **Falloir**
– besoin : *Il nous faut de bonnes machettes.*
– obligation : *il faut tout acheter.*

• **Vouloir**
– volonté : *Il veut réussir.*
– intention : *Je ne voudrais pas vous faire de la peine, je voudrais vous parler de…*

❻ Complétez avec *devoir* ou *falloir*. Choisissez le temps d'après le sens.

1. Jean … travailler dur pour vivre de ses terres. Il lui … d'abord trouver de l'eau et ensuite beaucoup de temps.
2. – Elle … me rapporter mon livre ce soir. Elle l'a promis.
– Tu … me prévenir, je suis passé devant chez elle.
3. Tu n'as pas le choix. … envoyer ton dossier avant le 15. Si tu veux mon avis, tu … le faire maintenant.

❼ Préparez un petit manifeste : 5 points pour ou 5 points contre la construction d'une autoroute tout près de chez vous.

Nous voulons/ne voulons pas que…
Nous devons… Il faut…

❽ Vous faites une série de recommandations :
1. à des amis qui vont occuper votre appartement pendant les vacances ;
2. ou à quelqu'un qui vient garder un/des enfant(s).

Il faut…
Vous devez…
N'oubliez surtout pas de…

Le grand écart

Les ponts de demain qui relieront les continents.

Dans les six mois qui viennent, trois ponts gigantesques vont voir le jour : à Millau sur le Tarn, au Canada et au Portugal. Le plus long mesurera 13 km. Matériaux nouveaux, simulations informatiques, les ingénieurs repoussent les limites du possible.
Et ça n'est pas fini.
Plus loin, plus haut, plus fort. La devise olympique semble avoir été écrite pour ces géants qui enjambent fleuves, gouffres et détroits. Les ponts repoussent les limites du possible.

Quo, août 1997.

La folie des grandeurs

Voies royales, les autoroutes procurent confort, vitesse et sécurité. Mais leur utilité justifie-t-elle le foisonnement[1] de projets ? La France se recouvre de longues bandes de macadam. Jusqu'à l'absurde.

1. Foisonnement : nombre élevé.

Millau : le plus long pont à haubans du monde, une prouesse technologique qui ne fait cependant pas l'unanimité.

Vous devez rédiger une note de synthèse (un court rapport) sur le viaduc de Millau. Comme sources d'information, vous avez les documents reproduits dans cette page double.

❶ Recherchez vos informations dans les différents documents, puis notez-les.

1. Quelles sont les informations fournies par les illustrations et la légende ? Sont-elles objectives ?
Notez ce que vous voulez utiliser.

2. Quel est le sujet de l'article « Le grand écart » publié dans *Quo* ?
Quel est le rapport avec Millau ?
Qu'est-ce que ce texte nous apprend sur Millau ?
Quelle est l'intention du journaliste ?

a. informer objectivement ; *b.* faire réfléchir ;
c. faire réagir ; *d.* amuser les lecteurs.
Notez ce que vous voulez utiliser.

3. Quelles informations peut-on tirer de l'article « Le viaduc de Millau » paru dans *Libération* ?
Quelle est l'intention du journaliste ?
a. informer objectivement ; *b.* faire réfléchir ;
c. faire réagir ; *d.* amuser les lecteurs.
Notez ce que vous voulez utiliser.

4. Que nous apprennent les trois témoignages des habitants de Millau ainsi que le texte « La folie des grandeurs » ? L'information est-elle objective ?
Notez ce que vous voulez utiliser.

LE VIADUC DE MILLAU

Au creux de la vallée du Tarn, les habitants de Millau rêvent plus que jamais de leur viaduc. Un pont haubané de 2,5 km de long posé sur sept piles, qui doit survoler à près de 300 mètres de haut la vallée pour relier le causse du Larzac au causse rouge du Tarn. C'est la « *solution haute* » imaginée en 1988 par les ingénieurs des routes pour réaliser le dernier chaînon manquant de l'autoroute A 75 reliant Clermont-Ferrand à Béziers. En juillet 1996, le projet de l'architecte Norman Foster a été retenu après un concours international. « *Il fallait soit encombrer la vallée, soit encombrer le ciel* », avait alors commenté un membre du jury. Et pour les Millavois, le ciel représentait la meilleure échappatoire.

Mathieu Ecoiffier, Libération, 26 février 1998.

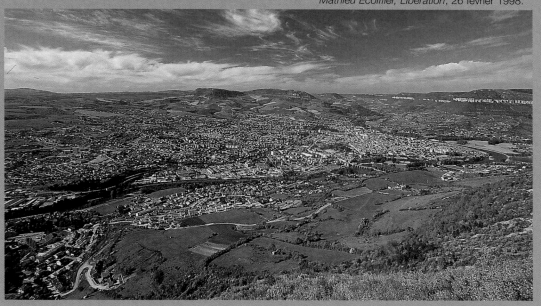

Ce qu'en pensent les Millavois...

● *Madame Pages, infirmière*

Millau, c'est la vallée du Tarn, c'est un site naturel ; avec le viaduc, ce ne sera jamais plus la même chose. On ne pourra plus voir Millau sans voir ce gigantesque monument. Je plains nos enfants...

● *Monsieur Nicollin, boulanger*

Vous savez combien ça va coûter, 230 millions d'euros, peut-être plus même, tout ça pour 2 kilomètres 500 d'autoroute. Du moment que les gens peuvent aller vite, peu importe le prix !

● *Albert, un employé municipal*

J'étais à Vierzon quand ils ont construit l'autoroute. On n'a plus eu de bouchons mais dix-neuf cafés ont fermé. Ici, les gens s'arrêteront peut-être voir le pont la première année, comme à Tancarville. Ensuite, ils nous passeront au-dessus de la tête. ».

❷ **Classez vos notes en regroupant ce qui va ensemble. Supprimez ensuite les informations qui font double emploi, puis celles qui vous semblent sans importance.**
Si vous utilisez le point de vue subjectif d'un témoin (témoignages des trois Millavois), il faut que votre lecteur comprenne que vous rapportez une prise de position importante qui n'est pas la vôtre.

❸ **Rédigez votre note de synthèse.** Vous pouvez suivre le plan suivant :

1. le viaduc de Millau (données techniques, description) ;

2. sa fonction ;

3. les critiques.

❶ **On doit construire un embranchement d'autoroute à l'endroit où s'élève votre quartier. Ce projet ne touche pas seulement votre quartier avec ses habitations, ses commerçants, ses lieux de culture et loisirs, mais a des conséquences pour toute la ville. Vous discutez de ce changement fondamental.**

1. Formez des groupes de six à sept étudiants.

2. Dans chaque groupe, désignez deux étudiants qui se chargeront d'animer la table ronde. Les autres prendront le rôle des participants et répondront aux questions, exposeront leurs arguments, donneront des exemples…

❷ **Dans chaque groupe, vous définissez ensemble le projet d'autoroute en vous mettant d'accord sur les points suivants :**

1. les lieux touchés par le projet ;

2. les dates de réalisation du projet ;

3. les deux ou trois attitudes que l'on peut avoir devant le projet (par exemple : ne rien dire et déménager, essayer d'arrêter le projet ou de le modifier en manifestant…).

❸ **Dans chaque groupe, animateurs et participants se préparent séparément à la table ronde.**

1. Les animateurs réfléchissent aux questions qu'ils veulent poser et notent les expressions utiles pour animer la discussion : comment demander une précision, comment ne pas s'écarter du sujet de la discussion, comment interrompre quelqu'un qui parle depuis trop longtemps…

2. Les participants s'exposent mutuellement leurs arguments et notent les expressions utiles pour dire qu'ils sont du même avis ou d'un avis contraire, pour ajouter une précision ou donner un exemple…

❹ **Dans chaque groupe, les deux animateurs ouvrent la discussion en demandant aux participants ce qu'ils pensent du projet.**

FAIRE UNE SYNTHÈSE

Il est important de savoir faire une synthèse :

• pour se constituer une information complète relativement objective à partir de documents divers présentant chacun une information partielle et subjective. C'est ce qui est proposé à propos du pont de Millau dans l'unité 15 ;

• pour rassembler plusieurs points de vue différents, parfois même contradictoires, sur un même sujet. Il s'agit alors de présenter le sujet, puis de montrer les différentes positions que l'on peut prendre par rapport à lui ;

• pour présenter les conclusions d'une discussion.

FAIRE UNE SYNTHÈSE

Dans tous les cas, il faut apprendre à distinguer l'essentiel de chaque texte et les différences significatives entre les textes.

Vous pouvez procéder de la manière suivante :

• Parcourez les différents documents et classez-les (en fonction de leur genre : articles de presse, témoignages, extraits de livre, schémas… ; en fonction du public auquel ils s'adressent ; en fonction de l'intention de l'auteur : convaincre, vendre, faire changer d'idée, informer objectivement…).

• Étudiez chaque texte pour ne retenir que les parties traitant du thème qu'ils ont en commun et notez les idées essentielles (dont la position de l'auteur).

• Comparez les éléments retenus, classez-les, puis supprimez ce qui fait double emploi.

• Réfléchissez à la manière de présenter la synthèse en restant objectif et faites un plan.

• Au moment de la rédaction, n'oubliez pas que la synthèse est un texte qui doit présenter une grande unité (et ne pas être la juxtaposition d'extraits des différents documents), avec une introduction, la présentation du thème et les différents points de vue des auteurs des textes de départ ou la présentation d'une information complète construite à partir des différents documents.

■ Rédigez une synthèse à partir de tous les textes de l'unité 14 qui parlent d'un quota pour la chanson française, y compris la transcription des témoignages d'auditeurs. Utilisez les documents que vous pouvez trouver sur le sujet.

Si vous disposez de documents personnels, mettez-les à la disposition des autres étudiants.

Faites le point :

1. classement des documents ;
2. ce qui est retenu et ce qui est supprimé ;
3. plan.

PRÉSENTER UNE SYNTHÈSE ORALEMENT

Dans le cadre d'une discussion, d'un débat ou d'une table ronde, il faut être capable de présenter une synthèse (au moins pour les rapporteurs des différents groupes).

Il convient de procéder comme pour la présentation orale de n'importe quel autre texte :

• N'oubliez rien et suivez l'ordre chronologique que vous avez prévu. Appuyez-vous sur des notes (qui doivent donc contenir les éléments les plus importants ordonnés selon un plan logique).

• Les notes ne doivent pas être lues : vous devez parler librement, regarder votre public (donner l'impression que vous vous adressez tantôt à l'un tantôt à l'autre).

ET AUSSI… Pour vous entraîner à parler librement en public, travaillez le plus souvent possible à deux.

■ Présentez votre synthèse sur un quota pour la chanson française aux autres étudiants. Comparez et discutez.

ÉPREUVE A4

OBJECTIF

• Faire fonctionner à un degré de correction satisfaisant, le système linguistique du français à l'écrit et à l'oral.

Écrit : 1 h 30
• Rédaction de textes.
Oral : 15 minutes
• Compréhension de textes

A4 ORAL Maîtriser la communication

❶ 📼 **Vous allez entendre dix phrases enregistrées.**
Entendez-vous la phrase citée ou une autre phrase ?

	Phrase entendue	Phrase non entendue
1. C'est quelqu'un qui aime beaucoup les prunes.		
2. Prends la tresse.		
3. Je ne pense pas que ce soit à cause de sa voix.		
4. Je traduis toutes ses œuvres.		
5. Je ne sais pas comment elles s'entendent.		
6. Je n'ai pas vu le sien.		
7. Ce n'est pas sur le bon.		
8. Elle lui tend la main.		
9. Il se fait du souci.		
10. Je ne l'ai pas encore bu.		

❷ 📼 **Écoutez les huit phrases enregistrées.**
D'après l'intonation, notez le numéro de la phrase correspondant au sentiment ou à l'attitude exprimé.

a. Regret.   *e.* Doute.
b. Colère.   *f.* Surprise.
c. Satisfaction.   *g.* Admiration.
d. Menace.   *h.* Inquiétude.

❸ 📼 **Écoutez les huit personnes enregistrées.**
Dites si elles sont pour ou contre la réduction du temps de travail.

❹ 📼 **Écoutez l'enregistrement une deuxième fois et dites si la personne parle de :**

	n° 1	n° 2	n° 3	n° 4	n° 5	n° 6	n° 7	n° 8
a. Solidarité								
b. Problèmes financiers								
c. Surcharge de travail								
d. Loisirs								
e. Carrière								
f. Enfants								
g. Problème au bureau								
h. Motivation								

A4 ÉCRIT Rédiger des textes

❶ À partir des notes ci-dessous, rédigez un court article de journal.

1. Un crocodile à l'hôtel. Paris XVᵉ.

Trouvé par une femme de ménage. Âge : six à huit mois. Longueur : 61 cm, taille adulte : 5 mètres.

Poids : 650 grammes. État de santé : satisfaisant. Pas de trace du propriétaire. Confié à la ménagerie du Museum d'histoire naturelle.

2. Tornades en Floride.

43 morts. 100 maisons détruites. Centre commercial soufflé : 6 morts. Vent : 250 km/h. Un rescapé affirme : « Le seul moyen de se protéger est de se cacher dans la baignoire. » Facture : 475 millions de dollars.

3. Explosion à Bordeaux.

Quatre blessés. Hier vers 7 h 30. Premier étage d'un immeuble. Origine : on ne sait pas encore. Enquête.

4. Plages de la Méditerranée.

Vingt-deuxième dauphin retrouvé mort. Mystère. Pas encore d'explication. Blessure : trou de dix centimètres au niveau de la gorge.

5. 11ᵉ Festival mondial des théâtres de marionnettes.

19 au 28 septembre. 39 nations invitées. 154 troupes dans les rues de Charleville-Mézières. Invité d'honneur : le Japon. Colloques, rencontres, stages : programme riche et varié. Renseignements :

bureau du festival : 03 24 59 94 94.

❷ Vous êtes Emmanuel. Vous écrivez un petit mot à Éric pour lui transmettre le message complet de Xavier.

XAVIER : Je vais venir à Strasbourg dans deux semaines.

EMMANUEL : Super ! Pour combien de temps ?

XAVIER : Juste pour le week-end. Tu peux demander à Éric s'il peut m'héberger ? Je n'ai pas le temps de lui écrire.

EMMANUEL : Bien sûr ! Qu'est-ce que tu veux faire ?

XAVIER : Je veux absolument aller voir le match France-Irlande avec vous. Débrouillez-vous pour avoir des places. J'arriverai le 10 à 20 heures. OK ?

Commencez par :

Éric,

Xavier m'a téléphoné qu'il…

Il m'a demandé si tu…

❸ Vous êtes intéressé(e) par l'une de ces petites annonces. Vous y répondez en vous présentant.

1.

*Association de gestion
de la Maison
de la culture et des loisirs
de Lille*
recrute
un(e) chargé(e) des relations publiques.

Durée de la mission : 6 mois.

Début de la mission : 13 février.

Mission : développer les relations avec les partenaires (les établissements scolaires et les associations).
Gérer le budget de la communication.
Profil : études supérieures. Sens du contact humain. Capacité à travailler en équipe.

Écrire à
M. Valet, directeur, 13 rue d'Artois,
59 000 Lille.

2.

DANSEURS, HUMORISTES, DÉCORATEURS, SCÉNOGRAPHES…

Libres de toutes obligations.
Disponibles rapidement.
Sens des responsabilités pour diriger une équipe d'animation dans un de nos villages de vacances.

Merci d'adresser votre lettre au Club Ulysse, service recrutement.

LA TERRE EST MALADE

La Terre est malade. Elle est atteinte d'une étrange maladie qui a pour nom « développement », une idée pernicieuse qui meut la planète depuis trois siècles. Fort d'un savoir tout frais, l'homme a chaussé ses gros sabots pour soumettre la nature et la vie à ses pouvoirs et à sa loi. Cueilleur puis cultivateur, exploitant puis exploiteur, il a mis la Terre en coupes réglées, l'a sommée de produire, produire sans cesse davantage, au besoin même jusqu'à ce que mort s'ensuive ! On a vu la planète se hérisser de fer et de béton, comme si quelque cancer s'était en quelques générations développé à la surface de sa peau (...) salie, défigurée. Qui reconnaîtra demain son visage ? Car la voici qui bourgeonne, boutonne (...), pèle et dessèche. (...)

Ici les forêts dépérissent ou meurent calcinées ; là, elles reculent devant les armadas de bulldozers qui feront demain de l'Amazonie un nouveau Sahel ! Mille molécules, radioactives ou non, s'infiltrent insidieusement dans les êtres vivants les plus modestes, dans les rivières ou dans les mers : qui sait si demain des seuils toxiques ne seront pas franchis ? La couche d'ozone qui nous protège est menacée, les climats perturbés. Tandis que la population s'accroît, les ressources s'épuisent, et, avec elles, la Terre se désertifie et s'assèche. Sans parler des multiples perturbations et agressions perpétrées par les hommes « en plein développement » sur leurs propres frères, indigènes des forêts ou miséreux des banlieues, tristement « sous-développés », eux.

Tous ces déséquilibres nous sont familiers ; nous en connaissons les causes et les remèdes ; nous en sommes donc responsables. Le temps est venu de changer, d'orienter autrement le cours de notre histoire pour entreprendre ou reprendre la tâche qui nous a été confiée à l'aube des millénaires : le jardinage d'une Terre confiée aux hommes en usufruit[1], non pour qu'ils la détruisent ! Cette antique alliance de l'homme et de la Terre, scellée dans la promesse faite par Yahvé aux fils d'Adam, mais aussi par tous les dieux de toutes les religions à tous les hommes de tous les temps, est désormais à restaurer et à respecter.

Nous n'avons qu'un seul futur possible ; il suppose une immédiate mobilisation des énergies, la force de conviction qu'exigent les grandes entreprises universelles. Car il n'y aura de futur que si nous tournons résolument le dos aux tendances suicidaires qui, depuis les débuts de la sédentarisation, il y a quelque dix mille ans, ne cessent d'éroder et de mettre en péril l'intégrité de notre mère la Terre.

Les anciens Grecs considéraient le bannissement comme le pire des châtiments ; c'était leur peine capitale. Quel homme pouvait en effet vivre éloigné de la terre de ses aïeux ? Mais combien vivent aujourd'hui en bannis ou en reclus sur leurs terres enlaidies, appauvries et défigurées au point de leur être devenues inhospitalières et étrangères, qu'il s'agisse des villes et de leurs banlieues lépreuses ou des campagnes érodées, déboisées, misérables ?

Cette mise à sac de notre jardin, ce bannissement de nos paradis provisoires sont la tragique condition de centaines de millions de citoyens du monde. Elle est inacceptable. Il faut la refuser. Demain, aujourd'hui même, il est temps d'agir, mais aussi de contempler, c'est-à-dire de sentir pour mieux agir, agir au plus juste.

Jean-Marie Pelt, *Le Tour du monde d'un écologiste*, Fayard, 1990.

1. Pour qu'ils en profitent durant leur vie.

STRATÉGIES DE LECTURE

▶ **1** Lisez rapidement le texte. Allez jusqu'au bout sans vous arrêter, même si vous ne comprenez pas certains mots et certaines phrases.
De quel genre de texte s'agit-il ?

▶ **2** Relisez le texte.
a. À deux, dites ce que vous avez compris.
b. Quelles sont les deux parties qu'on peut identifier dans ce texte ? Par quelle phrase commence la deuxième partie ?
Comparez vos réponses avec celles des autres étudiants.

▶ **3** Relisez le texte une troisième fois.
a. À deux, retrouvez des phrases dans le texte qui renvoient à : l'appauvrissement, la désertification, la pollution, l'effet de serre.
b. Proposez d'autres noms pour résumer certaines idées de ce texte.
c. Quel est le message de l'auteur ?

▶ **4** Relisez le texte une autre fois puis discutez en petits groupes.
a. Quels sont les *déséquilibres* qui vous inquiètent le plus ?
b. Selon vous, assiste-t-on à une *mobilisation des énergies* ? Avez-vous des solutions à proposer ?
Comparez vos suggestions avec celles des autres étudiants.

TOP CHRONO !

Quelle est la première équipe qui trouvera, dans les textes :

▶ **1.** huit adjectifs (ou participes passés) pour renvoyer aux conséquences de l'action de l'homme sur la nature ;

▶ **2.** une autre façon de dire
a. *changer* ;
b. *vivre éloigné*.

▶ **3.** **a.** deux verbes synonymes de *détruire* ;
b. deux verbes qui s'opposent à cette action ?

STRATÉGIES D'ÉCOUTE

▶ **1** Écoutez l'enregistrement en entier, même s'il y a des passages que vous ne comprenez pas.
1. Quel est le thème de l'émission ?
2. Où a-t-elle lieu ?

▶ **2** Réécoutez l'émission.
De quelle innovation est-il question ? À deux, retrouvez les détails techniques. Réécoutez une troisième fois le texte pour vérifier s'il y en a d'autres.

▶ **3** Réécoutez l'émission une autre fois.
Concentrez-vous maintenant sur les usagers, sur ce qu'on attend d'eux. Prenez des notes.
Comparez vos notes avec celles des autres étudiants.

▶ **4** Discutez à deux. Pensez-vous que cette innovation ait un avenir ?

 **LE COMPTE EST BON !**

◆ Combien de fois entendez-vous le mot *carte* ?

Une identité française

À la question « Qu'est-ce qu'un Français ? », l'écrivain et humoriste Pierre Daninos répondait : « Le Français ? Un être qui est avant tout le contraire de ce que vous croyez. »

L'identité nationale repose avant tout sur la culture, entendue au sens large du terme comme l'ensemble des traits qui caractérisent une société (sa langue, son histoire, ses références, ses connaissances, ses comportements, ses mœurs). Cette culture est transmise par l'école, la presse, les livres, les échanges quotidiens au sein de la société. Forgée par une histoire de vingt siècles, cette culture n'est nullement figée. Elle s'enrichit aujourd'hui, comme elle l'a fait au long des siècles, des multiples apports venus de l'étranger, qu'elle a progressivement intégrés.

Et c'est cette culture, cœur de l'identité nationale, qui a été le principal instrument de l'assimilation de générations d'immigrants qui, tout en la transformant peu à peu, sont devenus français en l'adoptant à la première ou à la deuxième génération. De la même façon que la population française s'est nourrie d'un sang neuf venu de l'étranger, l'identité nationale s'est affirmée en se modelant peu à peu au gré des influences multiples venues d'au-delà des frontières.

Histoire terminale,
Hatier, Paris, 1989.

La constitution de la Vᵉ République

Le peuple français proclame solennellement son attachement aux droits de l'homme et aux principes de la souveraineté nationale tels qu'ils ont été définis par la Déclaration de 1789, confirmée et complétée par le préambule de la Constitution de 1946.

Préambule de la Constitution de 1958.

Tout homme persécuté en raison de son action en faveur de la liberté a droit d'asile sur les territoires de la République.

Préambule de la Constitution de 1946.

Art. 1 : La France est une République indivisible, laïque, démocratique et sociale. Elle assure l'égalité devant la loi de tous les citoyens sans distinction d'origine, de race ou de religion. Elle respecte toutes les croyances.

Art. 2. : La langue de la République est le français. L'emblème national est le drapeau tricolore, bleu, blanc, rouge. L'hymne national est la Marseillaise. La devise de la République est « Liberté, Égalité, Fraternité ». Son principe est : gouvernement du peuple, par le peuple et pour le peuple.

Constitution de 1958 après les modifications de 1992 et de 1995.

Le principe de laïcité

Art. 1 : L'enseignement primaire comprend : l'instruction morale et civique ; la lecture et l'écriture ; la langue et les éléments de la littérature française ; la géographie, particulièrement celle de la France ; l'histoire, particulièrement celle de la France jusqu'à nos jours (…).

Art. 2 : Les écoles primaires publiques vaqueront un jour par semaine, en outre du dimanche, afin de permettre aux parents de faire donner, s'ils le désirent, à leurs enfants, l'instruction religieuse, en dehors des édifices scolaires.

Loi Ferry du 28 mars 1882
sur l'enseignement obligatoire et laïc.

Religion déclarée par les Français en 1995 (en %)

catholiques	75,3
protestants	1,9
musulmans	1,1
juifs	0,6
autres	1,3
sans religion	19,5
sans réponse	0,3

Parmi les catholiques, 13 % se considèrent comme des pratiquants réguliers, 34 % comme des pratiquants occasionnels, 53 % comme des non-pratiquants.

Selon des sources officielles, la France compte environ 4 millions de musulmans, 1 million de protestants, 600 000 juifs.

D'après Francoscopie 1997, Larousse.

La France vue par les Français

Les Français trouvent que la France est un pays :

	Oui	Non
• où le cadre de vie est agréable	91 %	7 %
• de gens inquiets	86 %	12 %
• où la technologie est en pointe	80 %	13 %
• qui a conservé son identité culturelle	80 %	13 %
• où l'on se sent plus français qu'européen	79 %	16 %
• catholique	70 %	24 %
• qui soutient la famille	61 %	32 %
• de vieux	60 %	35 %
• qui intègre bien ses immigrés	58 %	35 %
• dont le monde rural est dynamique	58 %	36 %
• qui a la volonté de lutter contre le chômage	51 %	44 %
• dont l'influence augmente dans le monde	48 %	42 %
• où domine la sécurité	40 %	56 %
• où les gens communiquent entre eux	33 %	64 %
• où les inégalités se réduisent	30 %	65 %
• qui donne leur chance aux jeunes	27 %	69 %

Francoscopie 1997, Larousse.

▶ **1.** Aujourd'hui, plus du tiers de la population française descend d'immigrants de la première, de la deuxième ou de la troisième génération.
Dans quelle mesure ce fait permet-il d'expliquer l'extrait de manuel scolaire proposé dans le premier document ?

▶ **2.** La Constitution de la Ve République s'appuie sur des textes de 1789 et de 1946.
a. Que s'est-il passé en France à ces dates-là ?
b. Dans quelle mesure peut-on parler d'une tradition républicaine ?

▶ **3.** La France est une république laïque.
a. Expliquez ce que cela signifie.

b. Montrez comment le principe de la laïcité a été exposé dans la loi Ferry du 28 mars 1882 sur l'enseignement.

▶ **4.** Observez les chiffres concernant les religions.
a. Plus de cent ans après la loi Ferry, pensez-vous que le principe de la laïcité a gardé toute sa valeur en France ?
b. À votre avis, le principe de la laïcité permet-il ou non une meilleure intégration des immigrants d'origines diverses dans la société française ?

▶ **5.** *La langue de la République est le français.*
À votre avis, pourquoi la Constitution affirme-t-elle ce principe ? La langue est-elle à vos yeux un facteur essentiel d'intégration ? Justifiez votre réponse.

Opération environnement 4

VOTRE JOURNAL A DÉCIDÉ DE SOUTENIR UNE OPÉRATION D'AMÉLIORATION DE L'ENVIRONNEMENT POUR RENDRE LA VIE DANS VOTRE VILLE PLUS FACILE ET PLUS AGRÉABLE.

Il est relayé par une radio locale qui donne la parole aux auditeurs, organise des débats et invite des personnalités.

DÉCISIONS

❶ À la suite d'un débat, par tirage au sort ou sur la base du volontariat, déterminez quelles seront les personnes intervenant dans la simulation comme :

1. journalistes du *Petit Café crème* ;

2. journalistes de la radio partenaire ;

3. auditeurs et lecteurs ;

4. personnalités : industriels, agriculteurs, membres de partis politiques, de syndicats ou d'associations, élus locaux, piétons, cyclistes, usagers de la ville, consommateurs…

Donnez-leur une identité et faites leur portrait.
Vous pouvez également utiliser les fiches d'identité établies lors de la première simulation p. 44.

❷ Par petits groupes de six, établissez la liste des problèmes d'environnement à affronter et à traiter.
Pollution de l'air par des gaz d'échappement de véhicules ou par des fumées domestiques ou industrielles, pollution de la nappe phréatique par des engrais chimiques ou par des lisiers (déjections animales), pollution de cours d'eau par des rejets industriels, risque de contamination chimique ou nucléaire…

ÉCRITS ET JEUX DE RÔLES

❶ Chaque groupe confectionne une plaquette d'information destinée au grand public, faisant :

1. l'état des lieux ;

2. l'analyse de la situation ;

3. une série de propositions de remédiation.

Chaque groupe présente oralement son projet et le défend en répondant aux questions posées par des journalistes extérieurs et par des auditeurs.

❷ La rédaction du journal élit le meilleur projet ou rédige un seul projet à partir des différents projets présentés.

L'ensemble de la rédaction décide donc de partir de ce projet pour produire la une du jour, des articles de fond, des lettres de lecteurs, des reportages, des descriptions, etc.

❸ Les autres personnes impliquées dans la simulation produisent selon leur rôle des lettres, des tracts, des publicités, des interviews, des débats, des exposés ou expositions, etc.

❹ Les différentes personnes se réunissent pour des débats ou des meetings. Certains en assurent l'animation, d'autres le compte rendu.
Pour faire débattre des invités, on peut leur suggérer d'utiliser des stratégies de reformulation.
Ainsi, à la question : *Connaissez-vous des moyens de lutter contre la pollution automobile ?* :

1. on reformulera tout ou une partie des propos précédents ou de la question posée :
Vous me posez la question de savoir) (si je connais) des moyens de lutter contre la pollution automobile… ?

2. on reformulera en déformant et en réduisant, voire caricaturant le propos de son interlocuteur :
(Vous me demandez si je suis un partisan de l'interdiction de la circulation automobile dans le centre des villes… ?

3. on reformulera le propos puis on renverra une autre question de façon à ne pas répondre soi-même :
Si je connais des moyens de lutter contre la pollution automobile… ? Parce que vous en connaissez des efficaces, vous ?

4. on reformulera en déformant et en renvoyant à son interlocuteur.
« Vous me demandez si je suis un partisan de l'inter-diction automobile dans les centres villes… ? Pourquoi ? « Vous êtes contre, vous ?
ou bien *: Et vous, qu'en pensez-vous ? Vous en pensez du mal ?*

UNITÉ 1 DÉCOUVERTES

Enregistrement 1 p. 10

« Allô, ici Catherine Lamiot.
– Oui, bonjour, c'est Carole.
– Nous venons de recevoir votre invitation. Toutes nos félicitations.
– Merci, je suis très heureuse.
– Nous serons très contents de venir, bien sûr. Mais dis-moi, est-ce que vous avez déposé une liste de mariage dans un magasin ?
– Oui, au Printemps.
– C'est une très bonne idée… Nicolas et moi, nous aimerions bien rencontrer Pierre, et, euh… pouvez-vous venir dîner samedi soir ?
– Samedi, non, nous allons chez ses parents, mais vendredi, c'est possible…
– Alors d'accord pour vendredi. Vers 8 heures ?
– Vers 8 heures, c'est parfait.
– Bon, à vendredi, donc. Au revoir. Je t'embrasse.
– Moi aussi. Au revoir. »

Enregistrement 2 p. 10

« Bonjour, vous êtes bien chez Philippe Lemaître. Je ne peux pas vous répondre pour le moment. Laissez votre nom, votre numéro et l'objet de votre appel. Je vous rappellerai aussitôt que possible.
– Allô, salut Philippe, c'est Nicole. Je te téléphone pour te demander si tu veux venir au vernissage avec moi ce soir. Si oui, on se retrouve à la sortie de la station de métro Rambuteau, à 6 heures. Sinon, à un autre jour ! »

Enregistrement 3 p. 10

« Bonjour, vous êtes à la préfecture de Paris, 50 avenue Daumesnil et 17 boulevard Morland, 75 004 Paris.
Le standard est ouvert de 8 heures 15 à 19 heures 15 sans interruption du lundi au vendredi.
Si votre appel concerne soit une demande de permis de conduire, de carte grise, de carte d'identité, de passeport ou pour les ressortissants étrangers des questions relatives au droit de séjour, veuillez appeler le standard de la préfecture de police au 01 53 71 53 71 ou au 08 36 67 22 22.
Si votre appel concerne un autre sujet et en cas d'urgence, vous pouvez appeler la préfecture de la région d'Île de France au 01 44 42 63 75. »

UNITÉ 2 DÉCOUVERTES

Enregistrement 1 p. 20

– L'office du tourisme, bonjour.
– Oui, bonjour. Je dois passer deux jours à Strasbourg. Pourriez-vous m'envoyer une liste des hôtels proches du Parlement européen ?
– Bien sûr, quand devez-vous venir ?
– Dans quinze jours, à la fin du mois d'octobre. Est-ce que vous avez aussi une liste des manifestations culturelles, s'il vous plaît ?
– Je vous envoie notre brochure par courrier séparé. Je vais prendre votre nom et votre adresse.
– Éric Peters.
– Vous pouvez épeler votre nom, s'il vous plaît ?
– Oui, P-E-T-E-R-S. J'habite 25, rue du Moulin Vert, 75014- Paris.
– Vous avez un fax ?
– Oui.
– C'est quel numéro ?
– C'est le 01 45 26 75 28.
– Merci. Je vous envoie la liste des hôtels tout de suite.
– Merci bien. Au revoir.

Enregistrement 2 p. 20

– Bonjour, je suis intéressée par le week-end aux thermes de Riva-Bella, qui est dans votre catalogue. J'aurais voulu quelques renseignements supplémentaires, s'il vous plaît.
– Oui, que voulez-vous savoir ?
– Est-ce que le prix comprend la pension ou la demi-pension ?
– Il comprend deux jours de pension complète, c'est-à-dire quatre repas.
– Bon, et est-ce qu'il n'y a pas des suppléments à payer pour les installations sportives ?
– Non, tout est compris dans le prix.
– Ce serait possible pour le week-end prochain ? Je serai à un congrès à Caen jusqu'au vendredi, c'est tout près, et j'aimerais prolonger mon séjour…
– Attendez, je vais vérifier…

Enregistrement 3 p. 20

LE JOURNALISTE : *Vous vous souvenez d'une campagne de publicité La Picardie, il y a 1 000 raisons d'y revenir ?*
UNE FEMME : Oui, j'avais trouvé ça original…
LE JOURNALISTE : *Il y a des affiches dont vous vous souvenez ?*
UNE FEMME : Attendez, oui, celle de la petite fille qui attrapait des papillons…
SA FILLE : Il y avait aussi celle qui montrait des moutons au bord de l'eau.
LA FEMME : Ah oui, celle avec un ballon, euh, une montgolfière.
LE JOURNALISTE : *Où les avez-vous vues ?*
LA FEMME : Sur les quais du métro, dans des magazines…
LE JOURNALISTE : *Le comité régional du tourisme de Picardie organise une nouvelle campagne cette année : La Picardie, c'est tout un roman, et c'est en plusieurs chapitres.*
LA FEMME : Oui, j'en ai vu une page dans le magazine d'Eurostar : un paysage de dunes.
SA FILLE : Moi, l'affiche que j'ai vue, c'est celle d'une cavalière dans une forêt, très romantique.
LA FEMME : Ce qui me plaît dans ce genre de publicité, c'est qu'elle varie. On en a vu une et on attend l'autre.
SA FILLE : On se dit : Tiens qu'est-ce qu'ils ont trouvé cette fois-ci ?
LA FEMME : Et ça donne des idées.
LE JOURNALISTE : *On a envie d'y aller ?*
UNE FEMME : Oui, je crois que oui.
SA FILLE : D'ailleurs, on y est allé un week-end, il y a quinze jours.

Expression orale exercice 2 p. 26

1. Pourriez-vous me dire à combien je dois affranchir une lettre pour la Belgique, s'il vous plaît ?
2. Pouvez-vous me dire s'il y a un tarif réduit pour envoyer des journaux ?
3. Combien de temps met une lettre pour le Canada ?
4. Y a-t-il un service qui garantit l'arrivée d'un paquet dans la journée ?
5. Est-il possible d'envoyer un animal par la poste ?

UNITÉ 3 DÉCOUVERTES

Enregistrement 1 p. 30

– *Vous appartenez à ce qu'on appelle un SEL, un système d'échange local, vous pouvez m'expliquer comment ça s'est passé ?*
– C'est simple, j'ai commencé avec des amies, je ne pouvais pas acheter, je n'avais pas d'argent, alors on troquait…
– *Vous troquiez, vous faisiez des échanges…*
– Oui, c'est ça. Par exemple quand j'ai eu besoin de vêtements pour notre bébé, je les ai eus en donnant des cours de maths. Lorsque les vêtements sont devenus trop petits – et ça va vite –,

je les ai échangés contre une vieille machine à laver.
– Ça doit être compliqué…
– Il ne faut pas être trop nombreux, et puis on a un trésorier qui nous envoie un relevé de compte régulièrement, pour savoir où on en est.
– Un trésorier ?
– Oui, chaque nouveau membre verse une cotisation de 12 €, ça couvre le courrier…

Enregistrement 2 p. 30

JULIEN LACOSTE : Allô, bonjour.
Y. : Bonjour, Monsieur, est-ce que je pourrais parler à Monsieur Lacoste s'il vous plaît ?
J.-L. : c'est lui-même.
Y. : Je téléphone au sujet de la petite annonce parue dans le Messager. Vous avez toujours besoin de vendangeurs ? Nous sommes cinq…
J.-L. : Oui, vous avez déjà fait les vendanges ?
Y. : Oui, l'année dernière en Alsace.
J.-L. : C'est parfait…
Y. : Combien serons-nous payés ?
J.-L. : 50 € la journée, et vous êtes logés et nourris.
Y. : Bon, ça nous intéresse.
J.-L. : Vous pouvez commencer le 8 ?
Y. : Oui, pas de problème, mais nous ne sommes pas de la région. Il faut nous expliquer comment vous trouver.
J.-L. : Bien sûr. Mais le téléphone coûte cher : donnez-moi votre numéro. Je vous rappelle tout de suite et je vous explique ça…

Enregistrement 3 p. 30

Je vous écris à la lueur d'une bougie. Mon appartement est plongé dans le noir depuis 3 heures 59 minutes très exactement, tandis que chez mes voisins, c'est éclairé a giorno. Depuis un an vous affirmez dans le premier engagement de votre garantie des services, que vous intervenez au maximum dans les quatre heures qui suivent l'appe. Il ne reste donc que 10 secondes, 9, 8, 7, 6…
– Toc, toc, c'est EDF.
– Je viens vous ouvrir. Sultan, laisse entrer le Monsieur…
– Il y a un an EDF s'est engagée sur 9 services fondamentaux et depuis, jour après jour, vous pouvez vérifier que nous tenons nos engagements… EDF, nous vous devons plus que la lumière.
– Sultan, oui il est impressionnant comme ça mais il est très gentil.

UNITÉ 4 REPÉRAGES P. 40-41

Marie-Ange Morgue, vous êtes présentatrice à Bloomberg Télévision. Euh… Pour vous, quels sont les avantages de la télévision ?
Ben… les avantages… le premier avantage, c'est forcément l'image, la présence de l'image par rapport à d'autres médias audiovisuels comme la radio par exemple. Parce que l'image a une vraie force… a une valeur informative dans… dans beaucoup de cas, apporte des éléments d'informations supplémentaires par rapport aux commentaires, et puis… et puis, elle montre, elle peut montrer des… des choses qui sont parfois… pas inexplicables avec la… sa voix mais qui n'aura pas la même valeur et la même force, tout simplement.
Et quels sont les inconvénients qui peuvent découler justement de ces images ?
Ben… déjà l'absence d'images, ça, c'est le… le gros ennui de la télévision. C'est que s'il n'y a pas d'images et ben… il n'y a carrément pas d'informations, quoi. Alors là, c'est embêtant parce que certains événements qui sont… qui peuvent… qui sont très importants, sont traités… en bref à ce moment-là l'information perd de sa valeur simplement parce qu'il n'y a pas d'images et bon là c'est vrai, c'est un… très embêtant, quoi.
*On a aussi parfois l'impression d'avoir, euh… des images-*prétextes, c'est-à-dire, pour appuyer un discours, on montre des images qui simplement illustrent d'une façon assez vague l'information.
Mais à la télévision il y a un principe de base, c'est que toute l'information, il faut partir de ce principe de base là, toute l'information doit être illustrée par une image. Alors, à la rigueur, bon, c'est vrai, il y a souvent des images prétextes sur certaines informations, mais… mais ces images prétextes, elles ont… elles sont utiles puisque elle permet… elles permettent simplement de plus détailler l'information et elles euh… elles… ces images-prétexte n'apportent pas d'information en elles-mêmes, l'image n'a pas d'information mais par contre là, l'information est dans le commentaire. Mais pour avoir ce commentaire bien développé, il nous faut l'image prétexte.

UNITÉ 5 DÉCOUVERTES

Enregistrement 1 p. 48

Le navire à grande vitesse relie Nice à Bastia en deux heures trente, à près de 70 kilomètres par heure. Une vitesse atteinte grâce à sa légèreté et à son mode de propulsion. Long de 100 m, le NGV ne pèse que 1 100 tonnes grâce à sa coque en aluminium profilée, sans équivalent dans le monde. Le NGV n'a ni hélice ni gouvernail : l'eau de mer, rejetée par de puissantes turbines orientables, assure la propulsion et donne la direction. Gérée par ordinateur, une aile sous-marine évite le tangage du navire, et des stabilisateurs arrières empêchent le roulis. Ce ferry-boat, parmi les plus rapides du monde, peut embarquer jusqu'à 500 passagers et 140 véhicules.

Système TV

Enregistrement 2 p. 48

– J'ai *Le Monde* et *Ouest France*.
– Tiens, vous n'êtes pas parti ? 2 euros. Je vous croyais à Jersey.
– Non, non, je devais partir demain. Mais après ce que j'ai entendu ce matin à la radio, je crois que je vais attendre un peu.
– Oui. J'ai vu dans le journal que le Condor se serait jeté sur les rochers, juste devant le port de Jersey.
– Enfin, s'est jeté… Les journalistes exagèrent toujours …
– Il a quand même fallu aller chercher les passagers en hélicoptère.
– J'ai lu ça : des touristes, beaucoup de retraités et des étrangers.
– C'est le deuxième accident en peu de temps.
– C'est vrai. Un moteur de notre super-ferry a explosé il y a…
– …il y a deux mois… mais il faisait des essais ; il n'avait pas de passagers à bord, heureusement.
– Les relations entre le continent et Jersey, Guernesey et même Portsmouth sont de plus en plus rapides.
– Mais pas plus confortables. Quand on va à Jersey, c'est pire que dans un avion : il faut mettre une ceinture, et on ne peut même pas se déplacer à bord…
– Mais pour aller en Angleterre, c'est bien. Une croisière de quelques heures, un breakfast britannique, et à peine arrivé au port, on reprend sa voiture…
– En tout cas, technique de pointe ou pas, le brouillard, la tempête ou les rochers restent toujours aussi dangereux.
– Et si une avarie sur un petit bateau pose de gros problèmes, sur un gros bateau, c'est une catastrophe.
– *Ouest France*, s'il vous plaît.
– Voilà. 0,70.
– Merci…
Monsieur Legrand, je vais à Jersey après-demain, alors si vous voulez attendre jusqu'à jeudi, je peux vous emmener. Enfin, si vous voulez et si vous avez le temps.

– Euh ?

– Parce que moi, j'y vais à la voile, bien sûr. On met un peu plus longtemps, mais c'est autre chose ! La météo est bonne, et mon huit-mètres est sûr, lui !

– Eh bien, d'accord, Yves.

– Il faut qu'on parte vers 6 heures. Ça va ?

– 6 heures, à la cale, jeudi matin. J'y serai.

– Parfait…

UNITÉ 6   DÉCOUVERTES

Enregistrement 1 p. 58

– *On se souvient de l'énorme succès de ta pièce* Areuh = MC2, *que tu as écrite avec Hernandez.*

– Et que nous avons jouée tous les deux aux Blancs manteaux, avant de confier nos rôles à d'autres comédiens…

– *Il faut dire que la pièce a tenu l'affiche pendant douze ans ! C'est elle qui t'a fait connaître du grand public.*

– Oui, mais surtout parce qu'elle est passée plusieurs fois à la télévision, et puis elle a été jouée en province, à l'étranger, en Belgique. Elle a été traduite en anglais, en allemand …

– *Je voudrais rappeler à nos auditeurs que Marc Moro n'est pas l'auteur d'une seule pièce. Je pense aux* Petites filles modules, *au* Cancer des mots, *et à tes nombreux* one-man-shows, *comme* L'annonce faite à Moro.

– Tout ça me semble loin, aujourd'hui.

– *C'est vrai que ton dernier spectacle* Pendant la mort, la vie continue *est dans un registre très différent.*

– Qu'on ne peut pas comparer à ce que j'ai fait avant. C'était un besoin de réfléchir sur la condition humaine, la vie, la mort, sur ma vie aussi.

– *Un bilan ?*

– Non, plutôt une réflexion. Je viens d'avoir soixante ans. Le bilan viendra plus tard, j'ai encore trop de choses à dire.

– *Quels sont tes projets ?*

– Je n'ai pas d'idées précises pour le moment, mais je pense que ce sera à nouveau un one-man-show, un spectacle drôle, politique aussi, pour faire réfléchir.

– *Tu veux dénoncer les abus, les travers de ceux qui nous gouvernent ?*

– Oui, aussi, mais je t'arrête. Quand je dis politique, je pense à quelque chose de plus général. La société change, mais il ne faut pas la laisser changer toute seule. Nous avons tous notre mot à dire, nous devons tous nous faire entendre.

– *Je retrouve là le Marc Moro de toujours.*

– Je ne vois pas pourquoi je devrais changer.

Enregistrement 2 p. 58

– *Xavier, quel film allez-vous nous recommander aujourd'hui ?*

– Cette semaine, je vous propose d'oublier les superproductions françaises et américaines, les films à grand spectacle ou les films réalisés autour d'un acteur intéressant – du moins du point de vue commercial. Allez voir un film simple et beau, un film qui surprend et enchante tous les spectateurs : *Western* – qui n'est pas un western bien que son action se situe dans l'Ouest, mais dans l'Ouest de la France, *Western* est, pardonnez-moi, un *road movie*, mais il ne s'agit pas de passer de la côte Est des États-Unis à la côte Ouest : non, nous sommes en Bretagne et nous nous contentons d'aller d'un village à un port voisin ou à la ville la plus proche. On accompagne Paco et Nino qui nous font découvrir à travers leur regard et leur expérience d'étranger la France, et les Français que nous sommes. Peut-être vous reconnaîtrez-vous dans les personnages du film, dans leurs rapports parfois ambigus, dans les petites scènes de la vie quotidienne ! Mais Manuel Poirier, l'auteur réalisateur, ne se contente pas de décrire, il raconte aussi l'histoire de deux hommes à la recherche de l'Amour – avec un A majuscule, et ça c'est au moins aussi passionnant qu'un policier.

UNITÉ 7   DÉCOUVERTES

Enregistrement 1 p. 68

Comme les écrivains qui rendaient visite à Zola il y a une centaine d'années, nous sommes descendus du train à la petite gare de Villennes, et nous allons nous rendre à pied à Médan, où se trouve sa maison. Aujourd'hui, c'est la banlieue ; en 1880, c'était la campagne, mais on retrouve bien les vieilles maisons et l'église que nous connaissons des photographies de l'époque. C'est à Médan que Zola a écrit la plus grande partie de ses romans, *Nana* et *Germinal* par exemple. Émile Zola s'était acheté « Médan » pour 1 400 euros, avec ses droits d'auteur, après la parution de son roman *L'Assommoir*. Un livre qui a fait scandale parce que – on peut à peine le croire – Zola avait osé utiliser l'argot !

La ligne de chemin de fer que nous longeons, c'est la ligne Paris-Le Havre, la fameuse ligne de *La bête humaine*, le premier grand roman sur la vie des cheminots, la fascination du monde des machines, des locomotives à vapeur. Zola les voyaient passer de la fenêtre de son bureau. Plus tard, *La Bête humaine* a aussi été un grand film avec Jean Gabin dans le rôle du mécanicien.

C'est aussi à Médan que Zola a découvert la photographie. Grâce à lui, on a une très riche documentation sur la vallée de la Seine autour de Villennes vers 1900 : les villages, les champs, les péniches sur la Seine, les promenades à bicyclette, les trains… Zola photographiait tout, même les poteaux indicateurs.

Enregistrement 2 p. 68

Nous allons nous arrêter ici. Cet endroit, avec le petit pont, s'appelle les Bassiaux. Si vous connaissez la région, vous avez peut-être déjà vu quelqu'un jeter une pièce de monnaie dans la rivière avant de passer le pont. Je suis sûr que beaucoup de gens d'ici le font sans même savoir pourquoi – parce qu'on l'a toujours fait, sans se poser de question. C'est une vieille histoire. À l'époque dont je vous parle, il n'y avait pas encore de pont, et les fermes que nous voyons à gauche et à droite n'existaient pas non plus. Les champs qui s'étendent devant nous étaient souvent inondés. Après les fortes pluies, la rivière montait et coupait le mauvais chemin. On se racontait des histoires terribles sur cet endroit. Des enfants s'étaient noyés, des paysans avaient perdu des bêtes assez mystérieusement. Et puis un jour, c'était quelques années après la Révolution de 1789, il a été décidé de construire un pont. Partout, la République asséchait les marais, construisait des routes et des ponts… C'est ainsi qu'on a construit un premier pont aux Bassiaux. À peine terminé, il a été emporté par la rivière après des orages particulièrement violents. Les paysans pensaient que la rivière, un mauvais esprit ou le diable lui-même ne voulaient pas de ce pont – un pont qui aurait été si pratique pourtant.

Un jour, une gamine un peu simplette est tombée dans la rivière. Ses frères l'ont sortie de l'eau. La pauvre enfant racontait que l'esprit de la rivière lui avait parlé. On pourrait construire un pont, oui, mais il faudrait lui payer le passage, sinon il le détruirait et il y aurait des inondations terribles. Les parents affolés ont appelé le curé, mais la gamine lui a raconté son histoire sans changer un mot.

On a construit le pont, et depuis, tout le monde jette une pièce de monnaie dans la rivière en passant. Et on a raison de le faire puisque le deuxième pont est toujours là, plus solide que jamais. Des esprits forts ont voulu savoir où allait l'argent, mais personne ne le sait…

Bon, continuons notre randonnée. Vous faites ce que vous voulez – personnellement, je ne suis pas superstitieux, mais on ne sait jamais.

Nous retrouvons J. C. Brialy et J. Arditi pour le film « Messieurs les enfants ».

J.-C. B. : *Alors, Pierre Arditi, on… donc, on parle de… de ce très beau film parce qu'il est en dehors de… de toutes… de toutes les histoires qu'on puisse voir au cinéma, qui parfois sont des… des faits divers, quelquefois des choses violentes, quelquefois des choses sur… heureusement, qui dénoncent les injustices de… de la société ou… des magouilles politiques, ou l'argent, ou la drogue, ou le… Enfin, là, c'est un film qui est un… Comme Pierre Boutron, quand on le connaît, est un garçon, qui est d'abord un metteur en scène de théâtre, qui aime les acteurs, il est acteur lui-même ; et il a le sens de la poésie, de la fantaisie. Il aime tout ce qui est un petit peu… qui touche au cœur, en tous les cas.*

P. A. : *Oui.*

J.-C. B. : *Et bon, et vous avez fait une espèce de troupe.*

P. A. : *Oh oui, c'est un film de troupe. On peut dire que c'est un film de troupe. Oui, c'est un film de troupe. D'ailleurs… Et, et avec une langue, la langue de Pennac. Elle existe. C'est tout de même pas « Passe-moi le sel, je te renvoie la moutarde », quoi, c'est autre chose. Alors, il y a là aussi un matériau qui est un peu à part dans la production actuelle. C'est-à-dire que, alors bon, on peut ne pas rentrer dedans, bien entendu, mais je pense qu'on a tout intérêt à y rentrer parce qu'on découvre des horizons qui sont quand même assez différents de ce qu'on a l'habitude de côtoyer. Une manière d'être, une manière de… d'imaginer, une manière de vivre qui est peut-être une manière… qui est suffisamment séduisante pour qu'on se dise, tiens, si on réapprenait à vivre comme ça. (…)*

J.-C. B. : *Alors, puis c'est bien que ce film se passe dans un quartier qu'on connaît, pour ceux qui habitent Paris, mais… le vingtième arrondissement, qui est un peu un témoignage de tout ce mélange de… de gens : des noirs, les juifs, les arabes, tu en parlais tout à l'heure. Voir comment le film est intemporel, y a pas… c'est pas situé dans une époque particulière.*

P. A. : *Non. Assez curieusement d'ailleurs, enfin moi je trouve, quand on le voit, on oublie totalement l'époque à laquelle il se passe.*

J.-C. B. : *C'est ça.*

P. A. : *Ça pourrait se passer au XIXe siècle, ça peut se passer aujourd'hui, ça peut se passer demain… Ça ne… Le temps n'intervient plus là-dedans. Simplement, probablement parce que c'est un conte ou… une sorte de métaphore. Alors, évidemment, c'est une fable. D'ailleurs, au début, le titre s'appelait Petit conte à rebours. Alors… ce qui était très joli…*

J.-C. B. : *Oui…*

P. A. : *Ben, finalement, c'est devenu comme ça…*

J.-C. B. : *Messieurs les enfants…*

P. A. : *Messieurs les enfants, c'est un beau titre aussi… qui a été trouvé par un enfant, d'ailleurs, et… Mais c'est vrai que c'est intemporel. On est, on est ailleurs, quoi. Alors, est-ce que les gens vont accepter d'être ailleurs ? Je n'en sais rien…*

Europe n°1, octobre 1997.

UNITÉ 9   **DÉCOUVERTES**

Enregistrement 1 p. 86

7 Français sur 10 se disent prêts à aider une association humanitaire ou caritative mais pour finir, il n'y en a que 1 sur 10 qui le fait.

D. S. (JOURNALISTE) : *Jean-Philippe Teboul, vous, à la tête de l'association Déclic, il se trouve que vous allez organiser dans quelques jours – là, je vous fais un peu de pub – sur le campus de l'Université de Paris XIII, ce que vous appelez le Festival du premier pas ce qui est une très jolie formule parce que c'est vrai que le plus difficile, pour ça, c'est le premier pas, celui qui vous implique…*

J.-P. T : *Très rapidement, et je vous remercie pour le petit coup de pub, le Festival du premier pas, le principe, c'est un forum d'associations de solidarité, parce qu'on croit… on voit, justement pour appuyer ce que dit M…, qu'il y a un besoin d'information, Monsieur M…, qu'il y a un besoin d'informations poussées, qu'il y a un besoin de concret, que ça doit passer entre autres, par le contact humain. Seul le contact humain peut amener ces discussions. Le principe du Festival du premier pas, les 13, 14 et 15 novembre, c'est… il y aura 25 associations sur place, et pour en faire vraiment un événement attractif qui fera venir tous ceux qui veulent participer à une action de solidarité, mais ne le font pas encore, il est intégré dans un véritable festival culturel.*

Europe 1, *C'est arrivé demain*, 9 novembre 1997.

Enregistrement 2 p. 86

– *Arlette, nous vous remercions de nous apporter votre témoignage.*

– Comme l'auditrice précédente, je travaille aussi comme bénévole dans un resto du cœur. Je suis arrivée dans la petite ville de Normandie où j'habite aujourd'hui, il y a à peu près un an. Je connaissais personne et je sortais d'une crise familiale assez pénible. Mais c'est fini maintenant (rire). Bon. J'aime bien rendre service, et j'avais envie de voir des gens. Je suis donc allée trouver la personne qui était responsable de l'organisation, et le lendemain, je prenais mon service. Je suis d'une nature optimiste, j'aime bien rire (rire). Et je crois qu'il s'est très rapidement passé quelque chose entre ces gens qui avaient besoin d'aide et moi.

– *C'est-à-dire ?*

– Ben, c'est-à-dire que, tout de suite, on s'est compris. Pendant les repas, on essayait de plaisanter, d'oublier un peu nos problèmes, de créer une ambiance sympa, comme quand on retrouve des amis au café ou au restaurant. J'y suis pas toujours arrivée, mais j'essayais d'avoir un mot gentil pour chacun, surtout pour ceux que je voyais mal à l'aise ou isolés. Et puis, un jour, j'ai aidé une gamine à faire ses devoirs. Une autre fois, j'ai accompagné une jeune étrangère chez le médecin, j'ai aidé les uns et les autres dans leurs démarches administratives…

– *Ca dépasse quand même le cadre des restaurants du cœur, non ?*

– Je sais pas, oui et non. Je crois que les restos du cœur, dans l'esprit de Coluche, c'était pas seulement donner à manger à ceux qui ont pas les moyens de s'acheter à manger, c'était surtout l'idée d'entraide, et même d'entraide… réciproque, (petit rire) l'entraide, c'est toujours réciproque, mais vous comprenez ce que je veux dire !

– *Parfaitement !*

– En tout cas, pendant cet hiver, on m'a plus donné que j'ai donné. Et c'est ça qui est formidable ! Et la suite est encore plus belle. J'avais des travaux à faire dans mon nouveau logement, et je ne parle pas des problèmes que me posait ma vieille bagnole – eh bien, j'ai trouvé de l'aide… et beaucoup d'amitié en plus.

– *Eh bien, Arlette. C'est plus qu'un témoignage, c'est presque une déclaration d'amour.*

– C'est peut-être pour ça qu'on les appelle les restos du cœur ! (Rire.)

Enregistrement 3 p. 86

Près d'un Français sur deux est membre d'une association. On en compte environ 750 000 en France, qui se répartissent comme suit en pourcentage : les plus nombreuses sont les associations sportives avec 21 %. Viennent ensuite les associations pour l'aide sociale et la santé avec 13,6 % suivies des associations pour les loisirs avec 12,4 %, l'emploi et la consommation à égalité avec 12,3 % chacun. Le domaine de la formation compte 8,2 % des associations, celui de l'environnement 6,8 %, mais la chasse et la pêche viennent loin derrière avec 2,8 % seulement tandis que la culture et le tourisme terminent bons derniers avec 0,02 %.

20 % des Français disent adhérer à une association de loisirs, 19 % à une association sportive.

UNITÉ 10 **DÉCOUVERTES**

Enregistrement 1 p. 96

– *Sommes-nous tous menacés par le télétravail ?*

– Menacés, menacés… d'abord, il y a des gens à qui cela convient, à un certain moment de leur vie. Aussi, vous savez le télétravail, c'est un atout pour les entreprises mais il y a aussi beaucoup de contraintes.

– *Évidemment ça dépend des secteurs…*

– Bien sûr, mais là où on l'utilise, on s'aperçoit de plus en plus qu'on ne peut pas remplacer le contact, tous les échanges professionnels par la téléconférence, le téléphone, le fax, le courrier électronique, il y a un seuil qu'il ne faut pas dépasser…

– *Par exemple…*

– Eh bien, dans le domaine informatique avec lequel je suis familier, notre expérience montre que les équipes ne peuvent pas véritablement fonctionner, que le travail se dégrade, si plus de 20 % de l'équipe est absente. Et aussi si les membres de cette équipe font plus de 20 % de leur travail hors du lieu de travail.

– *Vous voulez dire que le travail n'est plus rentable ?*

– Exactement, on passe trop de temps à rétablir le contact… Voyez que finalement, si on calcule ça ne représente que 4 % du travail, c'est-à-dire une très petite partie du travail qui peut se faire en autonomie, ça évidemment c'est pour un travail d'équipe au sein d'une entreprise.

Enregistrement 2 p. 96

– Agence Arc-en-Ciel, bonjour.

– Bonjour, mademoiselle. C'est Nadine Cheverny.

– Que puis-je faire pour vous madame Cheverny ?

– Me proposer immédiatement une autre location, calme, avec une vraie vue sur la mer…

– Attendez, attendez. Si je vous comprends bien, vous occupez actuellement une de nos locations, et vous voulez changer ?

– Vous avez tout compris. Et je veux changer tout de suite !

– On ne peut pas changer comme ça, surtout en pleine saison ! Non, madame, ce n'est pas possible…

– Que ce soit possible ou pas, ça m'est bien égal. Vous me donnez une nouvelle location aujourd'hui, ou je porte plainte !

– Mais, madame…

– Il n'y a pas de « mais madame » qui tienne.

– Enfin, il faut bien que je vous retrouve dans mon fichier. Alors… vous êtes… madame… Cheverny… Nadine, de Versailles. C'est ça ?

– Oui. Comme vous devez le voir, j'ai…

– Ça ne change rien, de toute façon…

– Et ne m'interrompez pas ! J'ai signé un contrat et versé des arrhes pour un deux-pièces, 97 boulevard de la Corniche, et là je cite votre descriptif : ensoleillé, situé au deuxième étage d'un petit immeuble récent, calme, avec vue imprenable sur la mer, possibilité de garer sa voiture dans la cour. À part l'adresse, tout est faux ! Qu'il pleuve ou qu'il fasse beau, on ne voit jamais le soleil à cause des travaux, des travaux qui me prennent une vue « imprenable ». Quant au calme, les machines me réveillent tous les matins à 7 heures précises. Jusqu'à la place de parking dans la cour qu'on ne peut pas utiliser, parce que, bien entendu, il faut bien garer ces maudites machines quelque part ! Si vous avez besoin de preuves, j'ai pris quelques photos. Est-ce que je me suis bien fait comprendre ?

– Mais c'est absolument incroyable !

– Je ne vous le fais pas dire.

– Tout d'abord, veuillez nous excuser. Nous nous occupons de plusieurs centaines de locations dans toute la France, et les propriétaires ne nous communiquent pas toujours tout ce que nous aimerions savoir. Mais ça, c'est un autre problème. Nous sommes une maison sérieuse, et nous voulons que nos clients soient satisfaits. Voilà ce que je vous propose : quittez votre location aujourd'hui et prenez une chambre dans l'hôtel de votre choix, à nos frais bien entendu. Rappelez-nous dès que vous serez à l'hôtel. Entre-temps, nous espérons vous trouver une nouvelle location pour le reste de vos vacances…

– Eh bien, l'Agence Arc-en-Ciel m'en aura fait voir de toutes les couleurs, mais je vous remercie de votre compréhension.

– Je vous suis reconnaissante de prendre ça avec autant d'humour. Je vous prie, encore une fois, de bien vouloir nous excuser. Et bonnes vacances !

UNITÉ 11 **DÉCOUVERTES**

Enregistrement 1 p. 106

– *Stefan, tu dis toi-même que tu n'as pas d'argent, et pourtant tu voyages beaucoup. Comment fais-tu ?*

– J'essaie de trouver un lit chez des copains ou les copains de copains, et puis, je travaille, je cherche des petits boulots sur place.

– *Tu viens très souvent en France. Comment est-ce que tu gagnes de l'argent quand tu es là ?*

– Comme beaucoup, j'ai fait plusieurs fois les vendanges, en Alsace et dans le Sud. Mais cette année, c'est le muguet du premier Mai qui m'a sauvé.

– *Tu as vendu des brins de muguet dans la rue ?*

– Non, non. D'abord, ça n'aurait pas été sympa de prendre la place d'un autre. Ce sont presque toujours les mêmes, des syndicalistes, des ouvriers ou des gens qui ont vraiment besoin de cela pour vivre. Pour eux, c'est doublement intéressant : d'une part, on ne paie pas d'impôt sur la vente du muguet, d'autre part, on ne paie rien non plus à la ville pour avoir le droit de vendre son muguet porte-bonheur.

– *Alors, qu'est-ce que tu as fait ?*

– Il y a longtemps que les vendeurs de muguet ne vont plus le cueillir dans les bois de Chaville ou de Meudon. Ils l'achètent à des horticulteurs qui le font pousser dans des serres, qui le cueillent, qui le trient, le préparent… Pendant une semaine, j'ai donc séparé les beaux brins, les petits brins et les brins moyens… Les deux derniers jours d'avril, j'ai aidé à charger les voitures de livraison.

– *Et ça en a valu la peine ?*

– Oh oui ! En huit jours, j'ai gagné de quoi payer un peu plus d'un mois de séjour.

– *Pas mal, en effet !*

Enregistrement 2 p. 106

– Quand je vois ces photos de Mai 68, ou quand vous me parlez des manifestations d'étudiants, des bagarres avec la police, des grèves, j'ai bien du mal à croire que vous parlez de vous.

– Et pourtant, c'est bien moi ! Mais le monde a changé, et moi aussi.

– C'est-à-dire ?

– En deux mots, l'étudiant de vingt ans que j'étais, pensait qu'on devait permettre à tous de profiter du développement économique, pas seulement pour consommer plus, non, mais pour vivre mieux. Et c'est d'ailleurs ce qui s'est passé. De 1968 à la fin des années 80, les Français ne se sont jamais si bien portés.

– Mais ce n'est plus le cas aujourd'hui : chômage, retraite, politique culturelle. Tout fout le camp… 68 n'aura donc servi à rien ?

– Vous allez un peu vite pour tirer vos conclusions : la situation économique n'est plus la même, et la France ne peut pas faire bande à part : l'économie s'est mondialisée, on ne peut pas faire comme si nous étions seuls… mais 68 a montré qu'on pouvait, qu'on devait même parfois descendre dans la rue pour attirer l'attention sur certains problèmes, politiques, économiques, sociaux : les médecins et les infirmières, les comédiens, les chauffeurs de poids lourds, les employés de la SNCF, les professeurs, même certains responsables d'entreprises manifestent … et on est bien obligé de trouver des solutions.

– Vous avez peut-être raison : est-ce qu'il y aurait toujours des négociations, des discussions sérieuses pour trouver de vraies solutions sans la pression de la rue ?

UNITÉ 12 REPÉRAGES P. 116-117

…La grève s'étend maintenant à tout le pays. Déjà dix millions de travailleurs en grève. Dans tous les magasins, les stocks ont été pris d'assaut, prioritairement le sucre et la farine. À Paris, le prix de la pomme de terre nouvelle est passé en 48 heures de 0,90 F à 3 F le kilo. Dans les pharmacies également, l'approvisionnement devient difficile. Risque de pénurie encore dans la Banque de France, où la diminution des réserves de billets a entraîné une ruée sur les guichets. Au plan politique, tout le monde attend maintenant la déclaration, que l'on dit imminente, du général de Gaulle. Dans ce contexte, François Mitterrand vient se tenir prêt à assumer ses responsabilités. Daniel Cohn-Bendit, qui avait momentanément quitté la France, s'est vu refuser l'entrée dans le pays. Il est désormais interdit de séjour.

Milou en mai.

UNITÉ 13 DÉCOUVERTES

Enregistrement 1 p. 124

LE JOURNALISTE : *Patricia Bésier, bonjour.*

PATRICIA BÉSIER : Oui, bonjour, Dominique Souchié.

LE JOURNALISTE : *Vous, vous figurez dans l'édition 98 pour avoir écrit,* Attends, attendons, attendez, *le roman le plus long sans que soit une seule fois utilisée la lettre « e ».*

PATRICIA BÉSIER : Oui, tout à fait, alors il faut savoir qu'en premier lieu, c'est monsieur Georges Pérec, qui a rédigé en 1968…

LE JOURNALISTE : *Grand écrivain Georges Pérec, oui.*

PATRICIA BÉSIER : Oui, tout à fait, un roman ne comportant pas la voyelle « e », donc c'est lui qui en a eu l'idée, et donc moi j'ai été vraiment en admiration devant ce roman parce que je me suis dit : « Comment qu'il a pu faire, comment qu'il a pu réaliser un tel exploit, ça a dû être vraiment difficile », donc je me suis procuré son ouvrage et c'est comme ça que j'ai eu l'idée, de moi-même, d'écrire un roman sans la voyelle « e ».

LE JOURNALISTE : *Sans copier sur lui ?*

PATRICIA BÉSIER : Ah non, non, l'histoire est tout à fait différente, il n'y a aucun problème.

LE JOURNALISTE : *C'est le roman de Pérec qui vous a donné l'idée ? C'est le livre Guinness des records ? C'est les deux à la fois ?*

PATRICIA BÉSIER : Oui voilà, parce que donc j'avais le *Guinness des Records*, parce que bon, ben, je l'avais acheté et je l'ai lu, et donc c'est en voyant cet article que je me suis dit : « oh la la, c'est formidable, comment qu'il a pu faire », parce que je trouvais ça vraiment inconcevable d'écrire tout un roman sans la lettre « e ». Donc je me suis procuré son livre, donc par curiosité et, en effet, j'ai constaté que c'est vraiment… il y avait vraiment pas de « e », c'était vraiment formidable.

LE JOURNALISTE : *Combien de pages, il fait le vôtre ?*

PATRICIA BÉSIER : 256 pages.

Europe 1, *C'est arrivé demain*, 9 novembre 1997.

Enregistrement 2 p. 124

OLIVIER : Jean Michel, tu regardes le match, ce soir, à la télé ?

JEAN-MICHEL : Tu sais, moi, le foot ! Ce n'est pas mon truc !

OLIVIER : Ah bon ? Tu t'intéresses pas au sport ?

JEAN-MICHEL : Si, Olivier, justement. J'aime le sport d'équipe, mais le vrai, celui où l'on est beau joueur, où le plus important est de bien jouer, où chaque joueur pense d'abord à son équipe, à l'harmonie du jeu. En un mot, pour moi, le sport, c'est le rugby.

OLIVIER : Mais c'est un sport de sauvages.

JEAN-MICHEL : Je te parle du rugby, pas du football américain ! Bien sûr, le rugby est un sport violent, mais je ne crois pas qu'il soit plus brutal que le football. En tout cas, au rugby, les joueurs se respectent, ce qu'on ne peut pas toujours dire des footballeurs !

OLIVIER : Je ne comprends pas…

JEAN-MICHEL : Mais si, au foot, chacun joue pour soi, c'est-à-dire contre tous. Le footballeur est un égoïste qui ne pense qu'à soi. Les footballeurs se prennent pour des vedettes au lieu de jouer en équipe. Et puis, ces hommes qui tombent à genoux, qui se roulent par terre, qui s'embrassent, ces comédiens qui jouent les blessés lorsque l'équipe adverse gagne, c'est d'un ridicule !

OLIVIER : Je ne trouve pas, c'est normal, ils expriment leur joie ou leur colère…

JEAN-MICHEL : Exprimer leur joie ou leur colère, tu parles ! Ils veulent gagner à tout prix, par tous les moyens, sans aucun souci de fair-play, ils veulent qu'on les regarde, qu'on les admire, qu'on les plaigne…

OLIVIER : Ce n'est pas parce que tu n'aimes pas le foot que…

JEAN-MICHEL : En fait, si les joueurs avaient l'esprit sportif au lieu d'être obsédés par la victoire – c'est-à-dire par l'argent – et leur image de marque, j'aimerais sûrement le foot. Mais appeler ça un sport alors qu'on préfère critiquer l'arbitre, qui, évidemment, « favorise toujours les autres », plutôt que de goûter le spectacle d'un beau match !

OLIVIER : Je crois que tu ne veux pas comprendre : chaque équipe a ses supporters, moi aussi j'ai mon équipe préférée, et je ne vois pas pourquoi je ne serais pas content qu'elle gagne !

JEAN-MICHEL : Ce n'est pas ce que je veux dire, et tu le sais !

OLIVIER : Essaie d'être un peu plus clair, alors.

JEAN-MICHEL : C'est parce que le football est très populaire que les matches ont été transformés en « événements sportifs », en grands spectacles profitant aux sponsors, aux annonceurs, aux chaînes de télévision – mais le commerce se fout de la beauté d'un match, de l'habileté d'une équipe…

OLIVIER : Tandis que, bien sûr, quand il s'agit de rugby, c'est différent.

JEAN-MICHEL : Exactement : le rugby a beaucoup de chance. Il est moins spectaculaire et donc plus difficile à montrer à la télé. C'est l'équipe, la bonne entente à l'intérieur de l'équipe, qui donne la victoire, et non pas tel ou tel joueur. Les amoureux du ballon ovale le savent bien… Allez, bonne soirée quand même, avec ton ballon rond !

OLIVIER : Merci.

UNITÉ 14 DÉCOUVERTES

Enregistrement 1 p. 134

On reparle beaucoup en ce moment du quota de chansons françaises à la radio. Vous êtes nombreux à nous avoir appelés au cours de la journée pour exprimer votre opinion. Nous vous proposons les témoignages suivants.

– Je m'appelle Martine, j'ai 22 ans, je suis étudiante, en sciences éco. Je suis absolument contre le principe des quotas. Pour moi, il n'y a qu'un critère de choix : la qualité. Dans les autres pays européens, en Allemagne, par exemple, on entend des chansons allemandes, bien sûr, énormément de chansons en langue anglaise, mais aussi des titres italiens, français, espagnols. On n'impose rien, une chanson que le public n'aime pas n'est plus diffusée, et on passe souvent les enregistrements qui plaisent, indépendamment de la langue.

– Je suis retraité des chemins de fer, j'ai 62 ans. Bon, moi, je préfère les chansons françaises, parce que je ne comprends pas d'autres langues, mais je suis quand même contre les quotas. Je pense qu'en Europe, les radios de tous les pays devraient passer des chansons dans différentes langues. Même si on ne comprend pas le texte, c'est une manière de découvrir les autres, grâce à la musique, à la mélodie… D'ailleurs, je me demande ce que diraient les Français si nos voisins décidaient de ne plus diffuser autant de chansons françaises.

– Je suis comédien, j'ai 31 ans, je m'appelle Bernard. Moi, c'est simple, le mot *quota* – quand il s'agit de culture – me rend malade. Limiter la présence étrangère à la radio ne rendra pas la production française meilleure. Au contraire, les auditeurs finiront par s'habituer à la médiocrité. Quand la chanson française sera plus attrayante que la chanson anglaise ou américaine, il n'y aura plus de problème. Mais ce n'est pas une question de quota ou de pourcentage : c'est une question de travail, d'engagement professionnel, d'imagination et de volonté…

– J'ai 37 ans, je suis ingénieur du son dans un grand studio parisien. Un quota pour la chanson française à la radio, c'est en fait une aide à la chanson française : certains politiques pensent, certainement à juste titre, qu'en présentant des chansons françaises à la radio, on incite les auditeurs à acheter des disques français. C'est en fait une publicité obligatoire et gratuite pour les producteurs français. Une telle attitude fausse tout : l'accès à la culture doit être libre et pouvoir se faire dans la langue de son choix.

– Je suis professeur dans un lycée de Bordeaux, je m'appelle Hélène, j'ai 43 ans. Personnellement, je suppose que les Français ont plutôt tendance à acheter des CD en langue française, ne serait-ce que pour de simples raisons de compréhension. Si c'est vrai, la radio devrait – au sens de « ce serait son devoir » – diffuser des chansons étrangères pour permettre justement au public d'élargir son horizon, de découvrir ce qui se fait ailleurs et qu'il ne peut pas connaître par ses propres moyens. La radio jouerait un rôle hautement culturel, un peu comme la télévision qui permet à un vaste public de découvrir un opéra, une pièce de théâtre, la littérature…

– Mon nom est Philippe Carrier. J'ai 54 ans. Je suis agent d'assurances. J'ai du mal à comprendre la situation actuelle. Le monde entier nous envie notre langue et notre culture, et ici, en France, on est obligés d'imposer un quota pour que la chanson anglaise, la langue anglaise laisse une petite place au français. Je rêve, ou nous sommes entourés d'irresponsables. C'est pas un quota, qu'il faudrait, c'est une interdiction pure et simple de l'anglais. La langue de la radio en France, c'est le français. C'est quand même le bon sens !

Enregistrement 2 p. 134

LA JOURNALISTE : *Il y a deux ans, vous avez signé tous les deux l'accord d'annualisation de votre entreprise. Est-ce que vous pensez que c'était un bon choix ?*

MONIQUE : Absolument. Pour moi, il n'y a pas de meilleure solution.

HERVÉ : Personnellement, je n'y vois pas d'avantage, mais je ne regrette pas d'avoir signé parce que l'entreprise a pu créer six emplois.

LA JOURNALISTE : *Est-ce que vous pouvez m'expliquer ce que vous apporte ce système concrètement ?*

MONIQUE : Je travaille au service des commandes. Nous sommes deux. Avant, on avait toutes les deux le même horaire, qu'il y ait peu ou beaucoup de travail, et il fallait être là tous les jours. Maintenant, dans les périodes normales, nous ne travaillons plus que quatre jours par semaine. Ma collègue ne travaille pas le mercredi pour s'occuper de ses enfants, et pour moi, la semaine est finie le jeudi soir.

LA JOURNALISTE : *Que faites-vous de ce nouveau temps libre ?*

MONIQUE : Je me suis inscrite à un cours de gymnastique, et l'année prochaine, j'ai bien envie d'apprendre l'espagnol.

LA JOURNALISTE : *Et quand il y a beaucoup de travail, avant Noël, par exemple ?*

MONIQUE : Ma collègue et moi, c'est clair, on est là toutes les deux, et on fait nos 45 heures dans la semaine. Mais pour compenser, nous savons que nous pourrons prendre une semaine supplémentaire de vacances à Pâques ou en été.

LA JOURNALISTE : *Et vous, Hervé, votre expérience n'est pas aussi positive ?*

HERVÉ : Je travaille en atelier, et c'est très fatigant. Quand j'ai une journée de libre, j'ai envie de rien faire, je veux dire que je n'ai pas envie de faire du sport ou d'apprendre quelque chose comme Monique. Et puis j'aime bien que tout soit prévu, soit bien réglé à l'avance. Franchement, je préférais mon travail régulier de 39 heures. Une semaine de 30 heures suivie d'une de 42 ou de 17, ça me désoriente complètement.

LA JOURNALISTE : *Vous souhaiteriez revenir en arrière ?*

HERVÉ : Non, quand même pas. D'abord, avec l'annualisation, Monique et moi pouvons prendre un peu plus de vacances ensemble, et ça, c'est vraiment positif. Et puis, pour le travail à l'atelier, je me suis arrangé : j'essaie de travailler de la manière la plus régulière possible, et finalement, j'ai presque les mêmes horaires qu'avant. Les jours où je termine mon travail plus tôt, je ne rentre pas tout de suite à la maison. Comme ça, j'ai un peu plus de temps pour le comité d'entreprise. Je m'occupe des problèmes des collègues qui doivent prendre leur retraite.

LA JOURNALISTE : *Conclusion : l'annualisation est globalement positive !*

UNITÉ 15 DÉCOUVERTES
Enregistrement 1 p. 144

ALAIN : *Je vous en prie. J'aurais aimé savoir si vous vous êtes bien intégrés, comment vous vous êtes intégrés dans le cadre de votre travail – Bernadette, qu'est-ce que vous pouvez nous dire à ce sujet ?*

BERNADETTE : Pour moi, ça se passe bien, tout le monde est gentil avec moi. D'une manière générale, je peux dire que je travaille dans une ambiance sympathique et que notre équipe est efficace parce que nous nous entendons bien. Une seule chose me dérange un peu : je ne sais pas toujours qui je suis pour mes collègues : la responsable de la promotion de certains produits ou une petite Française qu'on aime bien, mais qu'on ne prend pas toujours au sérieux ?

SYLVIE : Moi, je me pose exactement la même question. Et j'espère qu'on m'apprécie pour mon efficacité et non pas pour mon « charmant accent ».

CLAUDE : Je ne voudrais pas vous faire de peine, mais je crois que vos collègues cherchent d'abord à retrouver en vous l'image qu'ils se font de la Française. Si, en plus, vous faites à peu près votre travail, c'est gagné.

SYLVIE : Vous me retirez mes dernières illusions. Et en plus, je suis Belge – mais, évidemment, quand on parle français, tout le monde pense automatiquement que vous êtes française, pour ne pas dire : parisienne.

CLAUDE : Sauf quand on est noir, si je peux me permettre cette remarque.

BERNADETTE : Une remarque très pertinente, certes, mais qui ne change rien au problème.

ALAIN : *Si vous le voulez bien, je vous propose de poursuivre notre discussion. Claude, est-ce que je peux vous demander de nous parler de votre expérience, s'il vous plaît ?*

CLAUDE : Volontiers. Il est clair que ma situation est un peu différente. Avant d'être francophone, je suis noir. Pour celui qui me voit pour la première fois, je suis d'abord Africain. Ensuite, il suppose généralement que je suis anglophone, avant de découvrir que je suis francophone.

ALAIN : *Si je vous comprends bien, vous êtes d'abord considéré comme Africain, indépendamment de la langue.*

CLAUDE : C'est ça. Je suis de langue maternelle française, mais je parle bien anglais et je me débrouille en allemand. Je n'ai aucun problème de communication. De toute façon, changer de langue, m'adapter ne me pose pas de difficulté. Mon problème, c'est que peu de gens peuvent s'imaginer que je suis vraiment ingénieur en aéronautique, comme quelqu'un qui travaille dans un grand aéroport européen.

BERNADETTE : Qu'est-ce que vous faites alors comme travail si on ne prend pas votre formation au sérieux ?

CLAUDE : Je suis au service clientèle de l'aéroport et…

SYLVIE : Parce que ça marche mieux avec les passagers ?

CLAUDE : Curieusement, oui. En fait, c'est normal. Je dois aider les passagers qui sont en difficulté. Et comme la première difficulté est souvent un problème de langue, avec moi, ça marche.

ALAIN : *Et avec vos collègues ?*

CLAUDE : Je peux dire que, si je ne suis pas véritablement « intégré », si on ne me considère pas pleinement comme un égal, je suis du moins adopté, avec toutes mes différences, et ma bonne humeur. Et qu'on m'aime bien d'ailleurs, certainement grâce à ma bonne humeur. Les gens sont tellement tristes ici.

ALAIN : *Vous devez avoir de nombreux amis, alors ?*

CLAUDE : Ça, c'est une autre histoire….

Enregistrement 2 p. 144

– Vous avez dit aux policiers qui vous ont interrogé que vous aviez un alibi puisque vous aviez attendu l'EDF tout l'après-midi.

– Ben, c'est ça monsieur le commissaire.

– Et pourtant pour faire réparer votre panne, vous aviez pris rendez-vous de 14 heures à 16 heures.

– Oui, mais l'EDF, c'est comme une jolie femme, ça promet, et puis, ça tient pas forcément.

– Erreur, puisque depuis un an, l'EDF s'engage à venir dans la plage horaire de deux heures que vous avez définie. La garantie des services, ça s'appelle. Votre alibi ne tient pas.

– Bien me voilà fait.

Il y a un an EDF s'est engagée sur neuf services fondamentaux et depuis, jour après jour, vous pouvez vérifier que nous tenons nos engagements. EDF, nous vous devons plus que la lumière.

– Quand je pense que c'est grâce à l'EDF que toute la lumière a été faite, j'aurais presque tendance à trouver ça cocasse, monsieur le commissaire.

UNITÉ 16 REPÉRAGES P. 154-155

(À l'occasion de la Semaine de la Science, en direct de La Villette, un journaliste interroge Joël de Rosnay, directeur de la Stratégie à la Cité des Sciences et de l'Industrie.)

LE JOURNALISTE : *…J'ai entendu ce matin à la radio qu'il y avait la mise en service, en tous les cas très prochainement, de ces voitures à la carte électrique, qu'on va… qu'on va utiliser avec une carte magnétique… on viendra… on mettra… ça va enregistrer le nom, et puis ça va enregistrer… ça va permettre de débloquer la voiture et de circuler avec, et de la laisser… branchée dans un autre endroit pour qu'elle se recharge. C'est futuriste, ou c'est vraiment déjà là, ça ?*

JOËL DE ROSNAY : Ça pourrait être extrêmement répandu dans de nombreuses villes. C'est une question de volonté, de volonté politique. C'est aussi une volonté des usagers d'essayer ce genre de système. Tout est prêt. Le système peut fonctionner parfaitement bien. La voiture se recharge par induction, c'est-à-dire au lieu de mettre une prise, on la met sur une plaque spéciale et elle se recharge. Est-ce que les usagers vont accepter d'aller dans une voiture banalisée qui n'est pas la leur, mais qui prend les caractéristiques de l'usager à partir d'une carte à mémoire qui se rappelle de l'inclinaison du siège, etc. ? On verra bien, mais il faut tester. Regardez les résultats de la… de la circulation alternée dans Paris, ça a été une surprise pour beaucoup…

LE JOURNALISTE : *Ouais, ça donne de l'espoir. Ça veut dire aussi beaucoup de civisme dans l'avenir pour que, pour accepter que… il y ait quelqu'un d'autre qui va prendre sa place dans le véhicule. Ça veut dire qu'il faudra le laisser en bon ordre. Ça veut dire aussi… C'est pas simplement un progrès de la science, c'est un progrès de la citoyenneté.*

JOËL DE ROSNAY : Voilà. Ça, c'est très important, Daniel, ce que vous dites. C'est pas simplement une innovation technologique. Il faut aussi des innovations sociales, il faut redécouvrir le civisme, la solidarité, et on est en train d'apprendre à vivre ensemble dans l'intérêt de tous.

JOURNALISTE : *En tous les cas, ce qui s'est passé ces derniers temps à Paris est de bon augure.*

La Science en fête, La Cinquième, 11 octobre 1997.

ACCORD

de l'adjectif • *voir Adjectif.*
du participe passé • *voir Unité 13.*

ADJECTIF

• *voir U6.*

L'adjectif s'accorde en genre et en nombre avec le nom ou le pronom auquel il se rapporte.

Formation du féminin

masculin	féminin	
national	national**e**	
exceptionnel	exceptionnel**le**	
cher	ch**è**re	même prononciation
grec	grec**que**	
jeune	jeune	
grand, bon, gros	grand**e**, bon**ne**, gros**se**	
complet, étranger	compl**è**te, étrang**è**re	
sportif, heureux	sporti**ve**, heureu**se**	on prononce la consonne finale
blanc, doux	blan**che**, dou**ce**	
beau, nouveau, vieux	**belle, nouvelle, vieille**	cas particuliers

Formation du pluriel

• Les adjectifs se terminant par -**eau** ou -**al** ont un pluriel en -**eaux** ou **aux**.
beau ➜ *beau***x**, *national* ➜ *nation***aux**. • *voir U6.*

Adjectifs possessifs • *voir Possession.*

Adjectifs démonstratifs • *voir Déterminants.*

Adjectifs indéfinis • *voir U2, U3.*

Adjectifs interrogatifs • *voir Déterminants.*

Adjectifs exclamatifs • *voir Déterminants.*

ADVERBE

Les adverbes sont invariables. • *voir U2.*

Formation des adverbes en -ment

• On ajoute -**ment** à la forme féminine de l'adjectif.
Également, personnellement, malheureusement, seulement, franchement.

• Exceptions :
– les adjectifs masculins terminés par une voyelle : on ajoute -**ment** à la forme masculine de l'adjectif :
*vrai***ment**, *absolu***ment** ;
– les adjectifs qui se terminent par -**ent** donnent des adverbes en -**emment** : *évident* ➜ *évid***emment** ;
– les adjectifs qui se terminent par -**ant** donnent des adverbes en -**amment** : *suffisant* ➜ *suffis***amment**.

Autres adverbes

• de temps : *aujourd'hui, hier, demain, bientôt, maintenant, tôt...*

• *voir Discours direct/indirect.*

• de fréquence : *rarement, souvent, quelquefois, jamais...*
• de lieu : *ici, là, là-bas, partout, dessus, dehors, devant, derrière, loin, près, ailleurs...*
• de manière : *vite, bien, mal, mieux, ensemble, volontiers, ainsi...*
• de quantité, de degré : *très, trop, tout, plus, presque, plutôt, si, tellement, beaucoup...* • *voir Quantité.*
• de doute : *peut-être, sans doute...* • *voir Inversion.*

Place de l'adverbe

• *voir U6.*

• avant le mot (adjectif, adverbe) qu'il modifie :
*C'est **trop** facile. Des situations **vraiment** très graves. Il a **environ** quarante ans.*

• après le verbe qu'il modifie :
– adverbes de lieu : *Ça se trouve **partout**.*
– adverbes de temps : *Ils se sont levés **tôt**.*
– adverbes en **-ment** : *J'ai roulé **lentement**.*

• mais avant le participe passé (adverbes de manière, de quantité, de fréquence) :
*Elle a **bien** joué. Ils ont **beaucoup** mangé. Il est **souvent** venu. Vous avez **encore** gagné.*

• au début ou à la fin d'une phrase :
*Quel film allez-vous recommander **aujourd'hui** ? **Alors** il se confond en excuses.*
***Franchement**, je n'y crois pas.*

AUXILIAIRE AVOIR OU ÊTRE

• On utilise l'**auxiliaire être** avec :
– les verbes de mouvement : aller, s'en aller, arriver, venir, monter, descendre, sortir, partir, entrer, rentrer, retourner, revenir, tomber (mais pas courir, sauter).
– naître, mourir, devenir, rester : *Quand est-elle née ?*
– les verbes pronominaux (se + verbe) : *Il s'est trompé, elle s'est coupée.*
– les verbes au passif : *Il a été reconnu par…*

• On utilise l'**auxiliaire avoir** avec :
– les autres verbes : *j'ai lu, il a ri, tu avais regardé* ;
– *j'ai faim, tu as soif/sommeil/chaud/froid/raison/tort.* • *voir U13.*

• Certains verbes de mouvement s'emploient avec avoir quand ils prennent un complément d'objet direct et avec être autrement.
J'ai monté la valise au premier. Je suis monté(e) en haut de la tour Eiffel.
Elle a descendu l'escalier.   Elle est descendu(e) par l'ascenseur.
Il a sorti la table dans le jardin. Il est sorti.

COMPARAISON

• *voir U13.*

CONCORDANCE DES TEMPS

Avec une subordonnée conditionnelle

si + présent + { futur / impératif }	*Si tu **viens**, tu **apporteras** un gâteau ?* *S'il **pleut**, n'**oublie** pas de rentrer le linge.*	condition réalisable
si + imparfait + conditionnel présent	*Si je **connaissais** la réponse,* *je te la **donnerais**.*	peu probable
si + plus-que-parfait + conditionnel passé	*Si j'**avais eu** le choix, je **serais parti(e)*** *vivre à la campagne.* *Si tu n'**avais** pas **oublié** de mettre de* *l'essence, on ne **serait** pas **tombé** en panne.*	condition non réalisée 1re pers. ➜ regret 2e, 3e pers. ➜ reproche

Au discours rapporté
• *voir Discours direct/indirect.*

Avec une interrogation indirecte
• *voir Discours direct/indirect.*

CONDITIONNEL
• *voir U5, U15, Concordance.*

Conditionnel présent

• **Conjugaison**
Infinitif du verbe + terminaisons de l'imparfait : *je trouver-ais,*
– Si l'infinitif se termine par un **-e**, le **-e** tombe : *nous descendr-ions.*
– Exceptions :
• *voir Conj.*

• **Emploi**

– dans une demande polie : *Vous **auriez** de la monnaie ? Je **voudrais**... **Pourriez**-vous...*

– pour une action qui ne se réalisera peut-être pas :

  invitation : *Que **dirais**-tu d'un week-end à Paris ?*

  souhait : *J'**aimerais** voyager.*

  conseil *: Tu **devrais** prendre des vacances.*

  éventualité : *Qu'est-ce qui te **plairait** ?*

– pour une supposition : *On **s'écrirait**.*

– au discours indirect, pour exprimer un futur dans le passé : *Il a demandé quand tu **rentrerais**.*

– après certaines conjonctions : *Prends ton parapluie au cas où il **pleuvrait**.*

Conditionnel passé

• **Conjugaison**

Auxiliaire **être** ou **avoir** au conditionnel + participe passé du verbe

*Tu **aurais vu**. Vous vous **seriez levés**.*

• **Emploi**

Le conditionnel passé renvoie toujours à quelque chose qui ne s'est pas produit.

*Il **serait venu** (s'il avait pu).*

CONJONCTION

Des conjonctions pour exprimer :

• **le temps**   • *voir U7.*

– **quand** : ***Quand** on est jeune, on n'a pas le choix.*

– **dès que** : *Nous viendrons **dès que** nous pourrons.*

– **aussitôt que** : *Je téléphonerai **aussitôt que** j'arriverai.*

• **la cause**   • *voir U14.*

– **parce que** : *Il est au chômage **parce que** son entreprise a fermé.*

– **puisque** : *D'accord, **puisque** ça te fait plaisir.*

• **le but**

– **pour que** : *Il fait ça **pour que** nous mangions.*

• **l'opposition**   • *voir U14.*

– **mais** : *Je déteste la télévision **mais** je regarde **quand même** les informations.*

– **pourtant, bien que** (+ subjonctif)

*Les gens ne disent pas toujours la vérité **bien que** les réponses soient anonymes.*

• **la conséquence**

– **tellement... que** : *Il a **tellement** travaillé **qu'**il est tombé malade.*

*Il conduit **tellement** vite **qu'**il a souvent des amendes.*

• **la comparaison**   • *voir U13.*

– **plus/aussi/moins** + adjectif + **que** + proposition : *Alain est beaucoup **plus** grand **que** je le croyais.*

– verbe + **plus/davantage/autant/moins** + **que** + proposition : *Elle travaille **moins qu'**elle le dit.*

– **plus/davantage/autant/moins de** + nom + **que** + proposition : *Il n'y a **pas autant de** monde **qu'**on pense.*

• **la condition**

– **si** : ***Si** on a un jardin, on pourra avoir un chien.*

 Quand deux subordonnées sont reliées par **et** ou **ou**, on ne répète pas **parce que, quand, dès que, si,** etc. On les remplace par **que**.

Quand *on est jeune et **qu'**on veut travailler...*

DÉTERMINANT

Un déterminant vient devant le nom.
Il s'accorde généralement en genre et en nombre avec le nom qui le suit.
Il y a différents types de déterminants.

Articles

• Articles définis et indéfinis

	Article défini		Article indéfini	
	masculin			
singulier	**le**	*le* train	**un**	*un* homme
	l' + voyelle / **h** muet	*l'avion* / *l'hôpital*		
	féminin			
	la	*la* voiture	**une**	*une* femme
	l' + voyelle / **h** muet	*l'artiste* / *l'heure*		
pluriel	**les**	*les* renseignements	**des**	*des* gens

• Article défini ou indéfini ?

• voir U11.

• Formes contractées : **à** + article défini, **de** + article défini

à + **le** s'écrit **au**	**à** + **les** s'écrit **aux**	**au** festival, **aux** soldes
de + **le** s'écrit **du**	**de** + **les** s'écrit **des**	**du** cinéma, **des** États-Unis

Il n'y a pas de changement devant **la** ou **l'** : **à la** gare, **à l'**hôtel, **de la** maison, **de l'**université.

• Articles partitifs

du	*du* vin, *du* sucre	*pas de* vin/sucre
de la	*de la* bière	*pas de* bière
de l'	*de l'*eau	*pas d'*eau

Quand ne pas mettre d'article ?

• voir U3.

Adjectifs possessifs

• voir Possession.

Adjectifs démonstratifs

	masculin		féminin	
singulier	**ce** + consonne	*ce **p**ull*	**cette**	*cette* veste
	ce + **h** aspiré	*ce **h**éros*		
	cet + voyelle	*cet **a**liment*		*cette* orange
	cet + **h** muet	*cet **h**omme*		
pluriel	**ces**	*ces **h**ommes*	**ces**	*ces* vestes

Adjectifs interrogatifs

	masculin		féminin	
singulier	**quel**	*quel* jour ?	**quelle**	*quelle* heure ?
pluriel	**quels**	*quels* livres ?	**quelles**	*quelles* chambres ?

Adjectifs exclamatifs

	masculin		féminin	
singulier	**quel**	*quel* bruit !	**quelle**	*quelle* idée !
pluriel	**quels**	*quels* ennuis !	**quelles**	*quelles* jolies robes !

DISCOURS DIRECT/DISCOURS INDIRECT

Des verbes pour rapporter

• *voir U3.*

Pour rapporter une phrase déclarative

Discours rapporté direct	Discours rapporté indirect
Les paroles citées sont entre guillemets. – Si le verbe rapporteur vient avant la citation, il est suivi de deux points. *Ils disent **:** « Nous ne pouvons pas vivre sans notre journal. »* – S'il vient après la citation, il y a inversion du sujet et il est précédé d'une virgule. *« Nous ne pouvons pas vivre sans notre journal »,* **disent-ils**.	Le verbe rapporteur est suivi de **que** + proposition. *Ils disent **qu'**ils ne peuvent pas vivre sans leur journal.* Le verbe peut introduire plusieurs **que** + proposition sans être répété. *Elle explique **qu'**ils voient le petit Midi Libre **et qu'**ils repartent.*

Pour rapporter une question : l'interrogation indirecte

• Un verbe comme *demander, savoir, dire, expliquer, ne pas savoir, ignorer* est suivi d'un mot interrogatif ou de **si**.

• Il n'y a pas d'inversion du sujet. La phrase finit par un point.

Discours direct	Discours indirect		
Est-ce que…	➜ si		*si tu as compris.*
Qui…	➜ qui		*qui a téléphoné.*
Qu'est-ce qui…	➜ ce qui		*ce qui te plairait.*
Qu'est-ce que…	➜ ce que		*ce que je peux faire.*
Comment…	➜ comment	*Dis-moi*	*comment ça va.*
Pourquoi…	➜ pourquoi		*pourquoi tu ris.*
Où…	➜ où		*où tu seras.*
Quand…	➜ quand		*quand tu arriveras.*
Combien…	➜ combien		*combien nous serons.*

Pour rapporter une phrase impérative

• *voir U3 : Rapporter des conseils, des ordres.*

Ce qui peut changer

• Le temps du verbe dans la phrase rapportée

Discours direct	Discours indirect
présent ou imparfait	➜ imparfait
passé composé ou plus-que-parfait	➜ plus-que-parfait
futur ou conditionnel	➜ conditionnel
futur antérieur	➜ conditionnel passé

« Est-ce que Christine m'aime encore ? » ➜ *Antoine se demande si Christine l'aime encore.*
➜ *Antoine s'est demandé si Christine l'aimait encore.*

• Les indications de temps et de lieu

	Discours direct	Discours indirect
Temps	maintenant	➜ alors
	aujourd'hui	➜ ce jour-là
	avant-hier	➜ l'avant-veille
	demain	➜ le lendemain
	après-demain	➜ le surlendemain
	il y a un an	➜ un an auparavant/plus tôt
	la semaine prochaine	➜ la semaine suivante/d'après
	mardi dernier	➜ le mardi précédent/d'avant
	ce matin	➜ ce matin-là
Lieu	ici	➜ là

Il y a quinze jours, il m'a dit : « Elle part aujourd'hui, je te téléphonerai demain. »
➜ *Quinze jours plus tôt, il m'avait dit qu'elle partait ce jour-là et qu'il me téléphonerait le lendemain.*

• Les pronoms personnels et les adjectifs possessifs

« Je pars ». ➜ *Il a dit qu'**il** partait.*
« N'oublie pas tes clés ». ➜ *Il **m'**a dit de ne pas oublier **mes** clés.*

FUTUR

Les différentes façons d'exprimer un futur

• *voir U5.*

Futur proche : aller + infinitif

*Je **vais attendre** un peu. Attention, tu **vas tomber**.*

Futur simple

• Conjugaison

Infinitif du verbe + terminaisons **-ai**, **-as**, **a**, **ons**, **ez**, **ont**.
Si l'infinitif se termine par un -**e**, le -**e** tombe : *je trouver-ai, nous descendr-ons*

• *voir Conj.*

• Emploi

– pour une action ou un événement à venir : *Nous **partirons** demain par le train de 8 heures.*
*Quand j'**aurai** le temps, je **repeindrai** la cuisine.*
– pour exprimer une probabilité : *On a sonné. Ce **sera** le facteur.*
– pour donner des instructions : *Tu lui **montreras** sa chambre.*
*Vous **prendrez** un comprimé avant les repas.*
– pour faire une promesse : *Je **viendrai** te voir tous les jours.*

Futur antérieur

• *voir U5.*

GÉRONDIF

• *voir Participe présent.*

• Formation

en + participe présent
En chantant, en passant…

• Emploi

– pour dire que deux choses se passent en même temps : *Il travaille **en chantant**.*
– pour donner une explication : *Il est tombé **en glissant**.*
– pour exprimer une condition : ***En prenant** un taxi, tu arriveras à l'heure.*

IMPÉRATIF

Conjugaison

• Infinitifs en **-er** : radical + **-e**, **-ons**, **-ez**
Écoute, avançons, arrêtons-nous, poussez, tirez.

• Autres infinitifs : radical + **-s**, **-ons**, **-ez**
Fais-le, entrons, asseyons-nous, ralentissez.

 À la deuxième personne du singulier, les verbes en -**er** prennent un -**s** devant **y** ou **en**. C'est plus facile à prononcer.
*Pense**s**-y. Mange**s**-en un. Apporte**s**-en. Et aussi : Va**s**-y.*

• Verbes irréguliers

• *voir Conj.*

Ordre des mots

• voir Pronoms personnels.

• **Forme négative** : s'il y a des pronoms, ils viennent avant le verbe. L'ordre est le même que dans une phrase déclarative.

*Ne **t'**excuse pas. Ne **nous** appelez pas. Ne **me** téléphonez pas. Ne **leur** envoyez pas de carte.*

• **Forme affirmative** : les pronoms se placent après le verbe.

verbe +

le	moi/m'	en
la	toi/t'	y
les	lui	
	nous	
	vous	
	leur	

*Excuse-**toi**. Appelez-**nous**. Prends-**la**. Écoutons-**les**.*
*Téléphone-**moi**. Donne-**m'en** un s'il te plaît. Envoyez-**leur** une carte.*

 Il y a toujours un trait d'union entre le verbe et le pronom.

• **Impératif et discours indirect**

• voir U3.

INDÉFINI

• **Adjectifs indéfinis**

• voir U3.

• **Pronoms indéfinis**

• voir U2.

INFINITIF

• voir Conj.

• **Infinitif passé**

• voir U14.

• **Emploi**

Il peut être sujet, objet ou verbe principal d'une phrase.
***Se plaindre** complique souvent les choses. Il faut oser **râler**. Ne pas **toucher**.*

• **Verbes suivis d'un infinitif**

• voir U9.

• voir Constructions verbales.

INTERROGATION

• voir U2.

Interrogation totale

La réponse est **oui** ou **non**.
Il y a trois façons de poser une question :

Langue courante (parlée et écrite)	Langue parlée ou familière	Langue soutenue ou écrite
On ajoute **est-ce qu...** devant la phrase.	On dit la phrase avec une **intonation montante**. À l'écrit, on ajoute un point d'interrogation.	On utilise l'**inversion** : le sujet vient après le verbe (ou l'auxiliairedans un temps composé)
***Est-ce que** vous lisez beaucoup ?*	*Vous lisez beaucoup **?***	***Lisez-vous** beaucoup ?*
***Est-ce qu'**elle lave bien ?*	*Ça va **?***	***Allez-vous** au restaurant ?*
***Est-ce que** vous en êtes satisfaite ?*	*Vous en êtes satisfaite **?***	***Aime-t-on** la purée toute faite ?*

Interrogation partielle

• *voir Adjectifs interrogatifs.*

• La réponse porte sur un élément de la phrase : le sujet, un complément, un lieu, une quantité, une raison…
Pour poser la question on utilise **un mot interrogatif**.

En langue courante	En langue familière	En langue plus soutenue
Est-ce qu... juste après le mot interrogatif	Question par **l'intonation** (mot interrogatif au début ou à la fin de la phrase)	**Mot interrogatif** suivi d'une **inversion** du verbe
La question porte sur le sujet : qui (personne), qu'est-ce qui (chose)		
Qui est-ce qui est là ? *Qu'est-ce qui brûle ?*	*Qui est là ?*	*Qui est là ?*
La question porte sur l'objet direct : qui (personne), que (chose)		
Qui est-ce que tu as rencontré ? *Qu'est-ce que vous voulez ?*	*Tu as rencontré qui ?* *Que pense la jeunesse ?* *La jeunesse pense quoi ?*	*Qui as-tu rencontré ?* *Que pense-t-on de la chicorée ?*
La question porte sur l'objet indirect : à/de quoi		
De quoi est-ce que vous avez besoin ?	*Vous pensez à quoi ?*	*À quoi penses-tu ?* *Quelles qualités demandez-vous à votre matelas ?*
La question porte sur le temps : quel jour…, à quelle heure, quand		
Quel jour est-ce qu'on est ? *À quelle heure est-ce que vous partez ?* *Quand est-ce qu'il part ?*	*Il est quelle heure ?* *Vous partez à quelle heure ?* *Il part quand ?*	*À quelle heure partez-vous ?* *Quand partira-t-il ?*
La question porte sur le lieu : où		
Où est-ce que vous habitez ?	*Vous habitez où ?*	*Où passez-vous vos vacances ?*
La question porte sur la quantité : combien		
Combien est-ce que ça coûte ?	*Ça coûte combien ?*	*Combien pensez-vous que ca coûte ?*
La question porte sur la cause : pourquoi		
Pourquoi est-ce qu'elle rit ?	*Pourquoi ils se vendent mal ?*	*Pourquoi aime-t-on ce produit ?*
La question porte sur la manière : comment		
Comment est-ce que tu viendras ?	*Comment ça s'est passé ?* *Ça s'est passé comment ?*	*Comment avez-vous découvert la musique rock ?*

 Qui ou que ? Qui est-ce qui ou qui est-ce que ? Qu'est-ce qui ou qu'est-ce que ?

	Pronom sujet		Pronom complément	
Personne	Qui est-ce qui *Qui est-ce qui n'a pas de billet ?*	Qui *Qui n'a pas de billet ?*	Qui est-ce que *Qui est-ce que vous demandez ?*	Qui *Qui demandez-vous ?* *Vous demandez qui ?*
Chose	Qu'est-ce qui *Qu'est-ce qui vous a plu ?*		Qu'est-ce que *Qu'est-ce que vous dites ?*	Que/quoi *Que dites-vous ?* *Vous dites quoi ?*

• **Pronoms interrogatifs : lequel**   • *voir U2.*

LIEU

Pour exprimer des noms de pays, de régions ou départements, de villes

	masculin	féminin	pluriel
Pays *je vais, je suis…* *je viens…*	**au** Brésil, **au** Japon **du** Portugal, **du** Ghana	**en** France, **en** Égypte **en** Afrique du Sud **de** Belgique, **d'**Argentine	**aux** États-Unis **aux** Pays-Bas **des** Émirats
Région *je vais, je suis…* *je viens…*	**dans** le Bordelais, **dans** le Nord **du** Périgord, **du** Midi	**en** Provence, **en** province **dans** la région parisienne **de** Normandie	**dans** les Hauts-de-Seine **des** Pyrénées Orientales
Ville *je suis…* *je rentre…*	**à** Paris, **au** Mans **du** Bourget	**à** la Haye, **à** La Rochelle **de** la Baule	**aux** Andelys **des** Saintes-Maries de la Mer

 On utilise **en** et **d'** devant des noms de pays masculins commençant par une voyelle :
en Israël, en Irak, en Angola. Ils rentrent d'Afghanistan.

MISE EN RELIEF

• **Moi, toi, lui, elle, nous, vous, eux, elles : les pronoms toniques**   • *voir Pronoms personnels.*
*Je tiens à mon confort, **moi**.*

• **C'est, ce sont (sujet) qui…, c'est (COD) que…**   • *voir U10, U11.*
***C'est** Pierre **qui** a répondu. **C'est** le film **qui** vient de sortir.*
***Ce sont** eux **que** tu as rencontrés. **C'est** le film **que** tu vas voir samedi.*

NÉGATION

Formation • **ne** (ou **n'** devant une voyelle) placé devant le verbe et les pronoms + **mot négatif**.

Emploi   • *voir U1.*

Négation	Phrase affirmative interrogative	Phrase négative
ne… pas	*J'aime le jazz.* *Vous avez trouvé la réponse ?* *Téléphonez-moi.*	*Je **n'**aime **pas** le rock.* *Non, je **ne** l'ai **pas** trouvée.* ***Ne** me téléphonez **pas**.*
ne… pas de	*Tu as écrit **une** lettre ?* *Elle mange **de la** viande.*	*Non, je **n'**ai **pas** écrit **de** lettre.* *Il ne mange **pas de** viande.*
ne… plus	*Vous travaillez **encore** ?*	*Non, je ne travaille **plus**.*
ne… jamais	*Vous allez **souvent** au cinéma ?*	*Non, je n'y vais **jamais**.*
ne… pas souvent	*Vous allez **souvent** au théâtre ?*	*Non, je n'y vais **pas souvent**.*
ne… pas encore	*Vous avez **déjà** choisi ?*	*Je n'ai **pas encore** choisi.*
ne… rien	*Tu as acheté **quelque chose** ?*	*Non, je **n'**ai **rien** acheté.*
rien ne…	*Dans ce restaurant, **tout** est bon.*	*Dans ce café, **rien n'**est bon.*
ne… personne personne ne…	*Vous avez trouvé **quelqu'un** ?* ***Quelqu'un** a téléphoné ?*	*Non, je **n'**ai trouvé **personne**.* *Non, **personne** n'a appelé.*
ne pas/plus/jamais/rien + infinitif ne + infinitif + personne	*Écrire en majuscules.* *Prévenir quelqu'un.*	***Ne pas** écrire dans cette case.* ***Ne** prévenir **personne**.*
ne… nulle part.	*Vous allez **quelque part** demain ?*	*Non, nous **n'**allons **nulle part**.*
aucun(e) ne + singulier ne… aucun(e)	*J'ai écrit à plusieurs entreprises.* *Il a un diplôme ?*	***Aucune** n'a répondu.* *Il **n'**a **aucun** diplôme.*
ne… ni…ni…	*Il y a du pain et du fromage ?*	*Il **n'**y a **ni** pain **ni** fromage.*
moi non plus + négation	*Moi aussi, je l'ai vu*	*Moi **non plus**, je ne l'ai pas vu.*

• Aux temps composés, **pas**, **plus**, **jamais**, **rien** se placent entre l'auxiliaire et le participe passé, **personne** se place après le participe passé.
*Je n'ai **rien** entendu, je n'ai **jamais** essayé, je ne l'ai **plus** revu.*
*Je n'ai vu **personne**.*

• La réponse à une question négative est **si** ou **non**.
*– Tu ne sors pas ce soir ?   – **Non**, j'ai du travail*
*   – **Si**, je suis invitée.*

• On peut trouver plusieurs négations dans la même phrase, sauf avec **pas**.
***Il n'a jamais rien** demandé. Je n'ai **rien** envoyé **nulle** part. **Plus** personne **ne** veut parler.*

• À l'oral, **ne** n'est pas toujours prononcé. On entend souvent :
C'est pas vrai. Y a pas de problème.

Les adjectifs négatifs   • *voir U1.*

NE… QUE   • *voir U1.*

NOM   • *voir Unités 1, 3, 9, 11.*

• **Genre**
• **Nombre**

PARTICIPE PASSÉ

• **Conjugaison**   • *voir Conj.*

• **Accord du participe passé**   • *voir U13.*

• **Emploi**
– dans les temps composés   • *voir Conj.*
– comme adjectif : *connu, fatigué…*
– au passif   • *voir Passif, U7.*
– pour exprimer la cause
***Persuadé** que vous pouvez m'aider, je vous écris ces quelques mots.*

PARTICIPE PRÉSENT   • *voir Conj.*

• **Conjugaison**
Radical du verbe à la première personne du pluriel du présent + **-ant**
*Nous **faisons** ➜ fais**ant**, nous **finissons** ➜ finiss**ant**.*
Exceptions : *ayant, étant, sachant.*

• **Emploi**   • *voir Gérondif.*
– pour exprimer la cause :
***Ayant passé** son enfance à la campagne, elle a eu du mal à s'habituer à Paris.*
– pour exprimer une relation temporelle :
***Vivant au** début de ses traductions, elle est aujourd'hui très spécialisée…*

PASSÉ : TEMPS DU PASSÉ   • *voir Conj, U7.*

Imparfait

• **Conjugaison**
Radical de la 1ʳᵉ personne du pluriel du présent + **-ais, -ais, -ait, - ions, -iez, -aient**
*Nous **parlons** ➜ je **parlais**.   Nous finissons ➜ je **finissais**.   Nous écrivons ➜ nous **écrivions**.*
Exceptions : *être : j'étais…*   • *voir Conj.*

• Emploi

– action du passé, en train de se dérouler :

*Je **travaillais** chez Peugeot…*

– habitude, action qui se répétait (On ne précise ni le début ni la fin de l'action) :

*Tous les matins, je **traversais** le parc pour aller travailler.*

– dans un récit, c'est le temps de la description, de ce qui est à l'arrière-plan de l'action (cadre, circonstances) :

*Il **était** 11 heures, j'**étais** dans ma chambre, on **écoutait** de la musique.*

– après **si**, pour une condition improbable :   *• voir Concordance.*

*Si nous **connaissions** ses copains, on le comprendrait mieux.*

Passé composé
• voir Conj.

• Conjugaison

Auxiliaire **avoir** ou **être** au présent + participe passé du verbe.

*J'**ai travaillé**, vous **êtes tombés**.*

• Emploi   *• voir U13.*

– action achevée reliée au présent :

*J'**ai** bien dormi = je **suis reposé(e)**.*

– dans un récit, c'est le temps qui fait avancer l'action (successions d'actions achevées) :

*Le téléphone **a sonné**, je **suis allé(e)** répondre.*

Plus-que-parfait
• voir Conj.

• Conjugaison

Auxiliaire **avoir** ou **être** à l'imparfait + participe passé du verbe.

*J'**avais travaillé**, vous **étiez tombés**.*

• Emploi   *• voir Concordance.*

– pour un événement qui s'est passé avant un autre (au passé composé en langue parlée ou au passé simple dans un récit) :

*Tout le monde **était parti** quand je suis arrivé. Je te l'**avais** bien **dit**.*

– après **si**, pour une condition qui ne s'est pas réalisée dans le passé :

*Si j'**avais accepté** le poste, j'aurais pris un appartement plus grand.*

Passé simple
• voir Conj.

• Conjugaison

– Verbes en **-er** : *il pens**a**, ils pens**èrent***

– Autres verbes : *il fut, ils furent, il eut, ils eurent, il mit, il put, il vint, il courut, il fit, il s'assit…*

• Emploi

C'est le temps du récit écrit. Il exprime un fait :

– complètement achevé à un moment donné du passé ;

– sans lien avec le présent.

Il est surtout utilisé à la 3e personne.

*Il **fit** un mystérieux sourire, et **se tut.***

Passé antérieur
• voir U7.

Passé récent : venir de + infinitif

*Il **vient d'essayer** un blouson.*

PASSIF
• voir U7.

Formation

• Phrase active

sujet + verbe + objet

La rivière a emporté le pont. (passé composé)

• **Phrase passive**

– Le passif n'est possible qu'avec les verbes qui acceptent un complément d'objet direct.

– L'objet[1] prend la place du sujet[2] (1 – le pont, 2 – la rivière).

– On introduit le verbe **être** qui est suivi du participe passé du verbe de la phrase active (à été emporté).

– Si l'agent (le sujet de la phrase active) est mentionné, il vient après **par** (ou **de**).

Le pont a été emporté par la rivière.

Emploi

• *voir U7.*

• pour faire porter l'attention sur l'action ou sur son résultat :

*Les champs **étaient** souvent **inondés**.*

*Les turbines d'époque **ont été conservées**.*

• surtout à l'écrit ; il est fréquent dans les journaux :

• parfois sans verbe **être** ;

• à l'oral, il est souvent remplacé :

– par une phrase impersonnelle avec **on** : *C'est ainsi qu'**on a construit** un premier pont aux Bassiaux.*

• *voir U15.*

– par une forme pronominale : *Tout **se décide** à Paris.*

POSSESSION

*C'est à qui ? C'est **à** Jacques. C'est **à** lui.*

*C'est le livre **de** Jacques. C'est **son** livre. C'est **le sien.***

Préposition + pronoms personnels

à moi, à toi, à lui, à elle

à nous, à vous, à eux, à elles

Adjectifs possessifs

C'est à	Le nom qui suit est					
	masculin		**féminin**		**pluriel**	
moi	**mon**	*mon* ami	**ma**	*ma* famille	**mes**	*mes* parents
			mon + voyelle	*mon* <u>a</u>mie		
toi	**ton**	*ton* frère	**ta**	*ta* sœur	**tes**	*tes* affaires
			ton + voyelle	*ton* <u>a</u>dresse		
lui/elle (ou lieu)	**son**	*son* mari	**sa**	*sa* femme	**ses**	*ses* amis
			son + voyelle	*son* église		
nous	**notre**	*notre* fils	**notre**	*notre* fille	**nos**	*nos* enfants
vous	**votre**	*votre* père	**votre**	*votre* identité	**vos**	*vos* papiers
eux	**leur**	*leur* voisin	**leur**	*leur* cousin	**leurs**	*leurs* voisines

Pronoms possessifs

Déterminant possessif	Il remplace un nom		
	masculin	**féminin**	**pluriel**
mon, ma, mes	le mien	la mienne	les miens
			les miennes
ton, ta, tes	le tien	la tienne	les tiens
			les tiennes
son, sa, ses	le sien	la sienne	les siens
			les siennes
notre, nos	le/la nôtre		les nôtres
votre, vos	le/la vôtre		les vôtres
leur, leurs	le/la leur		les leurs

Le pronom possessif peut être précédé d'une préposition.

*Ne me parle pas **de mon** pays, parle-moi **du** tien.*

PRÉPOSITION

Ce sont des mots invariables qu'on trouve :

• devant un mot ou un groupe de mots pour introduire un complément :
– de temps : *à deux heures, dans un mois, depuis 15 jours…*
– de lieu : *à, de, à l'intérieur de, dans, par, pour, sur, devant…*
– de manière : *à toute vitesse, en voiture…*

• entre deux noms : *un voyage d'une semaine.* • voir U1.

• entre un verbe et son complément : *Venez chez nous.* • voir U1.

• entre un verbe et un infinitif : *Je continue à faire du théâtre. Il faut manger pour vivre.* • voir U13.

• après un adjectif : *Nous sommes très contents de notre séjour. Il est difficile à comprendre.* • voir U15.

• devant un participe présent : *en réservant vos places…*

	à	**de**	**en**
Lieu	**à** l'étranger, **au** Canada **à** Lille, **au** lycée	**de** l'aéroport, **d'**Irlande **de** Cannes, **de** Hollande	**en** route, **en** Europe **en** ville
Temps	**à** l'époque, **au** xxie siècle **à** 6 heures **au** mois de mai **au** printemps, **à** l'automne	**de** 1999 **à** 2005 **de** 2 **à** 4 (**de** 2 heures **à** 4 heures) **de** mai **à** juin **de** jour/**de** nuit	**en** 1914, **en** juin Je l'ai fait **en** quatre heures. **en** hiver, **en** été **en** automne
Appartenance	C'est **à** moi.	le livre **du** professeur	
Moyen de transport	voyager **à** pied, **à** moto, **à** cheval, **à** bicyclette		**en** train, **en** voiture **en** bateau, **en** autocar
Fonction (à quoi ça sert)	une boîte **à** biscuits un verre **à** vin	des lunettes **de** soleil	
Contenu (rempli de)		une boîte **de** biscuits un verre **de** vin	
Élément caractéristique	une fille **aux** yeux verts	une personne **de** mauvaise humeur	fort **en** maths bonne **en** sport
Composé de	un chausson **aux** pommes du café **au** lait	un appartement **de** trois pièces	un pièce **en** trois actes
Matière		une statue **de** pierre	un sac **en** plastique
Cause		trembler **de** peur	
Manière	**à** voix haute/basse **à** toute vitesse	**d'**un air moqueur	**en** uniforme, **en** civil **en** jeans
Valeur	une place **à** 8 euros	un billet **de** 30 euros	(payer) **en** chèque

PRÉSENT

• voir conj.
• voir U6.

PRONOM

Pronoms démonstratifs

	masculin	féminin
singulier	celui	celle
pluriel	ceux	celles

• **ce, ça** ou **cela** ? • voir U10.
• *Ce que, ce qui, ce dont, ce à quoi…* • voir U9.

• **Celui, celle, ceux, celles** sont suivis :
– d'un pronom relatif : *C'est **celui qu'**elle attend.* (*Celui peut être un train, un film, un ami…*)
– de la préposition **de** : *Il a pris **celle** (la bicyclette) **de** son frère.*
– de -**ci** ou -**là** : *Voulez-vous **celui-ci** ou **celui-là** ?*

• *voir U2, U3.*

Pronoms indéfinis

Pronoms personnels

• *voir Quantité (à la place du nom).*

singulier	pluriel	Fonction	Exemple
je, tu, il, elle, on	nous, vous, ils, elles,	sujet	*Tu* as faim ? *On* mange. *Vous* comprenez ?
me, te, se, le, la	nous, vous, les	complément d'objet direct	*Tu* **me** réveilles à 8 heures ? *Vous* **les** avez revus ?
me, te, se, lui	nous, vous, leur	complément d'objet indirect introduit par **à** : – personne	*Donnez-**lui** toutes nos amitiés.* *Tu **m'**/**leur**/**nous** écriras ?*
y		– chose – complément de lieu introduit par **à**, **en**, **dans**…	*Tu **y** as pensé ?* *Allez-**y**.*
de moi, de toi, de lui, d'elle	de nous/vous, d'eux, d'elles	complément d'objet indirect introduit par **de** : – personne	*Parlez-moi **d'elle/d'eux**.* *Se souvient-il **de moi** ?*
en		– chose – complément de lieu	*Je m'**en** souviens (de ta fête).* *J'**en** viens (du Portugal).*
en, un(e)/plusieurs		complément d'objet direct : (le nom est précédé d'un article indéfini ou partitif)	*Donnez-m'**en** une tasse…* *Je t'**en** rachèterai **un**.*
sur, en, pour… + moi/toi/ lui/elle	sur, en, pour… nous/vous/ eux/elles	complément introduit par une préposition	*Vous pouvez compter **sur moi**.* *Il est **chez lui**.* *Tu as voté **pour elle** ?*

• **Ordre des pronoms dans la phrase**

• *voir Impératif.*
• *voir U5.*

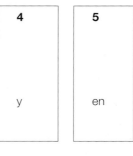

sujet (+ ne)	1	2	3	4	5	
je	me					
tu	te					
il/elle, on	se	le l'	lui			**verbe (+ pas)**
nous	nous	la		y	en	
vous	vous	les	leur			
ils/elles	se					

Je te le donne. (1-2)   *Nous l'y emmenons.* (2-4)
Tu nous y emmènes. (1-4)   *Vous l'en empêchez.* (2-5)
Il vous en envoie. (1-5)   *Ils lui en donnent.* (3-5)
Elle le lui donne. (2-3)   *Il y en a.* (4-5)

• **Il** ou **ce** ?

• *voir U10.*

• **On** peut s'utiliser à la place de **nous**, surtout à l'oral.
*Vous venez, **on** va boire un café ? Non, **nous**, **on** va au cinéma.*

Pronoms possessifs

• voir Possession.

Pronoms relatifs

• voir U9.

Pronoms relatifs	Fonction	Personne ou chose	Exemple
qui	sujet	personne ou chose	*C'est vous **qui** le faites.* *C'est un objet **qui** est pratique.*
que	complément d'objet direct	personne ou chose	*C'est la personne **que** vous cherchez.* *C'est le livre **que** vous avez réservé.*
dont	complément – d'objet indirect – de nom introduit par **de**	personne ou chose	*Voici l'étudiant **dont** je vous ai parlé.* *C'est un film **dont** on parlera.* *La personne **dont** le billet se termine par 36 a gagné.*
à, sur, avec, chez qui	préposition + complément	personne	*Voici la personne **à qui** j'ai parlé.* *Les gens **chez qui** nous allons sont très gentils*
auquel, à laquelle pour, avec, en, sur lequel…		personne ou chose	*Les amis **avec lesquels** je voyage…* *Le candidat **pour lequel** ils ont voté…* *C'est un bruit **auquel** on s'habitue.* *C'est l'excursion **pour laquelle** ils ont payé.*
où, d'où, par où, dans/sur lequel	complément de lieu	lieu	*C'est la maison **où** il est né.* *C'est le port **par lequel** on arrive.*
où	complément de temps	temps	*C'est le jour **où** je suis né.*

Le pronom relatif se place immédiatement après le mot qu'il représente : nom, pronom démonstratif (**ce**, **celui**), pronom indéfini (**quelque chose, quelqu'un, quelque part, rien**…).

Formes composées à partir de **lequel**

	masculin	féminin
singulier	lequel	laquelle
à +	auquel	à laquelle
de +	duquel	de laquelle

	masculin	féminin
pluriel	lesquels	lesquelles
à +	auxquels	auxquelles
de +	desquels	desquelles

Ce qui, ce que, ce qu', ce dont

• voir U9.

Celui qui, celle que…

• voir Pronoms démonstratifs.

QUANTITÉ

	Devant un nom	À la place du nom	Après un verbe
Absence de quantité • *voir Négation, U1.*	*Il n'y a pas d'eau.* *Aucun enfant.*	*Je **n'en** veux **pas**.* *il n'y en a aucun.* *il **n'y** a **rien, personne**.*	*Je **ne** mange **pas**.*
Quantité non précisée : partitifs • *voir Déterminants.*	**du, de la, de, des** *Tu veux **du** pain ?* *Il y a **du** monde.*	*Il y **en** a.*	
Expressions de quantité • *voir Adverbes.* • *voir Comparaison.*	***Beaucoup de** temps,* ***de** jeunes.* ***Peu de** temps,* ***peu d'**étudiants.* ***Un peu d'**argent/* ***pas beaucoup d'**étudiants.* ***Assez de** papier, **d'**enfants*	*Nous **en** avons* ***beaucoup**.* *Il y **en** a peu/un* ***peu/assez/trop/*** ***moins/plus/autant**.*	*Il dort **beaucoup**.* *Il mange **peu**.* *Il travaille **un peu**.* ***...***

...	Devant un nom	À la place du nom	Après un verbe
	Trop de sucre, *de* voitures. *Moins de* monde, *de* journaux. *Plus de* temps, *de* clients. *Autant de* temps, *de* piétons. *Davantage d'argent, d'enfants.* *Tant de/tellement de* temps, *de* voitures. *Pas assez de* sel, *de* trains.	*Il n'y* **en** *a* **pas assez/** **beaucoup/trop/** **autant.**	*Il dépense* **trop.** *Il écrit* **moins/plus/** **davantage/autant.** *Il parle* **tant.** *Il joue* **tellement.** *Il ne lit* **pas assez.**
Nombre	**Un** *café, s'il vous plaît.* *J'ai réservé* **trois** *places.*	*J'***en** *voudrais* **un**, *svp.* *J'***en** *ai réservé* **trois**.	
Indéfinis • *voir U3.*	*Quelques/certaines* *personnes.* **Plusieurs** *enfants.* **Tous** *mes amis.* **La plupart des** *gens.*	**Quelques-uns,** **certain(e)s,** **plusieurs.** *Je* **les** *vois* **tous.** *J'***en** *connais* **la plupart.**	
Unités de mesure	**Un millier de** *personnes,* **une douzaine d'œufs,** **une boîte de** *petits pois,* **un morceau de** *pain,* **un litre** *de lait,* **un kilo de** *pommes…*	**En...** *un million,* *une dizaine, une boîte,* *un kilo, un morceau,* *un litre…*	

SUBJONCTIF

Conjugaison

• Subjonctif présent

3ᵉ personne du pluriel du présent + terminaisons : **-e, -es, e, ions, -iez, -ent**

Ils écrivent ➜ *Il faut que vous* **écriviez.**

Exceptions :   • *voir conj.*

 Les verbes qui changent de radical au présent de l'indicatif changent également de radical aux personnes correspondantes du subjonctif.

appeler (présent : j'appelle, nous appelons) ➜ *subjonctif : que j'appelle, que nous appelions.*
boire (présent : je bois, nous buvons) ➜ *subjonctif : que je boive, que nous buvions.*

• Subjonctif passé   • *voir U10.*

 Le subjonctif vient presque toujours après **que**, mais **que** n'est pas toujours suivi d'un subjonctif :
J'espère qu'il **viendra.**

• après quel(le)(s) que…   • *voir U10.*

• après le seul, le dernier, un superlatif dans une relative   • *voir U11.*

VERBE IMPERSONNEL   • *voir U15.*

VERBE PRONOMINAL

Le verbe pronominal a plusieurs sens possibles :
– le sens réfléchi où le pronom personnel complément représente le sujet :
Je **me** *lave, il* **se** *promène, elle* **s'est coupée.**
– le sens réciproque où le pronom personnel complément représente les deux ou plusieurs personnes
(dont le sujet) :
Ils **se détestent**, *elles* **se sont disputées**, *nous* **nous aimons.**
– le sens passif :
Les fruits **se vendent** *cher cette année (= sont vendus cher).*

 Il y a des verbes qui sont toujours pronominaux : *se souvenir.*
D'autres peuvent le devenir : *On* **se téléphone.**   • *voir U15.*

Infinitif	Présent	Futur	Passé composé	Imparfait	Passé simple	Subjonctif présent
acheter	j'achète vous achetez	j'achèterai vous achèterez	j'ai acheté vous avez acheté	j'achetais vous achetiez	il/elle acheta ils/elles achetèrent	que j'achète que vous achetiez
acquérir	j'acquiers vous acquérez	j'acquerrai vous acquerrez	j'ai acquis vous avez acquis	j'acquérais vous acquériez	il acquit ils/elles acquirent	que j'acquière que vous acquériez
aller	je vais tu vas il/elle va nous allons vous allez ils/elles vont	j'irai tu iras il/elle ira nous irons vous irez ils/elles iront	je suis allé(e) tu es allé(e) il/elle est allé(e) nous sommes allé(e)s vous êtes allé(e)(s) ils/elles sont allé(e)s	j'allais tu allais il/elle allait nous allions vous alliez ils/elles allaient	j'allai tu allas il/elle alla nous allâmes vous allâtes ils/elles allèrent	que j'aille que tu ailles qu'il/elle aille que nous allions que vous alliez qu'ils/elles aillent
appeler	j'appelle vous appelez	j'appellerai vous appellerez	j'ai appelé vous avez appelé	j'appelais vous appeliez	il/elle appela ils/elles appelèrent	que j'appelle que vous appeliez
s'asseoir	je m'assieds (ou : je m'assois) vous vous asseyez	je m'assiérai vous vous assiérez	je me suis assis(e) vous vous êtes assis(e)(s)	je m'asseyais vous vous asseyiez	il/elle s'assit ils/elles s'assirent	que je m'asseye que vous vous asseyez
attendre	j'attends vous attendez	j'attendrai vous attendrez	j'ai attendu vous avez attendu	j'attendais vous attendiez	j'attendis ils/elles attendirent	que j'attende que vous attendiez
avancer	j'avance nous avançons	j'avancerai nous avancerons	j'ai avancé nous avons avancé	j'avançais vous avancions	j'avançai ils/elles avancèrent	que j'avance que vous avanciez
avoir	j'ai tu as il/elle a nous avons vous avez ils/elles ont	j'aurai tu auras il/elle aura nous aurons vous aurez ils/elles auront	j'ai eu tu as eu il/elle a eu nous avons eu vous avez eu ils/elles ont eu	j'avais tu avais il/elle avait nous avions vous aviez ils/elles avaient	j'eus tu eus il/elle eut nous eûmes vous eûtes ils/elles eurent	que j'aie que tu aies qu'il/elle ait que nous ayons que vous ayez qu'ils/elles aient
battre	je bats vous battez	je battrai vous battrez	j'ai battu vous avez battu	je battais vous battiez	je battis ils/elles battirent	que je batte que vous battiez
boire	je bois vous buvez	je boirai vous boirez	j'ai bu vous avez bu	je buvais vous buviez	il/elle but ils/elles burent	que je boive que vous buviez
conduire	je conduis vous conduisez	je conduirai vous conduirez	j'ai conduit vous avez conduit	je conduisais vous conduisiez	je conduisis ils/elles conduisirent	que je conduise que vous conduisiez
connaître	je connais vous connaissez	je connaîtrai vous connaîtrez	j'ai connu vous avez connu	je connaissais vous connaissiez	il/elle connut ils/elles connurent	que je connaisse que vous connaissiez
courir	je cours vous courez	je courrai vous courrez	j'ai couru vous avez couru	je courais vous couriez	il/elle courut ils/elles coururent	que je coure que vous couriez
craindre	je crains vous craignez	je craindrai vous craindrez	j'ai craint vous avez craint	je craignais vous craigniez	il/elle craignit ils/elles craignirent	que je craigne que vous craigniez
croire	je crois vous croyez	je croirai vous croirez	j'ai cru vous avez cru	je croyais vous croyiez	il/elle crut ils/elles crurent	que je croie que vous croyiez
descendre	je descends vous descendez	je descendrai vous descendrez	je suis descendu(e) vous êtes descendu(e)(s)	je descendais vous descendiez	il/elle descendit ils/elles descendirent	que je descende que vous descendiez
devoir	je dois vous devez ils/elles doivent	je devrai vous devrez ils/elles devront	j'ai dû vous avez dû ils/elles ont dû	je devais vous deviez ils/elles devaient	il/elle dut vous dûtes ils/elles durent	que je doive que vous deviez
dire	je dis nous disons vous dites ils/elles disent	je dirai nous dirons vous direz ils/elles diront	j'ai dit nous avons dit vous avez dit ils/elles ont dit	je disais nous disions vous disiez ils/elles disaient	il/elle dit nous dîmes vous dîtes ils/elles dirent	que je dise que vous disiez
donner	je donne vous donnez	je donnerai vous donnerez	j'ai donné vous avez donné	je donnais vous donniez	il/elle donna ils/elles donnèrent	que je donne que vous donniez

Infinitif	Présent	Futur	Passé composé	Imparfait	Passé simple	Subjonctif présent
dormir	je dors vous dormez	je dormirai vous dormirez	j'ai dormi vous avez dormi	je dormais vous dormiez	je dormis ils/elles dormirent	que je dorme que vous dormiez
écrire	j'écris vous écrivez	j'écrirai vous écrirez	j'ai écrit vous avez écrit	j'écrivais vous écriviez	il/elle écrivit ils/elles écrivirent	que j'écrive que vous écriviez
envoyer	j'envoie vous envoyez	j'enverrai vous enverrez	j'ai envoyé vous avez envoyé	j'envoyais vous envoyiez	il/elle envoya ils/elles envoyèrent	que j'envoie que vous envoyiez
espérer	j'espère vous espérez	j'espérerai vous espérerez	j'ai espéré vous avez espéré	j'espérais vous espériez	il/elle espéra ils/elles espérèrent	que j'espère que vous espériez
essayer	j'essaie vous essayez	j'essaierai vous essaierez	j'ai essayé vous avez essayé	j'essayais vous essayiez	il/elle essaya ils/elles essayèrent	que j'essaie que vous essayiez
être	je suis tu es il/elle est nous sommes vous êtes ils/elles sont	je serai tu seras il/elle sera nous serons vous serez ils/elles seront	j'ai été tu as été il/elle a été nous avons été vous avez été ils/elles ont été	j'étais tu étais il/elle était nous étions vous étiez ils/elles étaient	je fus tu fus il/elle fut nous fûmes vous fûtes ils/elles furent	que je sois que tu sois qu'il/elle soit que nous soyons que vous soyez qu'ils/elles soient
faire	je fais nous faisons vous faites ils/elles font	je ferai nous ferons vous ferez ils/elles feront	j'ai fait nous avons fait vous avez fait ils/elles auront fait	je faisais nous faisions vous faisiez ils/elles faisaient	je fis nous fîmes vous fîtes ils/elles firent	que je fasse que nous fassions que vous fassiez qu'ils/elles fassent
falloir	il faut	il faudra	il a fallu	il fallait	il fallut	qu'il faille
finir	je finis vous finissez	je finirai vous finirez	j'ai fini vous avez fini	je finissais vous finissiez	il/elle finit ils/elles finirent	que je finisse que vous finissiez
jeter	je jette vous jetiez	je jetterai vous jetterez	j'ai jeté vous avez jeté	je jetais vous jetiez	il/elle jeta ils/elles jetèrent	que je jette que vous jetiez
joindre	je joins vous joignez	je joindrai vous joindrez	j'ai joint vous avez joint	je joignais vous joigniez	il/elle joignit ils/elles joignirent	que je joigne que vous joigniez
lever	je lève vous levez	je lèverai vous lèverez	j'ai levé vous avez levé	je levais vous leviez	il/elle leva ils/elles levèrent	que je lève que vous leviez
lire	je lis vous lisez	je lirai vous lirez	j'ai lu vous avez lu	je lisais vous lisiez	il/elle lut ils/elles lurent	que je lise que vous lisiez
manger	je mange nous mangeons	je mangerai nous mangerons	j'ai mangé nous avons mangé	je mangeais nous mangions	je mangeai ils/elles mangèrent	que je mange que vous mangiez
mettre	je mets vous mettez	je mettrai vous mettrez	j'ai mis vous avez mis	je mettais vous mettiez	il/elle mit ils/elles mirent	que je mette que vous mettiez
mourir	je meurs vous mourez	je mourrai vous mourrez	je suis mort(e) vous êtes mort(e)(s)	je mourais vous mouriez	il/elle mourut ils/elles moururent	que je meure que vous mouriez
naître	je nais vous naissez	je naîtrai vous naîtrez	je suis né(e) vous êtes né(e)(s)	je naissais vous naissiez	il/elle naquit ils/elles naquirent	que je naisse
ouvrir	j'ouvre vous ouvrez	j'ouvrirai vous ouvrirez	j'ai ouvert vous avez ouvert	j'ouvrais vous ouvriez	il/elle ouvrit ils/elles ouvrirent	que j'ouvre que vous ouvriez
partir	je pars vous partez	je partirai vous partirez	je suis parti(e) vous êtes parti(e)(s)	je partais vous partiez	il/elle partit ils/elles partirent	que je parte que vous partiez
peindre	je peins vous peignez	je peindrai vous peindrez	j'ai peint vous avez peint	je peignais vous peigniez	il/elle peignit ils/elles peignirent	que je peigne que vous peigniez
se plaindre	je me plains vous vous plaignez	je me plaindrai vous vous plaindrez	je me suis plaint(e) vous vous êtes plaint(e)(s)	je me plaignais vous vous plaigniez	il/elle se plaignit ils/elles se plaignirent	que je me plaigne que vous vous plaigniez
plaire	je plais vous plaisez	je plairai vous plairez	j'ai plu vous avez plu	je plaisais vous plaisiez	il/elle plut ils/elles plurent	que je plaise que vous plaisiez
pleuvoir	il pleut	il pleuvra	il a plu	il pleuvait	il plut	qu'il pleuve
pouvoir	je peux vous pouvez ils/elles peuvent	je pourrai vous pourrez ils/elles pourront	j'ai pu vous avez pu ils/elles ont pu	je pouvais vous pouviez ils/elles pouvaient	il/elle put ils/elles purent	que je puisse que vous puissiez

Infinitif	Présent	Futur	Passé composé	Imparfait	Passé simple	Subjonctif présent
prendre	je prends vous prenez	je prendrai vous prendrez	j'ai pris vous avez pris	je prenais vous preniez	il/elle prit ils/elles prirent	que je prenne que vous preniez
recevoir	je reçois vous recevez	je recevrai vous recevrez	j'ai reçu vous avez reçu	je recevais vous receviez	il/elle reçut ils/elles reçurent	que je reçoive que vous receviez
résoudre	je résous vous résolvez	je résoudrai vous résoudrez	j'ai résolu vous avez résolu	je résolvais vous résolviez	il/elle résolut ils/elles résolurent	que je résolve que vous résolviez
rire	je ris vous riez	je rirai vous rirez	j'ai ri vous avez ri	je riais vous riiez	il/elle rit ils/elles rirent	que je rie que vous riiez
savoir	je sais vous savez	je saurai vous saurez	j'ai su vous avez su	je savais vous saviez	il/elle sut ils/elles surent	que je sache que vous sachiez
suivre	je suis vous suivez	je suivrai vous suivrez	j'ai suivi vous avez suivi	je suivais vous suiviez	il/elle suivit ils/elles suivirent	que je suive que vous suiviez
tenir	je tiens vous tenez	je tiendrai vous tiendrez	j'ai tenu vous avez tenu	je tenais vous teniez	il/elle tint ils/elles tinrent	que je tienne que vous teniez
valoir	il/elle vaut vous valez	il/elle vaudra vous vaudrez	il/elle a valu vous avez valu	il/elle valait vous valiez	il/elle valut ils/elles valurent	qu'il/elle vaille que vous valiez
venir	je viens vous venez	je viendrai vous viendrez	je suis venu(e) vous êtes venu(e)(s)	je venais vous veniez	il/elle vint ils/elles vinrent	que je vienne que vous veniez
vivre	je vis vous vivez	je vivrai vous vivrez	j'ai vécu vous avez vécu	je vivais vous viviez	il/elle vécut ils/elles vécurent	que je vive que vous viviez
voir	je vois vous voyez	je verrai vous verrez	j'ai vu vous avez vu	je voyais vous voyiez	il/elle vit ils/elles virent	que je voie que vous voyiez
vouloir	je veux vous voulez ils/elles veulent	je voudrai vous voudrez ils/elles voudront	j'ai voulu vous avez voulu ils/elles ont voulu	je voulais vous vouliez ils/elles voulaient	il/elle voulut ils/elles voulurent	que je veuille que vous vouliez

Abréviations utilisées : qqch : quelque chose ; qq'un : quelqu'un ; qqpart : quelque part.

*Les verbes pronominaux (**se** + verbe) se conjuguent avec l'auxiliaire **être**.*

VERBES	MODÈLES DE CONJUGAISON	CONSTRUCTIONS
abuser	donner	de qqch ; de qq'un.
accepter	donner	qqch *(la présidence de…)* ; de + infinitif *(de débattre)* ; que + subjonctif *(que vous partiez)*.
accorder	donner	qqch *(un congé)* ; qqch à qq'un. **s'accorder** qqch *(un moment)* ; à qqch *(au caractère…)*.
accuser	donner	qq'un *(un employé)* ; qq'un de qqch *(qq'un d'un meurtre)*.
adapter	donner	qqch *(un roman)*. **s'adapter** à qqch *(au froid)*.
admettre	mettre	qqch ; que + indicatif *(que la perfection n'est pas de ce monde)*.
adresser	donner	qqch *(une lettre)* ; qqch à qq'un. **s'adresser** à qq'un ; qqpart *(au guichet)*.
affirmer	donner	qqch ; que + indicatif *(que vous intervenez vite)*.
il s'agit	finir	de qqch *(de mon travail)* ; de + infinitif.
aider	donner	qq'un ; à + infinitif *(à créer des liens)* ; qq'un à + infinitif *(qq'un à s'évader)*.
aimer	donner	qqch *(les animaux)* ; qq'un ; + infinitif *(voyager)* ; que + subjonctif *(que tout soit prévu)*.
ajouter	donner	qqch ; que + indicatif *(que la production est…)*.
aller	aller	qqpart *(à l'université)* ; + infinitif *(se baigner)*.
amener	donner	qq'un ; qq'un qqpart *(qq'un chez le médecin)*.
s'amuser	donner	à + infinitif *(à imiter les autres)*.
annoncer	avancer	qqch *(une fête)* ; que + indicatif *(qu'il donnera une fête)*.
apercevoir	recevoir	qqch ; qq'un *(le voisin)*. **s'apercevoir** de qqch ; que + indicatif *(que c'est trop tard)*.
apparaître	connaître	*comme un grand précurseur.*
appartenir	tenir	à qqch *(à un groupe)* ; à qq'un.
appeler	appeler	qq'un *(la police)*. **s'appeler** + nom *(Dumas)*.
apprendre	prendre	qqch *(un métier)* ; qqch à qq'un ; à + infinitif *(à jouer)* ; à qq'un + infinitif ; que + indicatif *(que qq'un était mort)*.
s'approcher	donner	de qqch ; de qq'un *(d'eux)*.
arrêter	donner	qqch ; qq'un ; de + infinitif *(de travailler)*.
arriver	donner	**(auxiliaire** *être)* qqpart ; à + infinitif *(à réserver une chambre)*. **il arrive** qqch à qq'un ; à qq'un de + infinitif *(à qq'un de perdre ses clés)* ; que + subjonctif.
s'asseoir	asseoir	qqpart.
assister	donner	à qqch *(à des spectacles)*.
s'assurer	donner	qqch *(un hectare de plus)* ; que + indicatif *(que ce roman était lisible)*.
attendre	rendre	qqch *(un taxi)* ; qq'un *(un client)* ; que + subjonctif *(que je vous explique)*. **s'attendre** à qqch ; à + infinitif *(à voir qq'un)*.
atterrir	finir	qqpart *(dans un filet)*.
avancer	avancer	qqch *(une hypothèse)*. **s'avancer** à + infinitif *(à chiffrer un préjudice)*.
avoir	avoir	qqch *(20 ans, de la monnaie, du temps pour…)* ; qqch à + infinitif *(qqch à annoncer ; une minute à perdre)*. **avoir beau** + infinitif *(être marié)*. **avoir besoin** de qqch *(d'une liste)* ; de qq'un ; de + infinitif *(de parler à qq'un)*. **avoir confiance** en qq'un. **avoir coutume** de + infinitif *(de donner un cadeau)*. **avoir droit** à qqch *(à un interrogatoire)*. **avoir le droit** de + infinitif *(d'entrer)*. **avoir envie** de qqch ; de + infinitif *(de partir)*. **avoir l'habitude** de qqch ; de + infinitif *(de dire ce qu'on pense)*. **avoir honte** de qqch ; de qq'un ; de + infinitif *(de se montrer)*. **avoir horreur** de qqch *(de la campagne)*.

avoir l'impression de + infinitif *(de se retrouver dans une ville étrangère)* ;
que + indicatif *(que c'est important)*.
avoir l'intention de + infinitif *(de partir)*.
avoir la joie de + infinitif *(de vous faire part de…)*.
avoir mal à qqch *(au cœur, à la gorge)*.
avoir du mal à + infinitif *(à croire)*.
avoir peur de qqch *(de la solitude)* ; de + infinitif *(de s'identifier)* ;
que + subjonctif *(que vous preniez froid)*.
en avoir ras-le-bol de qqch ; de + infinitif *(de se lever)*.
avoir le temps de + infinitif *(de penser à qqch)*.
avoir tendance à + infinitif *(à s'appuyer sur…)*.
avoir tort de + infinitif *(de risquer sa vie)*.

avouer	donner	qqch ; qqch à qq'un ; que + indicatif *(qu'il était parti)*.
se baigner	donner	qqpart *(dans une rivière)*.
changer	manger	qqch *(de l'argent)* ; de qqch *(de travail)*.
se charger	manger	de qqch *(du transport)* ; de qq'un.
chercher	donner	qqch *(son chemin, du travail)* ; qq'un *(des vendangeurs)* ; à + infinitif *(à retrouver une image)*.
choisir	finir	qqch *(un vêtement, une date)* ; de + infinitif *(de travailler)*.
collaborer	donner	à qqch *(à un journal)*.
commencer	avancer	qqch *(des recherches)* ; par qqch *(par le toit)* ; à + infinitif *(à suivre des cours)*.
comparer	donner	qqch au pluriel *(deux films)* ; qqch à qqch *(un spectacle à un autre)*.
comprendre	prendre	qqch *(l'allemand)* ; que + subjonctif *(que vous soyez agacé)*.
compter	donner	qqch ; qq'un *(des personnes)* ; sur qq'un pour + infinitif
concevoir	recevoir	qqch ; que + subjonctif *(qu'elle corresponde à…)*.
condamner	donner	qqch ; qq'un ; qq'un à + infinitif *(Jeanne d'Arc à être brûlée vive)*.
conduire	conduire	qqch *(une voiture)* qq'un qqpart *(qq'un à la gare, qq'un chez lui)*.
confier	donner	qqch *(nos rôles)* ; qqch à qq'un *(une énigme à qq'un)*. **se confier** à qq'un *(à n'importe qui)*.
confirmer	donner	qqch *(une réservation)* ; que + indicatif *(que je ne prends pas de bains la nuit)*.
se confondre	attendre	en excuses.
consacrer	donner	+ durée *(une semaine)* ; du temps à qqch/à qq'un.
conseiller	donner	qq'un ; qqch à qq'un ; à qq'un de + infinitif *(à qq'un d'inventer…)* ; que + subjonctif.
consentir	dormir	qqch *(une réduction)* ; à ce que + subjonctif.
considérer	espérer	qqch ; qq'un ; qq'un comme…
consister	donner	à + infinitif *(à interviewer des gens)*.
constater	donner	qqch *(l'accident)* ; que + indicatif *(qu'on n'a pas le temps)*.
se contenter	donner	de qqch *(de poissons)* ; de + infinitif *(de décrire)*.
continuer	donner	qqch *(ses études)* ; à + infinitif *(à se développer)* ; de + infinitif.
contraindre	plaindre	qq'un ; qq'un à + infinitif *(qq'un à accepter)*.
copier	donner	qqch ; qq'un ; sur qq'un *(sur lui)*.
correspondre	attendre	à qqch.
courir	courir	après qqch *(après un diplôme)* ; + infinitif *(crier votre colère)*.
coûter	donner	152 euros ; cher, combien.
craindre	plaindre	qqch ; qq'un ; de + infinitif *(de mal supporter)* ; que + subjonctif *(que la glace ne cède)*.
croire	croire	qqch *(ne pas en croire ses yeux)* ; qq'un ; + infinitif *(rêver, aimer qq'un)* ; que + indicatif *(que je vais attendre)* ; croyez-vous que + subjonctif *(que ce soit la raison ?)*.
se débarrasser	donner	de qqch *(de problèmes)* ; de qq'un *(des gens)*.
se débrouiller	donner	en allemand.
décider	donner	qqch ; qq'un ; de + infinitif *(de se marier)* ; que + indicatif.
déclarer	donner	qqch ; que + indicatif.
déduire	conduire	qqch ; de qqch que + indicatif *(de qqch qu'on préfère…)*.
défendre	vendre	qqch ; qq'un ; de + infinitif.

demander	donner	qqch (*un renseignement*) ; qqch à qq'un (*l'heure à un passant*) ; à + infinitif (*à parler*), de + infinitif (*de parler*) ; à qq'un de + infinitif (*à qq'un de vous aider*) ; que + subjonctif. **se demander** ce que, si, comment, pourquoi (*ce que vous devenez ; comment faire ; comment on fait…*).
dépasser	donner	qqch (*un seuil*) ; qq'un.
se dépêcher	donner	de + infinitif.
dépendre	attendre	de qq'un (*des autres*).
déplacer	donner	qqch (*des charges*).
déposer	donner	qqch (*un billet*) ; qqch qqpart (*une liste dans un magasin*).
descendre	descendre	(**auxiliaire *avoir***) qqch (*l'escalier*) ; (**auxiliaire *être***) qqpart (*dans la rue*) ; + infinitif.
désigner	donner	qq'un ; qq'un comme… (*qq'un comme suspect*).
détester	donner	qqch (*les voitures*) ; + infinitif (*faire du ski*).
devenir	venir	(**auxiliaire *être***) qqch ; qq'un (*dépanneur*) ; + adjectif.
devoir	devoir	qqch (*15 euros*) ; + infinitif (*aider les passagers*).
dire	dire	qqch ; qqch à qq'un ; qqch de qqch (*qqch du rugby*) ; à qq'un de + infinitif (*à qq'un de vous apporter ça*) ; que + indicatif (*que vous viendrez*) ; à qq'un que + indicatif (*à qq'un que je vais bien*) ; à qq'un que + subjonctif. **on dirait** qqch (*une carte du canton*).
discuter	donner	de qqch (*du travail*) ; avec qq'un (*avec des amis*).
disposer	donner	de qqch (*d'un calme parfait*).
diviser	donner	qqch (*un pays*) ; qqch en qqch (*un pays en provinces*).
donner	donner	qqch (*des conseils, l'exemple*) ; qqch à qq'un ; sur qqch (*sur la mer*). **donner l'impression** que + indicatif (*que quelque chose est petit*).
dormir	dormir	trois heures ; qqpart (*dans un gîte*).
douter	donner	de qqch ; de qq'un ; que + subjonctif. **se douter** de qqch ; que + indicatif (*que j'allais sortir…*).
durer	donner	quatre ans.
écarter	donner	qqch (*la boule*) ; qqch avec qqch (*qqch avec sa cuillère*).
échanger	manger	qqch (*une voiture*) ; qqch contre qqch.
écouter	donner	qqch (*la radio*) ; qq'un (*qq'un à la radio*) ; qq'un + infinitif.
écrire	écrire	qqch (*une lettre, une pièce*) ; à qq'un ; sur qqch (*sur une feuille*) ; à qq'un que + indicatif ; à qq'un de + infinitif.
emmener	donner	qq'un ; qq'un + infinitif.
empêcher	donner	qq'un de + infinitif (*qq'un de progresser*).
engager	manger	qqch (*la conversation*) ; qq'un ; qq'un comme (*qq'un comme cuisinier*). **s'engager** sur qqch (*sur 9 services*) ; dans qqch (*dans l'armée*).
enquêter	donner	sur qqch (*sur des vols*).
entendre	attendre	qqch (*un bruit*) ; qq'un + infinitif (*qq'un claquer la porte*). **entendre dire** qqch ; que + indicatif (*que le bac n'a plus de valeur*). **s'entendre** avec qq'un (*avec ses collègues*).
entrer	donner	(**auxiliaire *être***) qqpart (*dans un collège*) ; + infinitif.
envier	donner	qqch (*notre culture*) ; qqch à qq'un.
envisager	manger	qqch (*un projet*) ; de + infinitif (*de faire qqch*).
envoyer	donner/essayer	qqch (*une lettre*) ; qq'un (*sa fille*) ; qqch à qq'un (*une liste à qq'un*) ; qq'un + infinitif (*qq'un faire qqch*).
espérer	espérer	qqch ; + infinitif ; que + indicatif (*que tu es libre ce soir*).
essayer	essayer	qqch (*un vêtement*) ; de + infinitif (*de ralentir*).
estimer	donner	qqch (*une perte, une perte à 40 % de…*).
étonner	donner	qq'un (*ses amis*). **s'étonner** de + infinitif (*de voir qq'un…*) ; que + subjonctif (*que beaucoup préfèrent la télé*).
être	être	+ attribut (*marié, professeur*) ; qq'un (*Pierre*) **être capable** de qqch ; de + infinitif (*de faire marcher ça*). **il est clair** que + indicatif (*que ma situation est différente*). **être content** de + infinitif (*de venir*) ; que + subjonctif (*qu'une femme se présente*).

		être d'accord avec qq'un.
		être désolé de + infinitif *(de ne pas pouvoir…)*.
		il est difficile de + infinitif *(de savoir si…)*.
		être enchanté de + infinitif *(d'avoir fait votre connaissance)*.
		être forcé de + infinitif *(d'y aller)*.
		être heureux de + infinitif *(d'adresser…)*.
		être impatient de + infinitif *(de connaître…)*.
		il est important de + infinitif *(de faire qqch)* ; que + subjonctif *(qu'un film soit bon)*.
		être marié à qq'un *(à un enfant du pays)*.
		être obligé de + infinitif *(d'arrêter)*.
		il est pénible de + infinitif *(d'être tiré de son sommeil par du bruit)*.
		il est possible à qq'un de + infinitif *(à qq'un de louer le champ)* ; que + subjonctif.
		être prêt à + infinitif *(à tout accepter)*.
		être ravi de + infinitif *(de vous retrouver)*.
		être sûr de qqch ; de + infinitif *(de faire qqch)* ; que + indicatif *(que beaucoup de gens le font)*.
		il est temps de + infinitif *(de faire qqch)* ; que + subjonctif *(que tu prennes des vacances)*.
		il est vrai que + indicatif *(qu'il manque…)*.
éviter	donner	qqch *(le tangage)* ; à qq'un de + infinitif *(à qq'un de penser à M.)*.
expliquer	donner	qqch *(sa décision)* ; qqch à qq'un *(à vos lecteurs ; à qq'un ce que…)* ; que + indicatif ; comment/pourquoi + indicatif.
faire	faire	qqch *(la queue, un stage, du bruit, sa toilette, les courses, le ménage, du bien, du sport)* ; ça fait 12 € ; qqch à qq'un *(du bien à qq'un)* ; + infinitif *(entrer qq'un)*. **faire allusion** à qqch. **faire attention** à qqch *(au goût)* ; à qq'un. **faire face** à qqch *(à l'extérieur)*. **faire part** de qqch *(d'un mariage)*. **faire peur** à qq'un. **faire plaisir** à qq'un. **faire semblant** de + infinitif *(de mettre…)*.
falloir, il faut	falloir	qqch *(un acompte, du temps)* ; qqch à qq'un *(des outils à qq'un)* ; + infinitif *(confirmer)* ; que + subjonctif *(que je fasse qqch)*.
féliciter	donner	qq'un ; qq'un de qqch. **se féliciter** de + infinitif *(de vous avoir rencontré)*.
finir	finir	qqch ; de + infinitif *(de manger)* ; par + infinitif *(par trouver)*.
forcer	avancer	qqch *(un barrage)* ; qq'un ; qq'un à + infinitif.
habiter	donner	qqpart *(Aix, un studio, rue du Moulin)* ; à/en/dans + lieu *(à Aix, au n° 10 ; à la campagne ; en ville ; dans le Midi)*.
s'habituer	donner	à qqch.
hésiter	donner	à + infinitif *(à revendiquer)*.
s'identifier	donner	à qq'un ; comme qq'un *(comme un être…)*.
ignorer	donner	qqch ; qq'un ; que + indicatif.
imaginer	donner	qqch *(le diagnostic)*. **s'imaginer** qqch ; que + indicatif *(que je suis ingénieur)*.
impliquer	donner	qq'un ; qq'un dans qqch *(qq'un dans un meurtre)*.
inciter	donner	qq'un ; qq'un à + infinitif *(qq'un à attirer l'attention)*.
informer	donner	qq'un ; qq'un sur qqch *(qq'un sur l'actualité)* ; qq'un que + indicatif.
s'inscrire	écrire	à qqch *(à un cours)*.
insister	donner	sur qqch.
s'installer	donner	qqpart *(dans un studio)*.
intégrer	donner	qqch *(un événement ; qqch dans un festival)*.
interdire	dire	qqch *(la voiture, l'accès à…)* ; de + infinitif.
intéresser	donner	qq'un *(ça m'intéresse)*. **s'intéresser** à qqch *(au sport)* ; à qq'un *(à son fils)*.
inviter	donner	qq'un *(des amis)* ; qq'un à + infinitif *(qq'un à réfléchir)*.
jeter	jeter	qqch *(une pièce de monnaie)* ; qqch qqpart *(qqch dans la neige)*. **se jeter** qqpart *(sur les rochers)*.
joindre	joindre	qqch à qqch *(à une lettre)* ; qq'un.

		se joindre à qqch *(au débat)* ; à qq'un *(au groupe)*.
jouer	donner	qqch *(une pièce, la comédie)* ; qq'un *(les blessés)* ; à qqch *(au + jeu : au ballon, aux courses)* ; de qqch *(de + instrument : du piano)* ; avec qq'un *(avec un ami)*.
juger	manger	qq'un ; de qqch *(de sa carrière)*.
laisser	donner	qqch *(un pourboire)* ; qq'un ; qq'un tranquille ; qqch qqpart *(son argent qqpart)* ; qq'un + infinitif *(qq'un partir)*. **se laisser** + infinitif *(intimider)*.
lire	lire	qqch *(une annonce)* ; qqpart *(dans les livres)* ; que + indicatif.
loger	manger	qq'un ; qqpart.
lutter	donner	contre qqch *(contre l'ennui)*.
manquer	donner	qqch *(la répétition)* ; qq'un ; de qqch *(de patience)* ; de + infinitif.
se marier	donner	avec qq'un.
se mêler	donner	de qqch *(de mes histoires)*.
menacer	avancer	qq'un ; qq'un de + infinitif.
mesurer	donner	20 mètres de haut.
mettre	mettre	qqch *(la table, de l'ordre)* ; qqch qqpart *(une lettre à la boîte)*. **mettre au point** qqch *(une série de mesures)*. **se mettre** à qqch *(au travail)* ; à + infinitif *(à parler de…)*.
monter	donner	(**auxiliaire avoir**) qqch *(une entreprise)* ; (**auxiliaire être**) qqpart *(dans sa chambre)*.
montrer	donner	qqch *(le paysage)* ; que + indicatif *(que 83 % des gens sont favorables)*.
se moquer	donner	de qqch ; de qq'un.
naître	naître	qqpart *(en Belgique)*.
négocier	donner	qqch ; avec qq'un *(avec ses enfants)*.
noter	donner	qqch *(des phrases)* ; que + indicatif.
s'occuper	donner	de qqch ; de qq'un *(de ses enfants)*.
offrir	ouvrir	qqch *(un jeu, la tournée)* ; qqch à qq'un *(un jeu à qq'un)* ; qqch comme… *(qqch comme cadeau)* ; de + infinitif.
s'opposer	donner	à qqch ; à qq'un.
oser	donner	+ infinitif *(parler)*.
oublier	donner	qqch *(la fatigue)* ; de + infinitif *(de prendre du pain)* ; que + indicatif.
paraître	connaître	(**auxiliaire être**) + adjectif *(riche)* ; + infinitif *(se transformer)*. **il paraît** que + indicatif.
pardonner	donner	qqch ; à qq'un ; à qq'un de + infinitif.
parler	donner	qqch *(une langue)* ; à qq'un *(à une amie)* ; de qqch *(d'un projet)* ; de qq'un *(de nous)* ; à qq'un de qqch ; de + infinitif.
partager	manger	qqch *(un moment)* avec qq'un.
participer	donner	à qqch *(à une fête)*.
partir	partir	qqpart *(sur les sentiers)* ; + infinitif *(marcher)*.
passer	donner	qqch *(du temps ; le pont)* ; qqpart *(à la télé ; au bureau)* ; du temps avec qq'un ; du temps qqpart *(un jour à la mer)* ; du temps à + infinitif *(des journées à attendre)*.
pénétrer	donner	qqpart *(sur notre territoire)*.
penser	donner	à qqch *(à un endroit)* ; à qq'un *(aux locataires)* ; qqch de qqch *(du bien de son travail)* ; + infinitif ; que + indicatif *(que c'est le bon choix)* ; penses-tu que + subjonctif *(que notre intérêt soit…)*.
perdre	tendre	qqch *(son emploi)* ; son temps à + infinitif *(son temps à faire…)*.
permettre	mettre	qqch *(la création)* ; qqch à qq'un *(une remarque à qq'un)* ; de + infinitif *(de libérer l'économie)* ; à qq'un de + infinitif *(à qq'un de recommencer)*.
peser	donner	mille tonnes.
placer	avancer	qqch *(un tapis)* ; qqch qqpart *(un tapis sous la table)*.
se plaindre	se plaindre	à qq'un *(à qui ?)* ; de qqch *(de la pollution)* ; de + infinitif *(d'être fatigué)*.
plaire	plaire	à qq'un *(il te plaît ?)* ; à qq'un de + infinitif ; à qq'un que + subjonctif.
plonger	manger	qq'un qqpart *(se plonger dans un univers)*.
porter	donner	qqch *(un sac, une couleur)*.

		porter bonheur à qq'un.
pousser	donner	qqch (un cri, une porte) ; qq'un à + infinitif (qq'un à faire des études).
pouvoir	pouvoir	+ infinitif (choisir, jouer au tennis).
se précipiter	donner	qqpart ; + infinitif (ouvrir les volets).
préciser	donner	qqch (des événements) ; que + indicatif.
préférer	espérer	qqch (le TGV, le rock) ; + infinitif (lire ou sortir) ; que + subjonctif.
prendre	prendre	qqch (le TGV, une semaine) ; qq'un pour… (qq'un pour un fou). **prendre plaisir** à qqch (à un voyage).
préparer	donner	qqch (le déjeuner) ; qq'un à + infinitif (qq'un à entrer dans…).
présenter	donner	qq'un (un ami, Robert) ; qq'un à qq'un (se présenter à…).
prêter	donner	qqch ; qqch à qq'un.
prévoir	voir	qqch (un repas) ; de + infinitif.
prier	donner	qq'un de + infinitif (qq'un de m'excuser).
profiter	donner	de qqch (du développement) ; à qq'un (aux sponsors).
promettre	mettre	qqch ; à qq'un de + infinitif ; que + indicatif.
proposer	donner	qqch (des dépliants) ; qqch à qq'un (une promotion à qq'un) ; de + infinitif (de s'occuper de…) ; à qq'un de + infinitif (à qq'un de s'installer…) ; que + subjonctif (qu'ils puissent être intégrés).
provenir	venir	de qqch (du fait que…) ; de qqpart (du café).
raconter	donner	qqch (une histoire) ; qqch à qq'un (tout à un copain) ; que + indicatif (qu'il lui avait parlé).
rappeler	appeler	qqch à qq'un (des souvenirs à qq'un) ; que + indicatif (qu'il a 40 ans) ; à qq'un que + indicatif (aux auditeurs qu'il est l'auteur de…). **se rappeler** qqch (un conseil) ; que + indicatif (que c'était elle qui…).
recommander	donner	qqch (un film) ; qqch à qq'un (un film à qq'un) ; de + infinitif (de voir qqch).
reconnaître	connaître	qq'un (Maria Callas) ; que + indicatif (qu'il y a des avantages). **se reconnaître** dans qq'un (dans les personnages).
réfléchir	finir	à qqch ; sur qqch (sur la vie).
se réfugier	donner	qqpart (dans sa chambre ; à l'étranger).
refuser	donner	qqch (le confort) ; de + infinitif (de payer).
regarder	donner	qqch (les informations) ; qq'un ; qqpart (à la fenêtre, sur l'ordinateur) ; qqch + infinitif (la pluie tomber).
regretter	donner	qqch (rien) ; qq'un (des collègues) ; de + infinitif (d'avoir signé) ; que + subjonctif (que les gens aillent moins au cinéma).
regrouper	donner	qqch au pluriel (les réponses) ; qq'un au pluriel (des amis).
se réjouir	finir	de qqch ; de + infinitif (d'apprendre).
relier	donner	un lieu à un lieu (Nice à Bastia).
remarquer	donner	qqch (une demande) ; qq'un ; que + indicatif (que les billets sont neufs).
remercier	donner	qq'un ; qq'un de qqch (qq'un d'une invitation, pour…) ; qq'un de + infinitif (qq'un d'avoir fait qqch).
remettre	mettre	qqch (une enveloppe) ; qqch à qq'un (un cadeau à la famille).
remonter	donner	à qqch (aux Croisades).
remplacer	avancer	qqch (sa voiture) ; qqch par qqch (sa voiture par une autre).
rendre	attendre	qqch ; se rendre qqpart (à Médan). **rendre visite** à qq'un. **se rendre compte** de qqch (de son état) ; que + indicatif.
rentrer	donner	(**auxiliaire *être***) qqpart ; + infinitif.
répéter	espérer	qqch (un mot) ; que + indicatif (à qq'un que les paysans étaient…).
répondre	attendre	à qqch (à une question) ; à qq'un ; pour qq'un ; à qq'un que + indicatif (à qq'un que c'est bien).
reprocher	donner	qqch à qq'un ; à qq'un de + infinitif (à qq'un de ne pas être là).
ressembler	donner	à qq'un.
rester	donner	(**auxiliaire *être***) + durée (quatre jours) ; qqpart ; à + infinitif (à négocier). **il reste** + durée (10 secondes) ; à qq'un à + infinitif (à qq'un à trouver…).
réussir	finir	qqch ; à + infinitif (à caser qq'un).

revenir	venir	(**auxiliaire *être***) à qqch *(à la philosophie)* ; qqpart ; + infinitif.
rêver	donner	de qqch *(d'une maison)* ; à qqch ; de + infinitif *(d'être journaliste)* ; que + indicatif.
rire	rire	de qqch *(de votre image)*.
risquer	donner	qqch *(votre tête)* ; de + infinitif *(de déclencher ma toux)*.
sauter	donner	sur qqch *(sur l'appareil)* ; qqpart *(dans un taxi)*.
savoir	savoir	qqch *(la réponse)* ; + infinitif *(innover)* ; que + indicatif *(que ça pose des problèmes)*.
sembler	donner	+ attribut *(dur)* ; + infinitif *(créer une situation)*. **il me semble** que + indicatif *(que je comprends…)*.
sentir	dormir	qqch *(le besoin de…)* ; + infinitif *(monter en moi…)* ; que + indicatif *(qu'il ne pourra pas…)*. **se sentir** bien, mal.
servir	dormir	à qqch *(à rien)* ; à qq'un.
signaler	donner	qqch ; que + indicatif *(que la machine faisait du bruit)*.
se situer	donner	qqpart *(dans l'Ouest)*.
sortir	dormir	(**auxiliaire *être***) de qqpart *(de chez le médecin)* ; avec qq'un *(avec des amis)* ; + infinitif.
souhaiter	donner	qqch ; + infinitif *(avoir du temps libre)* ; que + subjonctif.
se souvenir	venir	de qqch *(d'une publicité)*.
il suffit	lire	de qqch ; de + infinitif *(de répondre)* ; que + subjonctif *(qu'il soit entre deux champignons…)*.
supposer	donner	que + indicatif *(que je suis anglophone)*.
suspecter	donner	qq'un de + infinitif *(Pierre de cacher…)*.
tâcher	donner	de + infinitif *(de se débrouiller)*.
téléphoner	donner	à qq'un ; qqpart *(à la gendarmerie)* ; de + infinitif *(de faire qqch)* ; que + subjonctif.
tendre	attendre	qqch *(un piège)* ; à + infinitif *(à être la meilleure chanteuse)*.
tenir	tenir	qqch *(l'affiche 7 ans)* ; à + infinitif *(à montrer)*. **tenir compagnie** à qq'un. **s'en tenir** à qqch.
tirer	donner	qqch *(un traîneau ; une conclusion)* ; sur qqch *(sur des fils)*.
tomber	donner	qqpart *(dans un piège)*.
tourner	donner	autour de qqch *(autour d'une problématique)*. **se tourner** vers qq'un.
traduire	conduire	qqch ; qq'un ; en anglais.
traiter	donner	qq'un de… *(qq'un de gamine)*.
transformer	donner	qqch *(un match ; un match en spectacle)*. **se transformer** en qqch.
travailler	donner	qqch *(les jambes)* ; une durée *(39 heures)* ; à qqch *(à l'unification)* ; pour *(une banque)* ; comme *(secrétaire)*.
se tromper	donner	de qqch.
trouver	donner	qqch *(du travail, son style)* ; qq'un qqpart *(qq'un au magasin)* ; qqch normal ; que + indicatif *(que les émissions sont nulles)*. **se trouver** qqpart *(en ville)* ; + adjectif *(fragilisé)*.
valoir	valoir	qqch *(la peine ; 2 euros)*. **il vaut mieux** + infinitif *(choisir…)* ; que + subjonctif.
veiller	donner	sur qq'un ; à ce que + subjonctif.
venir	venir	(**auxiliaire *être***) qqpart *(avec nous)* ; + infinitif *(dîner à la maison)*.
vérifier	donner	qqch *(l'absence de qqch)* ; que + indicatif *(que nous tenons nos engagements)*.
vivre	vivre	qqch *(une histoire)* ; avec qq'un *(avec sa fille)* ; qqpart *(en Belgique)*.
voir	voir	qqch *(un avantage)* ; qq'un ; qqch + infinitif *(les trains passer)* ; qq'un + infinitif *(qq'un jeter une pièce)* ; que + indicatif *(que notre village ne peut plus vivre)*.
voler	donner	qqch ; qqch à qq'un.
vouloir	vouloir	qqch *(la carte)* ; + infinitif *(gagner)* ; que + subjonctif *(qu'on les plaigne)*. **en vouloir** à qq'un. **vouloir dire** qqch *(ça ne veut rien dire)* ; que + indicatif *(qu'on a compris)*.

Imprimé en France par CLERC S.A.
Dépôt légal n° 23977-07/2002
Collection n° 44 - Edition n° 03
15/5100/1